KB214478

진짜
수학의 답을
찾아서!

수학의 답

중학 수학 1

정답과 풀이는 EBS 중학사이트(mid.ebs.co.kr)에서 다운로드 받으실 수 있습니다.

교재 내용 문의	교재 정오표 공지	교재 정정 신청
교재 내용 문의는 EBS 중학사이트 (mid.ebs.co.kr)의 교재 Q&A 서비스를 활용하시기 바랍니다.	발행 이후 발견된 정오 사항을 EBS 중학사이트 정오표 코너에서 알려 드립니다. 교재학습자료 → 교재 → 교재 정오표	공지된 정오 내용 외에 발견된 정오 사항이 있다면 EBS 중학사이트를 통해 알려 주세요. 교재학습자료 → 교재 → 교재 선택 → 교재 Q&A

진짜
수학의 답을
찾아서!

수학의 답

중학 수학 1

EBS 중학 수학의 인기 강좌 수학의 답!
이제 교재로 만날 수 있습니다!

수학의 답 총 1,300개의 강좌 중 1학년 교육과정
순서에 맞게 160개 유형으로 재구성하였습니다.

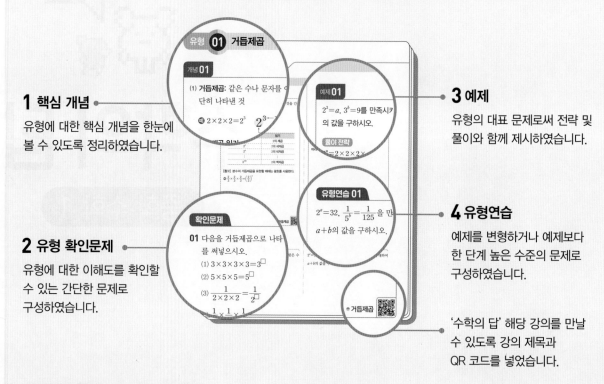

1 핵심 개념

유형에 대한 핵심 개념을 한눈에
볼 수 있도록 정리하였습니다.

2 유형 확인문제

유형에 대한 이해도를 확인할
수 있는 간단한 문제로
구성하였습니다.

3 예제

유형의 대표 문제로써 전략 및
풀이와 함께 제시하였습니다.

4 유형연습

예제를 변형하거나 예제보다
한 단계 높은 수준의 문제로
구성하였습니다.

'수학의 답' 해당 강의를 만날
수 있도록 강의 제목과
QR 코드를 넣었습니다.

● **정답과 풀이**   자세하고 친절한 풀이

수학의 답 강의 활용 방법 EBS ◉● 중학

개념이나 문제 하단의 QR 코드를 찍으세요!
수학의 답 해당 강의를 바로 만날 수 있습니다.

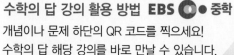

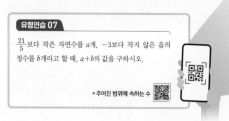

유형연습 07

$\frac{21}{5}$보다 작은 자연수를 a개, -3보다 작지 않은 음의
정수를 b개라고 할 때, $a+b$의 값을 구하시오.

● 주어진 범위에 속하는 수

이 책의 차례
CONTENTS

1 소인수분해

유형 01 거듭제곱

개념 01

(1) **거듭제곱:** 같은 수나 문자를 여러 번 곱한 것을 간단히 나타낸 것

예 $2 \times 2 \times 2 = 2^3$ 2^{3} ← 지수   └ 밑

(2) **거듭제곱 읽기**

거듭제곱	읽기
2^2	2의 제곱
2^3	2의 세제곱
2^4	2의 네제곱
$\vdots$	$\vdots$
2^{100}	2의 백제곱

[참고] 분수의 거듭제곱을 표현할 때에는 괄호를 사용한다.

예 $\dfrac{2}{3} \times \dfrac{2}{3} \times \dfrac{2}{3} = \left(\dfrac{2}{3}\right)^3$

 ● 거듭제곱

예제 01

$2^3 = a$, $3^b = 9$를 만족시키는 자연수 a, b에 대하여 $a+b$의 값을 구하시오.

풀이 전략

$2^n = \underbrace{2 \times 2 \times 2 \times \cdots \times 2}_{n개}$

풀이

$2^3 = 2 \times 2 \times 2 = 8$이므로 $a = 8$
$3^b = 9 = 3 \times 3$이므로 $b = 2$
따라서 $a+b = 8+2 = 10$

 ● 거듭제곱

확인문제

01 다음을 거듭제곱으로 나타낼 때, □ 안에 알맞은 수를 써넣으시오.

(1) $3 \times 3 \times 3 \times 3 = 3^{\square}$

(2) $5 \times 5 \times 5 = 5^{\square}$

(3) $\dfrac{1}{2 \times 2 \times 2} = \dfrac{1}{2^{\square}}$

(4) $\dfrac{1}{5} \times \dfrac{1}{5} \times \dfrac{1}{5} \times \dfrac{1}{5} \times \dfrac{1}{5} = \left(\dfrac{1}{5}\right)^{\square}$

유형연습 01

$2^a = 32$, $\dfrac{1}{5^b} = \dfrac{1}{125}$ 을 만족시키는 자연수 a, b에 대하여 $a+b$의 값을 구하시오.

유형 02 소수와 합성수

개념 02

(1) **소수:** 1보다 큰 자연수 중에서 1과 자기 자신만을 약수로 가지는 수 (소수는 약수가 2개)

[참고] '소수와 합성수'의 소수는 이전에 배웠던 '소수와 분수'의 소수와는 다르다.

(2) **합성수:** 1보다 큰 자연수 중에서 소수가 아닌 수 (합성수는 약수가 3개 이상)

[참고] 1은 소수도 아니고 합성수도 아니다.

(3) **소수와 합성수의 성질**

① 가장 작은 소수: 2

② 가장 작은 합성수: 4

③ 짝수인 소수: 2

● 소수와 합성수

● 소수와 합성수의 성질

예제 02

다음 설명 중 옳은 것에는 ○표, 옳지 않은 것에는 ×표를 하시오.

(1) 1은 소수이다. ( )

(2) 약수가 2개인 자연수는 소수이다. ( )

(3) 약수가 2개 이상인 자연수는 합성수이다. ( )

(4) 가장 작은 합성수는 4이다. ( )

(5) 짝수는 모두 합성수이다. ( )

(6) 서로 다른 두 소수의 곱은 항상 홀수이다. ( )

(7) 자연수는 소수와 합성수로 이루어져 있다. ( )

(8) 3의 배수 중 소수는 1개뿐이다. ( )

풀이 전략

소수: 1과 자기 자신 외의 자연수로 더 이상 나누어지지 않는 수

합성수: 1과 자기 자신 외의 자연수로 더 나눌 수 있는 수

풀이

(1) 1은 소수도 아니고 합성수도 아니다. (×)

(2) (○)

(3) 합성수는 약수가 3개 이상인 자연수이다. (×)

(4) (○)

(5) 2는 짝수이지만 소수이다. (×)

(6) $2 \times 3 = 6$에서 6은 서로 다른 두 소수의 곱이지만 짝수이다. (×)

(7) 자연수는 1과 소수, 합성수로 이루어져 있다. (×)

(8) 3의 배수 중 소수는 3의 1개뿐이다. (○)

● 소수와 합성수의 성질

확인문제

02 다음 수 중에서 소수와 합성수를 각각 구하시오.

> 1, 2, 7, 9, 15, 27, 47, 59, 61, 91

유형연습 02

20 이상 60 이하의 자연수 중에서 약수가 2개인 가장 큰 수를 a, 가장 작은 수를 b라고 할 때, $a+b$의 값을 구하시오.

유형 03 소인수분해

개념 03

(1) **인수**: 약수

(2) **소인수**: 자연수의 인수 중에 소수인 것

(3) **소인수분해**: 어떤 자연수를 소인수들의 곱으로만 나타낸 것

> **예** 12
>
> ① 12의 인수: 1, 2, 3, 4, 6, 12
>
> ② 12의 소인수: 2, 3
>
> ③ 12를 소인수분해하면 ➡ $2^2 \times 3$

(4) **소인수분해하는 방법**

① 가지치기　　　② 거꾸로 나누기

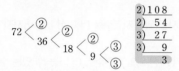

$$72 = 2^3 \times 3^2 \qquad 108 = 2^2 \times 3^3$$

　● 소인수분해

예제 03

180을 소인수분해하면 $2^a \times 3^b \times c$일 때, 자연수 a, b, c에 대하여 $a+b+c$의 값을 구하시오.

풀이 전략

$A = a^m \times b^n$에서 a, b는 서로 다른 소수, m, n은 자연수일 때, A의 소인수는 a, b이다.

풀이

$$180 \begin{array}{c} ② \\ 90 \end{array} \begin{array}{c} ② \\ 45 \end{array} \begin{array}{c} ③ \\ 15 \end{array} \begin{array}{c} ③ \\ 5 \end{array}$$

에서 $180 = 2^2 \times 3^2 \times 5$

$2^a \times 3^b \times c = 2^2 \times 3^2 \times 5$이므로

$a = 2$, $b = 2$, $c = 5$

따라서 $a + b + c = 2 + 2 + 5 = 9$

　● 소인수분해

확인문제

03 다음 중 옳은 것에는 ○표, 옳지 <u>않은</u> 것에는 ×표를 하시오.

　(1) 12를 소인수분해하면 4×3이다.　　　(　　)

　(2) 45를 소인수분해하면 $3^2 \times 5$이다.　　　(　　)

　(3) 72의 소인수는 2, 3이다.　　　(　　)

　(4) 160의 소인수는 2, 3, 5이다.　　　(　　)

유형연습 03

504를 소인수분해하면 $x^a \times y^2 \times z$일 때, $x + y + z + a$의 값을 구하시오. (단, x, y, z는 모두 서로 다른 소수이다.)

유형 **04** 제곱인 수

개념 **04**

(1) 제곱인 수

어떤 자연수가 2번 곱해진 수

예 $1=1^2$, $4=2^2$, $9=3^2$, $16=4^2$, $25=5^2$,

$36=6^2$, $49=7^2$, $\cdots$

(2) 제곱인 수의 성질

소인수분해하면 각 소인수의 지수가 모두 짝수

이다.

(3) 자연수의 제곱인 수 만들기

❶ 주어진 수를 소인수분해한다.

❷ ┌ 곱할 때: 지수가 홀수인 소인수의 지수를 짝수로

      만들어준다.

   └ 나눌 때: 지수가 홀수인 소인수를 약분해서 없애

      거나 지수를 짝수로 만들어준다.

예 12를 어떤 자연수의 제곱인 수로 만드는 가장 작

은 자연수 A

$12=2^2\times3$이므로

• 곱할 때: $12\times A=2^2\times3\times$ ❸ ➡ 제곱인 수

  $\therefore A=3$

• 나눌 때: $\dfrac{12}{A}=\dfrac{2^2\times3}{❸}$ ➡ 제곱인 수

  $\therefore A=3$

● 제곱인 수 만들기

예제 **04**

90에 자연수를 곱하여 어떤 자연수의 제곱이 되도록 할

때, 곱할 수 있는 가장 작은 자연수를 구하시오.

풀이 전략

어떤 자연수의 제곱인 수를 소인수분해하면 소인수의 지수가

모두 짝수이다.

예 $4=2^2$, $9=3^2$, $16=2^4$, $25=5^2$, $\cdots$

풀이

90을 소인수분해하면

$90=2\times3^2\times5$

곱할 수 있는 가장 작은 자연수를 A라 하면 소인수 중 지수

가 홀수인 것은 2, 5이므로

$90\times A=(2\times3^2\times5)\times2\times5$

$\qquad\qquad =2^2\times3^2\times5^2$

$\therefore A=10$

따라서 곱할 수 있는 가장 작은 자연수는 10이다.

● 제곱인 수 만들기

확인문제

04 주어진 수가 자연수의 제곱인 수가 되도록 □ 안에

가장 작은 자연수를 써넣으시오.

(1) $2^2\times3\times$ ▢

(2) $3^2\times5^3\times$ ▢

(3) $\dfrac{2^2\times3}{▢}$

(4) $\dfrac{3\times5^2\times7}{▢}$

유형연습 **04**

1400을 적당한 자연수 a로 나누었을 때, 어떤 자연수의

제곱이 되게 하려고 한다. 이때 두 번째로 작은 자연수 a

의 값을 구하시오.

유형 **05** 소인수분해를 이용하여 약수 구하기

개념 05

자연수 N이 $N = a^m \times b^n$(a, b는 서로 다른 소수)
으로 소인수분해될 때, N의 약수

➡ (a^m의 약수) × (b^n의 약수)

(1) 2^3의 약수: 1, 2, 2^2, 2^3

    (8의 약수: 1, 2, 4, 8)

(2) $40 = 2^3 \times 5$의 약수

×	1	2	2^2	2^3
1	1	2	4	8
5	5	10	20	40

40의 약수: 1, 2, 4, 5, 8, 10, 20, 40

● 소인수분해를 이용하여 약수 구하기

예제 05

다음 중 $2^2 \times 3 \times 7^2$의 약수인 것을 모두 고르면?

(정답 2개)

① 2^3 ② 2×3 ③ 3×7

④ $2 \times 3 \times 7^3$ ⑤ $2^3 \times 3 \times 7$

풀이 전략

$N = a^m \times b^n$(a, b는 서로 다른 소수, m, n은 자연수)일 때
N의 약수: (a^m의 약수) × (b^n의 약수)

풀이

$2^2 \times 3 \times 7^2$의 약수는

        (2^2의 약수) × (3의 약수) × (7^2의 약수)

의 꼴이다.

① 2^3은 2^2의 약수가 아니다.

④ $2 \times 3 \times 7^3$에서 7^3은 7^2의 약수가 아니다.

⑤ $2^3 \times 3 \times 7$에서 2^3은 2^2의 약수가 아니다.

따라서 $2^2 \times 3 \times 7^2$의 약수인 것은 ②, ③이다.

● 소인수분해를 이용하여 약수 구하기

확인문제

05 소인수분해를 이용하여 다음 수의 약수를 구하시오.

(1) $63 = 3^2 \times 7$

×	1	3	3^2
1			
7			

    63의 약수:

(2) $72 = 2^3 \times 3^2$

×	1	2	2^2	2^3
1				
3				
3^2				

    72의 약수:

유형연습 05

450의 약수 중에서 어떤 자연수의 제곱이 되는 수를 모두 구하시오.

유형 06 소인수분해를 이용하여 약수의 개수 구하기

개념 06

자연수 N이 $N=a^m \times b^n$ (a, b는 서로 다른 소수)
으로 소인수분해될 때, N의 약수의 개수

➡ $(m+1) \times (n+1)$

📝 72의 약수의 개수 구하기

72를 소인수분해하면 $72=2^3 \times 3^2$

2^3의 약수의 개수: 1, 2, 2^2, 2^3 ➡ 4개

3^2의 약수의 개수: 1, 3, 3^2 ➡ 3개

$72 = \underline{2^3} \times \underline{3^2}$의 약수의 개수는

약수 4개 ⌐   └➡ 약수 3개

➡ $4 \times 3 = 12$

● 소인수분해를 이용하여 약수의 개수 구하기

예제 06

다음 중 약수의 개수가 가장 많은 것은?

① 6   ② 2^4 ③ $2^3 \times 3$

④ $3^2 \times 7^3$ ⑤ $5^4 \times 13$

풀이 전략

$N=a^m \times b^n$ (a, b는 서로 다른 소수, m, n은 자연수)일 때
N의 약수의 개수: $(m+1) \times (n+1)$

풀이

① $6=2^1 \times 3^1$이므로 6의 약수의 개수는
$\quad (1+1) \times (1+1) = 4$

② 2^4의 약수의 개수는
$\quad 4+1=5$

③ $2^3 \times 3^1$의 약수의 개수는
$\quad (3+1) \times (1+1) = 8$

④ $3^2 \times 7^3$의 약수의 개수는
$\quad (2+1) \times (3+1) = 12$

⑤ $5^4 \times 13^1$의 약수의 개수는
$\quad (4+1) \times (1+1) = 10$

따라서 약수의 개수가 가장 많은 것은 ④이다.

● 소인수분해를 이용하여 약수의 개수 구하기

확인문제

06 다음 수의 약수의 개수를 구하시오.

(1) 2^5

(2) 2×3^2

(3) $5^3 \times 7^2$

(4) $2 \times 3^3 \times 11^2$

유형연습 06

1부터 300까지의 자연수 중에서 약수가 3개인 수의 개
수를 구하시오.

유형 **07** 약수의 개수 응용하기

개념 07

$a^m \times b^n$ (a, b는 서로 다른 소수, m, n은 자연수)의 약수의 개수가 k이다.

➡ $(m+1) \times (n+1) = k$

⬤ 예 $3^a \times 7^4$의 약수의 개수가 20일 때, 자연수 a의 값은?

$(a+1) \times (4+1) = 20$이므로 $a+1=4$

따라서 $a=3$

⬤ 약수의 개수 응용하기

예제 07

$2^3 \times a$의 약수가 8개일 때, 다음 중 자연수 a의 값이 될 수 있는 것은?

① 2 　　　② 3 　　　③ 2^2

④ 3^2 　　　⑤ 2×3^2

풀이 전략

$A = 2^m \times b^n$ (b는 2가 아닌 소수, m, n은 자연수)일 때

A의 약수의 개수: $(m+1) \times (n+1)$

풀이

① $2^3 \times 2 = 2^4$의 약수의 개수는

$4+1=5$

② $2^3 \times 3$의 약수의 개수는

$(3+1) \times (1+1) = 8$

③ $2^3 \times 2^2 = 2^5$의 약수의 개수는

$5+1=6$

④ $2^3 \times 3^2$의 약수의 개수는

$(3+1) \times (2+1) = 12$

⑤ $2^3 \times (2 \times 3^2) = 2^4 \times 3^2$의 약수의 개수는

$(4+1) \times (2+1) = 15$

따라서 a의 값이 될 수 있는 것은 ②이다.

⬤ 약수의 개수 응용하기

확인문제

07 다음 수들의 약수의 개수가 모두 12일 때, 자연수 a의 값을 구하시오.

(1) 2^a

(2) $2^2 \times 3^a$

(3) $3^5 \times 7^a$

(4) $3 \times 5^2 \times 11^a$

유형연습 07

$3^n \times 28$의 약수가 30개일 때, 자연수 n의 값을 구하시오.

(1) **서로소**: 최대공약수가 1인 두 자연수를 서로소라고 한다.

$\boxed{2, 3}$ 서로소 ○

$\boxed{6, 10}$ 서로소 ×

$\boxed{10, 21}$ 서로소 ○

$\boxed{5, 18}$ 서로소 ○

$\boxed{1, 100}$ 서로소 ○

(2) **항상 서로소인 것**
➡ 1과 어떤 자연수
➡ 서로 다른 두 소수

[**참고**] 모든 자연수는 1과 서로소이다.

● 서로소

예제 **08**

다음 중 두 수가 서로소가 <u>아닌</u> 것은?

① 4, 7   ② 3, 10   ③ 5, 12
④ 23, 30   ⑤ 28, 35

풀이 전략

서로소: 최대공약수가 1인 두 자연수
예 7과 10의 최대공약수는 1 ➡ 7과 10은 서로소

풀이

① 4와 7의 최대공약수는 1이므로 서로소이다.
② 3과 10의 최대공약수는 1이므로 서로소이다.
③ 5와 12의 최대공약수는 1이므로 서로소이다.
④ 23과 30의 최대공약수는 1이므로 서로소이다.
⑤ $28 = 4 \times 7$이고, $35 = 5 \times 7$
   28, 35는 둘 다 7의 배수이므로 서로소가 아니다.
따라서 두 수가 서로소가 아닌 것은 ⑤이다.

● 서로소

확인문제

08 다음 중 옳은 것에는 ○표, 옳지 <u>않은</u> 것에는 ×표를 하시오.
   (1) 9와 25는 서로소이다. (   )
   (2) 두 수가 서로소이면 적어도 한 수는 소수이다. (   )
   (3) 46과 57은 서로소가 아니다. (   )
   (4) 1은 모든 자연수와 서로소이다. (   )

유형연습 08

39와 $4 \times A$는 서로소이다. **보기**에서 A가 될 수 있는 수를 모두 고르시오.

보기		
ㄱ. 12	ㄴ. 16	ㄷ. 22
ㄹ. 26	ㅁ. 34	ㅂ. 52

개념 09

(1) **공약수**: 두 개 이상의 자연수의 공통인 약수

(2) **최대공약수**: 공약수 중에서 가장 큰 수

(3) **소인수분해를 이용하여 최대공약수 구하기**

예 24와 30의 최대공약수 구하기

공약수로 나누기	소인수분해 이용하기
2) 24 30 3) 12 15 4 5 ➡ $2 \times 3 = 6$	$24 = 2^3 \times 3$ $30 = 2 \times 3 \times 5$ $\overline{2 \times 3 = 6}$

(4) **최대공약수의 성질**: 두 개 이상의 자연수의 공약수
는 그 수들의 최대공약수의 약수이다.

예 $2^2 \times 3^3$, $2^3 \times 3^2 \times 7$의 공약수 구하기

❶ 최대공약수를 구한다.

➡
$$2^2 \times 3^3$$
$$2^3 \times 3^2 \times 7$$
$$\overline{(\text{최대공약수}) = 2^2 \times 3^2}$$

❷ 최대공약수 $2^2 \times 3^2$의 약수를 구한다.

따라서 두 수의 공약수는

1, 2, 3, 4, 6, 9, 12, 18, 36

● 최대공약수 구하기

예제 09

두 수 $2^2 \times 3^3 \times 5$, 45의 최대공약수를 구하시오.

풀이 전략

각 수를 소인수분해한다.

⬇

공통인 소인수를 모두 곱한다.

(공통인 소인수의 지수가 같으면 그대로, 다르면 지수가 작
은 것을 곱한다.)

풀이

45를 소인수분해하면 $45 = 3^2 \times 5$이므로

$$2^2 \times 3^3 \times 5$$
$$45 = 3^2 \times 5$$
$$\overline{(\text{최대공약수}) = 3^2 \times 5 = 45}$$

따라서 두 수의 최대공약수는 45이다.

● 최대공약수 구하기

확인문제

09 두 자연수 a, b의 최대공약수가 18일 때, **보기** 중 a,
b의 공약수가 <u>아닌</u> 것을 모두 고르시오.

┌─ | 보기 | ─────────────────
│ ㄱ. 2   ㄴ. 3^2 ㄷ. 3^3
│ ㄹ. 2×3 ㅁ. $2^2 \times 3$ ㅂ. 2×3^2
└──────────────────────

유형연습 09

세 수 $2^2 \times 5 \times 11$, $2^2 \times 5^2 \times 7$, $2^3 \times 3 \times 5^3$의 공약수를 모
두 구하시오.

유형 10 공배수와 최소공배수

개념 10

(1) **공배수:** 두 개 이상의 자연수의 공통인 배수

예 6의 배수: 6, 12, 18, 24, 30, 36, 42, 48, …

8의 배수: 8, 16, 24, 32, 40, 48, 56, …

6과 8의 공배수: 24, 48, 72, …

(2) **최소공배수:** 공배수 중에서 가장 작은 수

예 24와 30의 최소공배수 구하기

공약수로 나누기	소인수분해 이용하기
2) 24 30 3) 12 15 4 5 ➡ $2 \times 3 \times 4 \times 5 = 120$	$24 = 2^3 \times 3$ $30 = 2 \times 3 \times 5$ <hr> $2^3 \times 3 \times 5 = 120$

(3) **최소공배수의 성질:** 두 개 이상의 자연수의 공배수
는 그 수들의 최소공배수의 배수이다.

예 어떤 두 수의 최소공배수가 12이면

공배수는 12, 24, 36, 48, …이다.

└→ 12의 배수

● 최소공배수

● 최소공배수 구하기

예제 10

두 자연수의 최소공배수가 24일 때, 이 두 수의 공배수
중 두 자리 자연수는 몇 개인지 구하시오.

풀이 전략

두 개 이상의 자연수의 공배수는 그 수들의 최소공배수의 배
수이다.

풀이

두 수의 공배수는 최소공배수의 배수이므로 24의 배수 중 두
자리 자연수는 24, 48, 72, 96의 4개이다.

● 최소공배수

확인문제

10 다음은 소인수분해를 이용하여 최소공배수를 구하
는 과정이다. □ 안에 알맞은 수를 써넣으시오.

(1) 2×3^2

$\underline{2 \times 3 \ \times 5}$

$2 \times 3^{\square} \times \square$

(2) $2^3 \times 3$

$\underline{3^2 \ \times 5}$

$\square \times 3^{\square} \times \square$

(3) $27 = 3^3$

$\underline{36 = 2^{\square} \times \square}$

$2^{\square} \times \square$

유형연습 10

다음 중 두 수 $2 \times 3^2 \times 7$, $2^2 \times 3 \times 7^2$의 공배수가 아닌 것
은?

① $2^2 \times 3^3 \times 7^2$

② $2^3 \times 3^3 \times 7^3$

③ $2^2 \times 3 \times 7 \times 11$

④ $2^2 \times 3^2 \times 5 \times 7^2$

⑤ $2^3 \times 3^4 \times 5 \times 7^3$

유형 11 최대공약수 또는 최소공배수가 주어질 때 미지수 구하기

개념 11

최대공약수 또는 최소공배수가 주어질 때 밑과 지수 구하기

❶ 소인수분해하기

❷ 소인수의 지수 비교하기

최대공약수	최소공배수
공통인 소인수만 곱한다.	공통이 아닌 소인수까지 곱한다.
지수가 작거나 같은 것을 택하여 곱한다.	지수가 크거나 같은 것을 택하여 곱한다.

[참고] 최대공약수, 최소공배수가 소인수분해되어 있지 않다면 소인수분해하여 비교하자.

예 두 수 $2^3 \times 3 \times 5^b$, $2^a \times 3 \times 5^2$의 최대공약수가 30일 때, 자연수 a, b에 대하여 $a+b$의 값은?

$$\begin{array}{l} 2^3 \times 3 \times \boxed{5^b} \\ 2^a \times 3 \times \boxed{5^2} \\ \hline 30 = \boxed{2} \times 3 \times \boxed{5} \end{array}$$ → 각 소인수의 지수를 비교한다.

$a=1$, $b=1$이므로 $a+b=2$

● 최대공약수 또는 최소공배수가 주어질 때 밑과 지수 구하기

예제 11

세 자연수 $9 \times x$, $12 \times x$, $15 \times x$의 최소공배수가 360일 때, 다음 물음에 답하시오.

(1) x의 값을 구하시오.

(2) 세 자연수의 최대공약수를 구하시오.

풀이 전략

'공약수로 나누기'의 방법으로 주어진 세 자연수의 최소공배수를 구하고, 360이 나오도록 x의 값을 구한다.

풀이

(1)
$$\begin{array}{r} x)\underline{9 \times x \quad 12 \times x \quad 15 \times x} \\ 3)\underline{9 \qquad 12 \qquad 15} \\ 3 \qquad 4 \qquad 5 \end{array}$$
$x \times 3 \times 3 \times 4 \times 5 = 360$이므로

$x \times 180 = 360$

따라서 $x=2$

(2) 세 자연수의 최대공약수는

$x \times 3 = 2 \times 3 = 6$

● 최소공배수가 주어질 때 미지수 구하기

확인문제

11 다음은 주어진 두 수의 최대공약수를 구한 것이다. 자연수 a, b의 값을 각각 구하시오.

(1) $2^a \times 3^2$
$$\frac{2^3 \times 3^b \times 7}{2^2 \times 3}$$

(2) $2^a \times 3^3 \times 5$
$$\frac{2^4 \times 3^b \times 7}{2^2 \times 3^2}$$

(3) $2 \times 3^2 \times 5^4$
$$\frac{2 \times 3^a \times 5^b}{2 \times 3 \times 5^3}$$

유형연습 11

세 수 $2^a \times 3 \times 5^2$, $2^3 \times 5^b$, $2^2 \times 3^c \times 5^2$의 최대공약수가 20, 최소공배수가 1200일 때, 자연수 a, b, c에 대하여 $a+b+c$의 값을 구하시오.

● 최대공약수 또는 최소공배수가 주어질 때 밑과 지수 구하기

유형 12 최대공약수의 활용(1) – 직사각형, 직육면체 채우기

개념 12

(1) **타일 붙이기:** 가로의 길이가 105 cm, 세로의 길이가 135 cm인 직사각형 모양의 벽에 같은 크기의 정사각형 모양의 타일을 빈틈없이 붙이고자 한다. 타일을 가능한 한 적게 사용할 때, 타일의 한 변의 길이는?
→ 타일을 가능한 한 적게 사용하려면 타일의 크기가 최대가 되어야 한다.

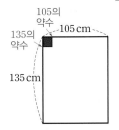

➡ 105, 135의 최대공약수는 15이므로 타일의 한 변의 길이는 15 cm

(2) **직육면체 채우기:** 같은 크기의 정육면체 모양의 블록을 빈틈없이 쌓아서 밑면의 가로, 세로의 길이가 각각 45 cm, 60 cm이고, 높이가 75 cm인 직육면체를 만들려고 한다. 블록의 크기를 최대로 할 때, 블록의 한 변의 길이는?
→ 공통, 약수, 최대

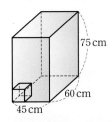

➡ 45, 60, 75의 최대공약수는 15이므로 블록의 한 변의 길이는 15 cm

 최대공약수의 활용 (타일 붙이기)
 최대공약수의 활용 (직육면체 채우기)

예제 12

가로의 길이, 세로의 길이, 높이가 각각 54 cm, 48 cm, 24 cm인 직육면체 모양의 치즈를 구입하여 크기가 같은 정육면체 모양으로 잘라서 냉장고에 보관하려고 한다. 치즈 조각의 개수를 되도록 적게 하려고 할 때, 몇 조각으로 나누어야 하는지 구하시오.

풀이 전략

치즈 조각의 개수를 되도록 적게 하려면 치즈 조각의 크기를 최대로 해야 한다. ➡ 최대공약수 구하는 문제

풀이

① 54, 48, 24의 최대공약수
$$54 = 2 \times 3^3$$
$$48 = 2^4 \times 3$$
$$\underline{24 = 2^3 \times 3}$$
$$2 \times 3 = 6$$

따라서 정육면체 모양의 치즈 한 조각의 한 모서리의 길이는 6 cm이다.

② 치즈 조각의 개수
$$9 \times 8 \times 4 = 288$$
따라서 치즈는 288조각으로 나누어야 한다.

 최대공약수의 활용(서술형)

확인문제

12 가로의 길이가 48 cm, 세로의 길이가 60 cm인 직사각형 모양의 벽에 남는 부분이 없도록 같은 크기의 정사각형 모양의 타일을 붙이려고 한다. 되도록 큰 타일을 사용하려고 할 때, 타일의 한 변의 길이를 구하시오.

유형연습 12

가로의 길이, 세로의 길이, 높이가 각각 72 cm, 54 cm, 36 cm인 직육면체 모양의 비누를 가능한 한 큰 정육면체 모양으로 남는 부분 없이 같은 크기로 잘라서 선물하려고 한다. 정육면체 한 개당 포장비가 1000원이라면 전체 포장비용은 얼마인지 구하시오.

유형 13 최대공약수의 활용(2) – 일정한 간격으로 나무 심기

개념 13

가로의 길이가 42 m, 세로의 길이가 35 m인 직사각형 모양의 땅 둘레에 일정한 간격으로 나무를 심으려고 한다. 이때 땅의 네 모퉁이에는 반드시 나무를 심는다.
→ 공통 → 약수

(1) 나무 사이의 최대 간격은 몇 m인가?

➡ 최대공약수 구하는 문제

42와 35의 최대공약수가 7이므로 나무 사이의 최대 간격은 7 m이다.

$$42 = 2 \times 3 \quad\quad \times 7$$
$$35 = \quad\quad\quad\quad 5 \times 7$$
$$\overline{\quad\quad\quad\quad\quad\quad\quad\quad 7}$$

(2) 나무는 최소 몇 그루 심을 수 있는가?

➡ '최소'가 들어있지만 최대공약수 구하는 문제
➡ 나무를 '최소'로 심으려면 나무 사이의 간격이 '최대'가 되어야 한다.

42와 35의 최대공약수가 7이므로 나무 사이의 간격은 7 m이다.

6그루
5그루

가로: $42 \div 7 = 6$(그루)
세로: $35 \div 7 = 5$(그루)
따라서 $(6+5) \times 2 = 22$(그루)

● 최대공약수의 활용(일정한 간격으로 나무 심기)

예제 13

가로의 길이가 84 m이고, 세로의 길이가 66 m인 직사각형 모양의 땅이 있다. 땅의 가장자리를 따라 일정한 간격으로 가능한 한 적게 나무를 심어 울타리를 만드는데, 네 모퉁이에는 반드시 나무를 심으려고 한다. 이때 몇 그루의 나무를 심어야 하는지 구하시오.

풀이 전략

나무의 수를 가능한 한 적게 심으려면 나무 사이의 간격이 최대가 되어야 한다. ➡ 최대공약수 구하는 문제

풀이

① 간격 구하기 ➡ 84와 66의 최대공약수

$$84 = 2^2 \times 3 \times 7$$
$$66 = 2 \times 3 \quad\quad \times 11$$
$$\overline{\quad\quad 2 \times 3 = 6}$$

84와 66의 최대공약수가 6이므로 나무 사이의 간격은 6 m이다.

② 나무의 수 구하기
가로: $84 \div 6 = 14$(그루)
세로: $66 \div 6 = 11$(그루)
이므로 총 나무의 수는
$14 \times 2 + 11 \times 2 = 28 + 22 = 50$
따라서 심어야 하는 나무는 50그루이다.

● 최대공약수의 활용(일정한 간격으로 나무 심기)(서술형)

확인문제

13 직사각형 모양의 땅의 가로와 세로의 길이가 다음과 같을 때, 이 땅의 둘레에 일정한 간격으로 나무를 심으려고 한다. 나무 사이의 최대 간격을 구하시오.
(단, 땅의 네 모퉁이에는 반드시 나무를 심는다.)

(1) 가로의 길이: 20 m, 세로의 길이: 15 m
(2) 가로의 길이: 40 m, 세로의 길이: 24 m
(3) 가로의 길이: 55 m, 세로의 길이: 33 m

유형연습 13

가로의 길이가 132 m, 세로의 길이가 84 m인 직사각형 모양의 운동장 둘레에 일정한 간격으로 나무를 심으려고 한다. 나무는 최소 몇 그루 심을 수 있는지 구하시오.
(단, 운동장의 네 모퉁이에는 반드시 나무를 심는다.)

유형 **14** 최대공약수의 활용⑶ - 남고 부족한 문제

개념 **14**

남고 부족한 문제 ➡ 나누어떨어지는 수로 만든다.

어떤 자연수로 34를 나누면 2가 부족하고, 93을 나누면 3이 남고, 108을 나누면 나누어떨어진다. 이를 만족시키는 가장 큰 자연수를 구하시오.

(1) 어떤 자연수 a로 34를 나누면 2가 부족하다.

➡ $(34+2) \div a$: 나누어떨어진다.

(2) 어떤 자연수 a로 93을 나누면 3이 남는다.

➡ $(93-3) \div a$: 나누어떨어진다.

(3) 어떤 자연수 a로 108을 나누면 나누어떨어진다.

➡ 어떤 자연수 a로 36, 90, 108을 나누면 나누어떨어진다.

즉, a가 될 수 있는 수는 36, 90, 108의 공약수이다. 조건을 만족시키는 가장 큰 자연수는 최대공약수를 구하면 된다.

$$
\begin{array}{l}
36 \ = 2^2 \times 3^2 \\
90 \ = 2 \times 3^2 \times 5 \\
\underline{108 = 2^2 \times 3^3} \\
\quad\ \ 2 \times 3^2 = 18
\end{array}
$$

따라서 $a=18$

● 최대공약수의 활용(남고 부족한 문제)

예제 **14**

공책 51권, 연필 111자루, 지우개 69개를 최대한 많은 학생들에게 똑같이 나누어 주려고 했더니 공책은 3권이 남고 연필은 3자루가 남고, 지우개는 3개가 부족하였다. 학생 수를 구하시오.

풀이 전략

어떤 자연수 □로 13을 나누면 1이 남는다.

➡ □ : $(13-1)$의 약수

어떤 자연수 □로 26을 나누면 1이 부족하다.

➡ □ : $(26+1)$의 약수

풀이

학생 수 구하기 ➡ 최대공약수를 구한다.

학생 수를 a라고 하면

$(51-3) \div a = 48 \div a$: 나누어떨어진다.

$(111-3) \div a = 108 \div a$: 나누어떨어진다.

$(69+3) \div a = 72 \div a$: 나누어떨어진다.

48, 108, 72의 최대공약수를 구하면

$$
\begin{array}{l}
48 \ = 2^4 \times 3 \\
108 = 2^2 \times 3^3 \\
\underline{72 \ = 2^3 \times 3^2} \\
\quad\ \ 2^2 \times 3 = 12
\end{array}
$$

에서 최대공약수는 12이므로 $a=12$

따라서 학생 수는 12이다.

● 최대공약수의 활용(남고 부족한 문제2)

확인문제

14 다음 괄호 안의 수가 나누어떨어지도록 하는 가장 작은 자연수를 □ 안에 써넣으시오.

(1) $(13+\square) \div 3$

(2) $(22+\square) \div 5$

(3) $(41-\square) \div 5$

(4) $(63+\square) \div 6$

(5) $(158-\square) \div 7$

유형연습 **14**

젤리 97개, 사탕 115개, 초콜릿 79개가 있다. 몇 명의 학생들에게 젤리, 사탕, 초콜릿을 똑같이 나누어 주었더니 각각 7개씩 남았다. 이때 가능한 학생 수를 모두 구하시오.

유형 **15** 최소공배수의 활용(1)–**톱니바퀴 문제**

개념 15

톱니가 각각 20개, 32개인 두 톱니바퀴 A, B가 서로 맞물려 돌고 있다. 두 톱니바퀴가 회전하기 시작하여 처음으로 다시 같은 톱니에서 맞물릴 때까지

(1) **돌아간 톱니의 개수는?**

A: 한 바퀴 돌 때마다 20, 40, 60, 80, …개 맞물림
  └→ 20의 배수

B: 한 바퀴 돌 때마다 32, 64, 96, 128, …개 맞물림
  └→ 32의 배수

20, 32의 공배수마다 같은 톱니에서 맞물리므로
20, 32의 최소공배수를 구하면

$$20 = 2^2 \times 5$$
$$\underline{32 = 2^5 \qquad}$$
$$2^5 \times 5 = 160$$

따라서 돌아간 톱니의 개수는 160

(2) **톱니바퀴 A와 B는 각각 몇 바퀴 회전해야 하는가?**

A: $160 \div 20 = 8$(바퀴)
B: $160 \div 32 = 5$(바퀴)

●최소공배수의 활용(톱니바퀴)

예제 15

톱니가 각각 24개, 36개인 두 톱니바퀴 A, B가 서로 맞물려 돌고 있다. 두 톱니바퀴가 회전하기 시작하여 처음으로 다시 같은 톱니에서 맞물릴 때까지 돌아간 톱니의 개수는?

① 48   ② 60   ③ 72
④ 84   ⑤ 96

풀이 전략

톱니가 각각 m개, n개인 두 톱니바퀴가 같은 톱니에서 처음으로 다시 맞물릴 때까지 돌아간 톱니의 개수는 m, n의 최소공배수이다.

풀이

$$24 = 2^3 \times 3$$
$$\underline{36 = 2^2 \times 3^2 \qquad}$$
$$2^3 \times 3^2 = 72$$

따라서 돌아간 톱니의 개수는 ③이다.

확인문제

15 톱니가 각각 30개, 20개인 두 톱니바퀴 A, B가 서로 맞물려 돌고 있다. 다음은 두 톱니바퀴가 회전하기 시작하여 처음으로 다시 같은 톱니에서 맞물릴 때까지 돌아간 톱니의 개수를 구하는 과정이다. □ 안에 알맞은 수를 써넣으시오.

> A톱니: 30, ☐, ☐, ☐, …
> B톱니: 20, ☐, ☐, ☐, …이므로
> 같은 톱니에서 처음으로 다시 맞물리려면 20과 30의 최소공배수인 ☐개의 톱니가 돌아야 한다.

유형연습 15

서로 맞물려 돌아가는 두 톱니바퀴 A, B가 있다. 두 톱니바퀴 A, B의 톱니는 각각 60개, 48개이다. 이 두 톱니바퀴가 회전하기 시작하여 같은 톱니에서 처음으로 다시 맞물리는 것은 두 톱니바퀴 A, B가 각각 몇 바퀴 회전한 후인지 구하시오.

유형 16 최소공배수의 활용(2) – 남고 부족한 문제

개념 16

남고 부족한 문제 ➡ 나누어떨어지는 수로 만든다.

4, 5, 6의 어느 것으로 나누어도 1이 부족한 자연수가 있다.

(1) **가장 작은 수는?**

$(\bigstar+1)\div4$
$(\bigstar+1)\div5$ ➡ $(\bigstar+1)$: 4, 5, 6의 공배수
$(\bigstar+1)\div6$

4, 5, 6의 최소공배수는 $2\times2\times5\times3=60$
$\bigstar+1=60$이므로 $\bigstar=59$

(2) **세 자리 자연수 중 가장 작은 수는?**

$(\bigstar+1)$은 4, 5, 6의 공배수이므로 60의 배수이다. 이때 60, 120, 180, … 중 가장 작은 세 자리 자연수는 120이다.
따라서 $\bigstar=119$

⬤ 최소공배수의 활용(남고 부족한 문제)

예제 16

어느 청소년 단체 학생들이 야영을 하는데 한 조에 4명을 배정하거나 6명 또는 9명을 배정하여도 항상 3명의 학생이 남는다. 단체 학생 수가 50명 이상 100명 이하일 때, 청소년 단체 학생 수를 구하시오.

풀이 전략

어떤 자연수 □를 4로 나누면 3이 남는다.
➡ □=(4의 배수)+3

풀이

청소년 단체 학생 수를 a라 하자.
4, 6, 9의 어느 것으로 나누어도 3명의 학생이 남으므로
$(a-3)$은 4, 6, 9로 나누어떨어진다.
즉 $(a-3)$은 4, 6, 9의 공배수이다.
4, 6, 9의 최소공배수가
$2\times3\times2\times1\times3=36$이므로
$a-3$ ➡ 36, 72, 108, …
∴ $a=39, 75, 111, …$
이때 단체 학생 수가 50명 이상 100명 이하이므로 구하는 학생 수는 75명이다.

⬤ 최소공배수의 활용(남고 부족한 문제)(서술형)

확인문제

16 다음은 5, 7의 어느 수로 나누어도 2가 남는 두 자리 자연수 중 가장 작은 자연수를 구하는 과정이다. □ 안에 알맞은 수를 써넣으시오

구하는 수를 A라 하면
$A=(5의\ 배수)+\boxed{}$, $A=(7의\ 배수)+\boxed{}$이므로
$A=(5,\ 7의\ 공배수)+\boxed{}$
5, 7의 최소공배수는 $\boxed{}$이므로 5, 7 중 어느 것으로 나누어도 2가 남는 두 자리 자연수 중 가장 작은 자연수는 $\boxed{}$이다.

유형연습 16

8, 12, 16의 어느 수로 나누어도 나머지가 4인 자연수 중 300에 가장 가까운 수를 a, 200에 가장 가까운 수를 b라고 할 때, $a-b$의 값을 구하시오.

유형 **17** 최소공배수의 활용(3) – 남는 것이 다른 문제

개념 **17**

남는 것이 다른 문제

➡ (나누는 수 − 나머지)가 일정한지 확인한다.

8로 나누면 5가 남고, 7로 나누면 4가 남고, 6으로 나누면 3이 남는 자연수 중에서 가장 작은 수는?

$$\begin{array}{r} a \cdots 5 \\ 8\overline{)x} \end{array} \quad \begin{array}{r} b \cdots 4 \\ 7\overline{)x} \end{array} \quad \begin{array}{r} c \cdots 3 \\ 6\overline{)x} \end{array}$$

$x=8a+5 \qquad x=7b+4 \qquad x=6c+3$

$\overset{+}{\underset{3}{\bigcirc}}$ 추가 $\qquad \overset{+}{\underset{3}{\bigcirc}}$ 추가 $\qquad \overset{+}{\underset{3}{\bigcirc}}$ 추가

➡ 8의 배수 ➡ 7의 배수 ➡ 6의 배수

$x+3:8, 7, 6$의 공배수

8, 7, 6의 최소공배수는 $2 \times 4 \times 7 \times 3 = 168$ 이므로 $(x+3)$은 168의 배수이다. 즉,

$x+3=168 \qquad \therefore \ x=165$

● 최소공배수의 활용(남는 것이 다른 문제)

예제 **17**

어떤 자연수를 4로 나누면 2가 남고, 6으로 나누면 4가 남는다. 다음 중 어떤 자연수가 될 수 없는 것은?

① 10   ② 22   ③ 34
④ 47   ⑤ 58

풀이 전략

어떤 자연수 □를 4로 나누면 2가 남고, 6으로 나누면 4가 남는다.
└→ □+2=(4의 배수) └→ □+2=(6의 배수)

풀이

구하는 수를 □라 하면

$\left. \begin{array}{l} □÷4=a \cdots 2 \\ □÷6=b \cdots 4 \end{array} \right\}$ ➡ (□+2)는 4 또는 6으로 나누어떨어진다. (a, b는 자연수)

즉, (□+2)는 4, 6의 공배수이다.
4, 6의 최소공배수는 $2 \times 2 \times 3 = 12$이므로
□+2: 12, 24, 36, 48, 60, …
□: 10, 22, 34, 46, 58, …
따라서 어떤 자연수가 될 수 없는 것은 ④이다.

확인문제

17 다음은 2로 나누면 1이 남고, 3으로 나누면 2가 남고, 5로 나누면 4가 남는 가장 작은 자연수 A를 구하는 과정이다. □ 안에 알맞은 수를 써넣으시오.
(단, a, b, c는 자연수이다.)

$\left. \begin{array}{l} A÷2=a \cdots \boxed{} \\ A÷3=b \cdots \boxed{} \\ A÷5=c \cdots \boxed{} \end{array} \right\}$ ➡ $(A+\boxed{})$은 2, 3, 5로 나누어떨어진다.

즉, $(A+\boxed{})$은 2, 3, 5의 $\boxed{}$이다.

$A+\boxed{}=\boxed{}$이므로 $A=\boxed{}$

유형연습 **17**

A중학교 1학년 학생 180명 중 150명 이상의 학생이 수련회에 참가하기로 하여 모둠을 나누는데 한 모둠을 4명으로 하면 1명이 남고, 6명으로 하면 3명이 남고, 8명으로 하면 5명이 남는다. 한 모둠을 5명으로 한다면 전체 몇 모둠인지 구하시오.

유형 **18** 최대공약수와 최소공배수의 활용(1) – 분수를 자연수로 만들기

개념 **18**

(1) 두 분수 $\dfrac{18}{n}$, $\dfrac{30}{n}$ 을 모두 자연수가 되도록 하는 자연수 n의 값 중 가장 큰 수는?

> $\dfrac{A}{n}$, $\dfrac{B}{n}$ 가 자연수가 되도록 하는 자연수 n은
> A, B와 약분되어 1이 되어야 한다.
> 즉, n은 A, B의 공약수이다.

∴ n ➡ 18, 30의 최대공약수 ➡ 6

(2) 두 분수 $\dfrac{n}{18}$, $\dfrac{n}{30}$ 을 모두 자연수가 되도록 하는 자연수 n의 값 중 가장 작은 수는?

> $\dfrac{n}{A}$, $\dfrac{n}{B}$ 이 자연수가 되도록 하는 자연수 n은
> A, B가 약분되어 1이 되어야 한다.
> 즉, n은 A, B의 공배수이다.

∴ n ➡ 18, 30의 최소공배수 ➡ 90

● 최대공약수와 최소공배수의 활용(분수를 자연수로 만들기)

확인문제

18 다음 □ 안에 알맞은 수를 써넣으시오.

(1) 두 분수 $\dfrac{12}{n}$, $\dfrac{15}{n}$ 를 자연수가 되도록 하는 가장 큰 자연수 n의 값은 □이다.

(2) 두 분수 $\dfrac{14}{n}$, $\dfrac{21}{n}$ 을 자연수가 되도록 하는 가장 큰 자연수 n의 값은 □이다.

(3) 두 분수 $\dfrac{n}{8}$, $\dfrac{n}{12}$ 을 자연수가 되도록 하는 가장 작은 자연수 n의 값은 □이다.

예제 **18**

두 분수 $\dfrac{24}{A}$, $\dfrac{36}{A}$ 이 모두 자연수일 때, 다음 물음에 답하시오.

(1) 두 수 24, 36의 최대공약수를 구하시오.

(2) 자연수 A의 총합을 구하시오.

풀이 전략

두 분수 $\dfrac{A}{n}$, $\dfrac{B}{n}$ 가 자연수가 되게 하는 자연수 n은
A, B와 약분되어 1이 되어야 하므로 A, B의 공약수이다.

풀이

$\dfrac{24}{A}$ = (자연수) → A : 24의 약수

$\dfrac{36}{A}$ = (자연수) → A : 36의 약수

이므로 A는 24, 36의 공약수이다.

(1) $24 = 2^3 \times 3$

$\dfrac{36 = 2^2 \times 3^2}{2^2 \times 3 = 12}$

따라서 24, 36의 최대공약수는 12이다.

(2) A는 24, 36의 공약수이므로

A ➡ 1, 2, 3, 4, 6, 12

따라서 $1+2+3+4+6+12 = 28$

● 최대공약수를 활용하여 분수를 자연수로 만들기(서술형)

유형연습 **18**

세 분수 $\dfrac{52}{a}$, $\dfrac{56}{a}$, $\dfrac{b}{a}$ 는 모두 자연수이다. $\dfrac{52}{a} < \dfrac{56}{a} < \dfrac{b}{a}$ 를 만족하면서 $\dfrac{b}{a}$ 가 가장 작은 자연수가 되게 하는 b의 값을 구하시오.

유형 19 최대공약수와 최소공배수의 활용(2) – 기약분수를 곱해서 자연수 만들기

개념 19

$\dfrac{24}{25} \times A$, $\dfrac{32}{15} \times A$의 값이 모두 자연수가 되도록 하는 가장 작은 기약분수 A 구하기

$A = \dfrac{a}{b}$라 하면

(1) $\dfrac{24}{25} \times \dfrac{a}{b}$: 자연수 ➡ $\dfrac{a}{b} = \dfrac{(25의\ 배수)}{(24의\ 약수)}$

(2) $\dfrac{32}{15} \times \dfrac{a}{b}$: 자연수 ➡ $\dfrac{a}{b} = \dfrac{(15의\ 배수)}{(32의\ 약수)}$

➡ $\dfrac{a}{b} = \dfrac{(25와\ 15의\ 최소공배수)}{(24와\ 32의\ 최대공약수)} = \dfrac{75}{8}$

[참고] 어떤 분수를 작게 만들려면? $\dfrac{분자는\ 작게}{분모는\ 크게}$

● 최대공약수와 최소공배수의 활용
(기약분수를 곱해서 자연수 만들기)

예제 19

두 분수 $\dfrac{26}{15}$, $\dfrac{39}{20}$ 중 어느 것을 택하여 곱해도 자연수가 되는 분수 중에서 가장 작은 분수를 $\dfrac{n}{m}$이라 할 때, 다음을 구하시오. (단, m, n은 서로소인 자연수이다.)

(1) m의 값

(2) n의 값

풀이 전략

$\dfrac{A}{B}$, $\dfrac{C}{D}$ 중 어느 것을 택하여 곱해도 자연수가 되도록 하는 가장 작은 분수는 $\dfrac{a}{b} = \dfrac{(B,\ D의\ 최소공배수)}{(A,\ C의\ 최대공약수)}$이다.

풀이

$\dfrac{26}{15} \times \dfrac{n}{m}$: 자연수 ➡ $\dfrac{n}{m} = \dfrac{(15의\ 배수)}{(26의\ 약수)}$

$\dfrac{39}{20} \times \dfrac{n}{m}$: 자연수 ➡ $\dfrac{n}{m} = \dfrac{(20의\ 배수)}{(39의\ 약수)}$

(1) m은 26과 39의 최대공약수이므로 $m = 13$

$\begin{aligned} 26 &= 2 \times \quad\ 13 \\ 39 &= \quad\ 3 \times 13 \\ \hline &\qquad\qquad 13 \end{aligned}$

(2) n은 15와 20의 최소공배수이므로 $n = 60$

$\begin{aligned} 15 &= \quad\ 3 \times 5 \\ 20 &= 2^2 \quad\ \times 5 \\ \hline 2^2 &\times 3 \times 5 = 60 \end{aligned}$

확인문제

19 다음은 두 분수 $\dfrac{26}{15}$, $\dfrac{13}{20}$ 중 어느 것을 택하여 곱해도 자연수가 되는 가장 작은 기약분수를 구하는 과정이다. □ 안에 알맞은 수를 써넣으시오.

$\dfrac{26}{15} \times \dfrac{a}{b}$: 자연수, $\dfrac{13}{20} \times \dfrac{a}{b}$: 자연수

➡ $\dfrac{a}{b} = \dfrac{(\boxed{}\ 와\ \boxed{}\ 의\ 공배수)}{(\boxed{}\ 과\ \boxed{}\ 의\ 공약수)}$ 이므로

가장 작은 기약분수는 $\dfrac{a}{b} = \dfrac{\boxed{}}{\boxed{}}$ 이다.

유형연습 19

세 분수 $\dfrac{12}{5}$, $\dfrac{36}{7}$, $\dfrac{15}{4}$ 중 어느 것을 택하여 곱해도 자연수가 되는 분수 중 가장 작은 기약분수를 구하시오.

유형 20 최대공약수가 주어진 두 수의 관계

개념 20

A와 48의 최대공약수가 16일 때, 다음 **보기** 중 A의 값이 될 수 없는 것을 모두 고르시오.

―| 보기 |―
ㄱ. 64   ㄴ. 80   ㄷ. 96   ㄹ. 112   ㅁ. 120

A와 48의 최대공약수가 16이므로

$A = 16 \times ⓐ$, $48 = 16 \times ③$
　　　　　└─ 서로소 ─┘

➡ $A = 16 \times a$이므로 A는 16의 배수

➡ a는 3과 서로소

ㄱ. $64 = 2^6 = 2^4 \times \underline{2^2}$

ㄴ. $80 = 2^4 \times \underline{5}$

ㄷ. $96 = 2^5 \times 3 = 2^4 \times \underline{2 \times 3}$
　　　　　　　└→ 3과 서로소가 아니다.

ㄹ. $112 = 2^4 \times \underline{7}$

ㅁ. $120 = \underline{2^3} \times 3 \times 5$
　　　　└→ 2^4의 배수가 아니다.

따라서 A의 값이 될 수 없는 것은 ㄷ, ㅁ이다.

● 최대공약수가 주어진 두 수의 관계

예제 20

두 자리 자연수 A, B의 최대공약수는 8, 최소공배수는 80이다. $A < B$일 때, A, B의 값을 각각 구하시오.

풀이 전략

두 자연수 A, B의 최대공약수가 G이고 최소공배수가 L일 때, $A = G \times a$, $B = G \times b$ (a, b는 서로소)라 하면 $L = a \times b \times G$이다.

풀이

8) A　B
　　ⓐ　ⓑ
　　└ 서로소 ┘

최소공배수가 80이므로 $8 \times a \times b = 80$ 　∴ $a \times b = 10$

a와 b를 곱해서 10이 되는 경우는

a	1	2	5	10
b	10	5	2	1

$A < B$를 만족하려면 $a=1$, $b=10$ 또는 $a=2$, $b=5$

이때 A, B는 두 자리 자연수이고, $A < B$가 되는 경우는 $a=2$, $b=5$

따라서

$A = 8 \times 2 = 16$, $B = 8 \times 5 = 40$

● 최대공약수와 최소공배수를 이용하여 수 구하기

확인문제

20 다음 각 수들과 $2^2 \times 3^2 \times 5$의 최대공약수가 12이면 ○표, 12가 아니면 ×표를 하시오.

(1) $2^2 \times 3 \times 7$　　(　　)

(2) 2×3^2　　(　　)

(3) $2^2 \times 3 \times 5$　　(　　)

(4) $2^2 \times 3 \times 11^2$　　(　　)

유형연습 20

두 수 A, 72의 최대공약수는 18이고, A는 200 이하의 자연수일 때, 가능한 A의 값은 모두 몇 개인가?

① 3개　　　② 4개　　　③ 5개
④ 6개　　　⑤ 7개

2 정수와 유리수

개념 **01**

(1) **양수와 음수**

　① 양수: 0보다 큰 수로 +(양의 부호)가 붙은 수

　② 음수: 0보다 작은 수로 −(음의 부호)가 붙은 수

(2) **정수:** 양의 정수, 0, 음의 정수를 통틀어 정수라 한다.

　① 양의 정수: 자연수에 +(양의 부호)를 붙인 수

　② 음의 정수: 자연수에 −(음의 부호)를 붙인 수

(3) **유리수:** 양의 유리수, 0, 음의 유리수를 통틀어 유리수라 한다.

　① 양의 유리수: 분자, 분모가 자연수인 분수에 +(양의 부호)를 붙인 수

　② 음의 유리수: 분자, 분모가 자연수인 분수에 −(음의 부호)를 붙인 수

[참고] 양수는 +(양의 부호)를 생략하여 나타내기도 한다.

(4) **유리수의 분류**

$$\text{유리수} \begin{cases} \text{정수} \begin{cases} \text{양의 정수(자연수): } +1, +2, \cdots \\ 0 \\ \text{음의 정수: } -1, -2, \cdots \end{cases} \\ \text{정수가 아닌 유리수: } -\dfrac{3}{5}, \ 0.6, \cdots \end{cases}$$

● 유리수란 무엇일까?

예제 **01**

아래 주어진 수에 대하여 다음 물음에 답하시오.

$$-8, \ +1.5, \ -\frac{8}{2}, \ 0, \ -\frac{4}{3}, \ -7, \ +10, \ -\frac{15}{2}$$

(1) 양의 유리수는 몇 개인지 구하시오.

(2) 음의 정수는 몇 개인지 구하시오.

(3) 정수가 아닌 유리수는 몇 개인지 구하시오.

풀이 전략

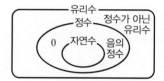

풀이

(1) 양의 유리수는 +1.5, +10의 2개이다.

(2) 음의 정수는 −8, $-\dfrac{8}{2}$, −7의 3개이다.

(3) 정수가 아닌 유리수는 +1.5, $-\dfrac{4}{3}$, $-\dfrac{15}{2}$의 3개이다.

● 유리수란 무엇일까?

확인문제

01 다음 중 옳은 것에는 ○표, 옳지 않은 것에는 ×표를 하시오.

　(1) 0은 자연수이다. 　　　　　　　　(　)

　(2) 모든 정수는 유리수이다. 　　　　　(　)

　(3) 유리수는 양의 유리수와 음의 유리수로 이루어져 있다. 　　　　　　　　　　　　　(　)

　(4) 가장 작은 양의 유리수는 1이다. 　(　)

유형연습 01

다음 중 옳은 것을 모두 고르면? (정답 2개)

① 0은 정수이지만 유리수는 아니다.

② 음의 정수 중 가장 큰 수는 −1이다.

③ 정수와 정수 사이에는 반드시 다른 정수가 있다.

④ 서로 다른 두 유리수 사이에는 무수히 많은 유리수가 있다.

⑤ 모든 음의 유리수는 음의 정수이다.

개념02

(1) **수직선**: 수를 대응시킨 직선

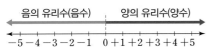

음의 유리수(음수)　　양의 유리수(양수)

(2) **수직선에 나타내기**

$-\dfrac{7}{3}$은 $-2\dfrac{1}{3}$이므로

$$-\dfrac{7}{3}$$

[참고] 분수를 수직선에 나타낼 때는 대분수를 이용한다.

(3) **수직선에서 같은 거리에 있는 점**

수직선에서 두 수를 나타내는 두 점으로부터 같은 거리에 있는 점이 나타내는 수

➡ 두 점의 한가운데에 있는 점이 나타내는 수

예 수직선에서 -2와 4 를 나타내는 두 점 으로부터 같은 거리에 있는 점이 나타내는 수 는 1이다.

●수직선에서 같은 거리에 있는 점

예제02

수직선에서 두 수 x, y를 나타내는 두 점 사이의 거리가 10이고, 두 점으로부터 같은 거리에 있는 점이 나타내는 수가 2일 때, x, y의 값을 각각 구하시오. (단, $x<0$)

풀이 전략

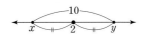

풀이

x는 2에서 왼쪽으로 5만큼 이동 ➡ -3
y는 2에서 오른쪽으로 5만큼 이동 ➡ 7
따라서 $x=-3$, $y=7$

●수직선에서 같은 거리에 있는 점

확인문제

02 다음 수를 수직선 위에 나타내시오.

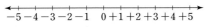

(1) 2　　　　　　(2) -3

(3) $+\dfrac{3}{2}$　　　　(4) $-\dfrac{9}{2}$

유형연습 02

수직선 위에서 $-\dfrac{5}{4}$에 가장 가까운 정수를 a, $\dfrac{8}{3}$에 가장 가까운 정수를 b라고 할 때, a, b의 값을 각각 구하시오.

유형 03 절댓값

개념 03

(1) **절댓값**: 수직선 위에서 원점과 어떤 수를 나타내는 점 사이의 거리

$$\overset{\overset{\displaystyle 3}{\frown}\,\overset{\displaystyle 3}{\frown}}{\underset{-4\,-3\,-2\,-1\quad 0\,+1\,+2\,+3\,+4}{\longleftrightarrow}}$$

> **예** -3의 절댓값: $|-3|=3$
> $+3$의 절댓값: $|+3|=3$

(2) **절댓값의 성질**

① 절댓값이 $a(a>0)$인 수는 $-a,\ +a$의 2개가 있다.

② 0의 절댓값은 0이다. 즉, $|0|=0$

③ 절댓값은 항상 0보다 크거나 같다.

④ 원점에서 거리가 멀수록 절댓값이 크다.

> **예** $|-4|=4,\ \left|+\dfrac{3}{4}\right|=\dfrac{3}{4},\ |0|=0$
> 절댓값이 2인 수: $+2,\ -2$
> 절댓값이 0인 수: 0

● 절댓값

● 절댓값의 성질

예제 03

보기의 수를 수직선 위에 나타낼 때, 원점에서 가장 멀리 떨어져 있는 수를 a, 원점에서 가장 가까운 수를 b라고 하자. $|a|+|b|$의 값을 구하시오.

> **┤ 보기 ├**
> $$-2,\ +\frac{8}{3},\ +3,\ -\frac{7}{2},\ +2,\ +\frac{2}{3}$$

 풀이 전략

원점에서 거리가 멀수록 절댓값이 크다.

 풀이

$|-2|=2,\ \left|+\dfrac{8}{3}\right|=\dfrac{8}{3},\ |+3|=3,$

$\left|-\dfrac{7}{2}\right|=\dfrac{7}{2},\ |+2|=2,\ \left|+\dfrac{2}{3}\right|=\dfrac{2}{3}$이므로

절댓값이 가장 큰 수 a는 $a=-\dfrac{7}{2}$

절댓값이 가장 작은 수 b는 $b=+\dfrac{2}{3}$

따라서

$|a|+|b|=\dfrac{7}{2}+\dfrac{2}{3}=\dfrac{21+4}{6}=\dfrac{25}{6}$

확인문제

03 다음을 구하시오.

(1) $|-4|$

(2) $\left|+\dfrac{3}{2}\right|$

(3) $|0|$

● 절댓값

유형연습 03

절댓값이 5인 양의 정수를 a, 절댓값이 4인 음의 정수를 b라고 할 때, a와 b 사이에 있는 정수의 개수는?

① 1   ② 3   ③ 6

④ 8   ⑤ 10

개념 04

절댓값이 같고 부호가 반대인 두 수를 수직선 위에 점으로 나타내었을 때

(1) **두 점 사이의 거리가 12이면** $+6, -6$

(2) **두 점 사이의 거리가 7이면** $+\dfrac{7}{2}, -\dfrac{7}{2}$

➡ 원점을 기준으로 절반으로 나누어 생각한다.

(3) $|x| = |y|$ (단, $x < y$)

➡ 절댓값이 같다.

➡ 원점으로부터 거리가 같다.

➡ 한가운데에 원점이 있다.

● 절댓값이 같고 부호가 다른 두 수

예제 04

두 수 x, y에 대하여 $|x| = |y|$이고, 수직선에서 x, y를 나타내는 두 점 사이의 거리가 $\dfrac{14}{3}$이다. 이때 x, y를 나타내는 두 점 사이의 정수의 개수를 구하시오.

(단, $x < y$)

풀이 전략

수직선 위에서 절댓값이 같고 부호가 다른 두 수

➡ 두 점 사이의 거리가 a이면

큰 수는 $+\dfrac{a}{2}$, 작은 수는 $-\dfrac{a}{2}$이다.

풀이

(두 점 사이의 거리) $=\dfrac{14}{3}$이므로

원점에서 각 점에 이르는 거리는

$$\dfrac{14}{3} \times \dfrac{1}{2} = \dfrac{7}{3}$$

즉, $x = -\dfrac{7}{3}, y = \dfrac{7}{3}$

$-\dfrac{7}{3} = -2\dfrac{1}{3}, \dfrac{7}{3} = 2\dfrac{1}{3}$이므로 두 점 사이의 정수는

$-2, -1, 0, 1, 2$의 5개이다.

● 절댓값이 같고 부호가 다른 두 수(심화)

확인문제

04 다음을 구하시오.

(1) 절댓값이 5인 수

(2) 절댓값이 0인 수

(3) $\dfrac{2}{7}$와 절댓값이 같은 음수

(4) 1.5와 절댓값이 같은 음수

유형연습 04

두 수 a, b가 다음 조건을 만족시킬 때, a, b의 값을 각각 구하시오.

(가) $|a| = |b|$ (단, $b > a$)
(나) a, b를 나타내는 두 점 사이의 거리가 12이다.

유형 05 절댓값의 대소 관계

개념 05

(1) **절댓값의 대소 관계**

예 다음 수를 절댓값이 큰 수부터 차례로 나열하시오.

$$-2, \quad 8, \quad -3, \quad 7, \quad -5, \quad 0$$

절댓값을 구하면

$$2, 8, 3, 7, 5, 0$$

절댓값이 큰 수부터 나열하면

$$8, 7, -5, -3, -2, 0$$
↳ 정답은 문제에 있는 수로 바꿔서 적어야 한다.

(2) **절댓값의 범위가 주어진 수**

예 절댓값이 2 이상 5 미만인 정수의 개수는?

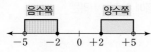

$$-4, -3, -2, 2, 3, 4$$의 6개이다.

○ 절댓값의 대소 관계

○ 절댓값의 범위가 주어진 수

예제 05

다음 수를 절댓값이 큰 수부터 차례로 나열하시오.

$$-\frac{5}{8}, \quad 8, \quad -\frac{3}{2}, \quad 1.7, \quad \frac{9}{4}, \quad -0.2, \quad 0$$

풀이 전략

절댓값을 구한다.

➡ 소수로 바꿔서 크기를 비교한다.

➡ 문제에 주어진 수로 바꾸어서 큰 수부터 나열한다.

풀이

① 절댓값을 구한다.

$$\frac{5}{8}, 8, \frac{3}{2}, 1.7, \frac{9}{4}, 0.2, 0$$
$$\downarrow \qquad \downarrow \qquad \downarrow$$
$$0.625 \quad 1.5 \qquad 2.25$$

② 소수로 고쳐서 크기를 비교한다.

$$8, 2.25, 1.7, 1.5, 0.625, 0.2, 0$$

따라서 절댓값이 큰 수부터 나열하면

$$8, \frac{9}{4}, 1.7, -\frac{3}{2}, -\frac{5}{8}, -0.2, 0$$

○ 절댓값의 대소 관계

확인문제

05 다음 ○ 안에 알맞은 부등호를 써넣으시오.

(1) $|-7|$ ○ $+4$

(2) $|-5|$ ○ $|+3|$

(3) $|-1|$ ○ $|-1.5|$

(4) $|+2.6|$ ○ $\left|-\frac{5}{2}\right|$

유형연습 05

$|a| < 3$, $1 \leq |b| < 3$을 만족시키는 정수 a와 b의 개수를 각각 구하시오.

2

정수와 유리수

개념 **06**

두 수의 대소 관계

절댓값이 큰 수가 작다. | 절댓값이 큰 수가 크다.

$$-5\ -4\ -3\ -2\ -1\quad 0\ +1\ +2\ +3\ +4\ +5$$

(1) (음수) $<0<$ (양수)

(2) 양수끼리는 절댓값이 클수록 크다.

(3) 음수끼리는 절댓값이 클수록 작다.

예 $-2<0$ $+1>0$ $-2<+1$

$+2>+1$ $-2<-1$

            ↳ 음수끼리는 절댓값이 클수록 작다.

[참고] 분모가 다른 분수는 통분해서 비교한다.

$$-\frac{2}{3}\ ◯\ -\frac{3}{4}\ ⇒\ -\frac{8}{12}>-\frac{9}{12}$$

● 수의 대소 관계

예제 **06**

다음 중 옳지 <u>않은</u> 것은?

① $2>-4$

② $-2.9<-2.1$

③ $0.7<\dfrac{4}{5}$

④ $-4>-\dfrac{15}{4}$

⑤ $\dfrac{3}{2}>\dfrac{4}{3}$

풀이 전략

수직선 위에서 오른쪽에 있을수록 큰 수, 왼쪽에 있을수록 작은 수

풀이

④ $-\dfrac{15}{4}=-3\dfrac{3}{4}$ 이므로

$-4<-\dfrac{15}{4}$ 이다.

따라서 옳지 않은 것은 ④이다.

● 수의 대소 관계

확인문제

06 다음 수들을 작은 수부터 차례대로 나열하시오.

(1)
> $+2,\ -4,\ -\dfrac{1}{2},\ +\dfrac{3}{5}$

(2)
> $+0.2,\ -\dfrac{7}{3},\ -3,\ +\dfrac{3}{4}$

유형연습 **06**

다음 수에 대한 설명으로 옳은 것은?

> $-2\dfrac{1}{3},\ +3,\ -2,\ +\dfrac{3}{2},\ 0.3,\ 1.2$

① 가장 큰 수는 $+\dfrac{3}{2}$ 이다.

② 가장 작은 수는 -2 이다.

③ 0.3보다 큰 수는 2개이다.

④ 절댓값이 가장 큰 수는 $+3$ 이다.

⑤ 두 번째로 큰 수는 1.2이다.

유형 **07** 부등호의 사용

개념 **07**

부등호의 사용

$x>a$	$x<a$
x는 a보다 크다.	x는 a보다 작다.
x는 a 초과이다.	x는 a 미만이다.

$x \geq a$	$x \leq a$
x는 a보다 크거나 같다.	x는 a보다 작거나 같다.
x는 a 이상이다.	x는 a 이하이다.
x는 a보다 작지 않다.	x는 a보다 크지 않다.

예 x는 3보다 크다. ➡ $x>3$

x는 3보다 작다. ➡ $x<3$

x는 3보다 크거나 같다. ➡ $x \geq 3$

x는 3보다 작거나 같다. ➡ $x \leq 3$

● 부등호의 사용

예제 **07**

다음을 만족시키는 정수 x를 모두 구하시오.

(1) $-5<x \leq 2$

(2) $-\dfrac{7}{3}<x<3$

풀이 전략

경계가 포함되면 ●, 경계가 포함되지 않으면 ○로 표시하여 수직선에 나타내어 확인해보자.

풀이

(1) $-5<x \leq 2$

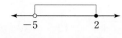

이므로 정수 x는 $-4, -3, -2, -1, 0, 1, 2$

(2) $-\dfrac{7}{3}<x<3$

이므로 정수 x는 $-2, -1, 0, 1, 2$

확인문제

07 다음을 부등호를 사용하여 나타내시오.

(1) x는 -1 이상이다.

(2) x는 0 이상 $\dfrac{3}{5}$ 이하이다.

(3) x는 -2 초과이고 3 미만이다.

(4) x는 -5보다 크거나 같고 $\dfrac{1}{2}$보다 작다.

유형연습 **07**

$\dfrac{21}{5}$보다 작은 자연수를 a개, -3보다 작지 않은 음의 정수를 b개라고 할 때, $a+b$의 값을 구하시오.

● 주어진 범위에 속하는 수

개념 08

(1) $-\dfrac{1}{2}$보다 크고 $\dfrac{4}{3}$보다 작은 유리수 중 분모가 6인 기약분수를 구하시오.

$-\dfrac{1}{2}<\dfrac{\square}{6}<\dfrac{4}{3}$ ➡ $-\dfrac{3}{6}<\dfrac{\square}{6}<\dfrac{8}{6}$에서 약분되는 것을 모두 지우면

$$\dfrac{-2}{\cancel{6}},\ \dfrac{-1}{6},\ \dfrac{0}{\cancel{6}},\ \dfrac{1}{6},\ \dfrac{2}{\cancel{6}},\ \dfrac{3}{\cancel{6}},\ \dfrac{4}{\cancel{6}},\ \dfrac{5}{6},\ \dfrac{6}{\cancel{6}},\ \dfrac{7}{6}$$

(2) $-\dfrac{1}{2}$보다 크고 $\dfrac{4}{3}$보다 작은 유리수 중 분모가 6인 정수가 아닌 유리수를 구하시오.

$-\dfrac{1}{2}<\dfrac{\square}{6}<\dfrac{4}{3}$ ➡ $-\dfrac{3}{6}<\dfrac{\square}{6}<\dfrac{8}{6}$에서

정수가 아닌 유리수를 구하라고 했으므로 분모가 완전히 약분이 되어 정수가 되는 것만 지우면

$$\dfrac{-2}{6},\ \dfrac{-1}{6},\ \dfrac{0}{\cancel{6}},\ \dfrac{1}{6},\ \dfrac{2}{6},\ \dfrac{3}{6},\ \dfrac{4}{6},\ \dfrac{5}{6},\ \dfrac{6}{\cancel{6}},\ \dfrac{7}{6}$$

● 주어진 범위에 속하는 기약분수

예제 08

$-\dfrac{5}{6}$와 $\dfrac{3}{2}$ 사이에 있는 정수가 아닌 유리수 중에서 분모가 6인 기약분수의 개수는?

① 4　　　　② 5　　　　③ 6
④ 7　　　　⑤ 8

풀이 전략

분모를 6으로 통분하여 두 유리수 사이에 약분이 되는 것을 지우자.

풀이

$\dfrac{3}{2}=\dfrac{9}{6}$이므로 $-\dfrac{5}{6}$와 $\dfrac{9}{6}$ 사이에 있는 분모가 6인 기약분수는

$-\dfrac{1}{6},\ \dfrac{1}{6},\ \dfrac{5}{6},\ \dfrac{7}{6}$의 4개이다.

따라서 기약분수의 개수는 ①이다.

확인문제

08 $1<a<9$일 때, 다음 분수가 정수가 아닌 유리수가 될 수 있는 정수 a의 값을 모두 구하시오.

(1) $\dfrac{a}{2}$

(2) $\dfrac{a}{4}$

유형연습 08

$-\dfrac{1}{2}$보다 크고 $\dfrac{4}{5}$보다 작은 유리수 중 분모가 10인 기약분수의 개수를 a, 분모가 10인 정수가 아닌 유리수의 개수를 b라고 할 때, $b-a$의 값을 구하시오.

유형 **09** 유리수의 덧셈

개념 **09**

(1) 유리수의 덧셈

① 부호가 같은 두 수의 덧셈

두 수의 절댓값의 합에 공통인 부호를 붙인다.

② 부호가 다른 두 수의 덧셈

두 수의 절댓값의 차에 절댓값이 큰 수의 부호를 붙인다.

> (양수)+(양수) → ➕ (절댓값의 합)
>
> (음수)+(음수) → ➖ (절댓값의 합)
>
> (양수)+(음수)⎤
> ⎥ → ⬤ (절댓값의 차)
> (음수)+(양수)⎦
>
> ↑
>
> 절댓값이 큰 수의 부호

(2) 덧셈의 교환법칙과 결합법칙

세 수 a, b, c에 대하여

① 교환법칙: $a+b=b+a$

   예 $5+3=3+5$

② 결합법칙: $(a+b)+c=a+(b+c)$

   예 $(5+3)+1=5+(3+1)$

● 유리수의 덧셈

● 덧셈의 교환법칙과 결합법칙

예제 **09**

다음 계산 과정에서 (가)에 쓰인 덧셈에 대한 계산 법칙과 (나)와 (다)에 알맞은 수를 바르게 짝 지은 것은?

> $(-3.5)+(+5)+(+1.5)$
>
> ↓ 덧셈의 교환법칙
>
> $=\boxed{(나)}+\boxed{(다)}+(+1.5)$
>
> ↓ $\boxed{(가)}$
>
> $=\boxed{(나)}+\{\boxed{(다)}+(+1.5)\}$
>
> $=\boxed{(나)}+(-2)$
>
> $=+3$

	(가)	(나)	(다)
①	덧셈의 교환법칙	-5	-3.5
②	덧셈의 결합법칙	$+5$	$+3.5$
③	덧셈의 교환법칙	$+5$	-3.5
④	덧셈의 결합법칙	$+5$	-3.5
⑤	덧셈의 분배법칙	-5	$+3.5$

풀이 전략

덧셈의 교환법칙 ➡ $a+b=b+a$

덧셈의 결합법칙 ➡ $(a+b)+c=a+(b+c)$

풀이

(가) 덧셈의 결합법칙, (나) $+5$, (다) -3.5

따라서 바르게 짝 지은 것은 ④이다.

확인문제

09 다음 □ 안에는 알맞은 수를, ○ 안에는 + 또는 −를 써넣으시오.

(1) $(-2)+(-3)=\bigcirc(2+3)=\bigcirc\square$

(2) $(+2)+(-5)=\bigcirc(5-2)=\bigcirc\square$

(3) $(-2)+(+5)=\bigcirc(5-2)=\bigcirc\square$

유형연습 **09**

오른쪽 그림의 정육면체에서 마주 보는 면에 있는 두 수의 합은 0이다. 이때 보이지 않는 세 면에 있는 수의 합을 구하시오.

2 정수와 유리수

개념 **10**

(1) 유리수의 뺄셈

두 수의 뺄셈은 빼는 수의 부호를 바꾸어 더한다.

예 $(+2)-(+3)=(+2)+(-3)$

부호 반대로 / 덧셈으로

$$=-(3-2)=-1$$

(2) 유리수의 덧셈과 뺄셈의 혼합 계산

뺄셈을 덧셈으로 바꾼 후 덧셈의 계산 법칙을 이용하여 계산한다.

예 $(-3)+(+4)-(-3)$

$$=(-3)+(+4)+(+3)$$

(3) 괄호가 없는 식의 덧셈과 뺄셈

각 수에 양의 부호 +를 붙인 후 뺄셈을 덧셈으로 고쳐 계산한다.

예 $4-5+7$

$$=(+4)-(+5)+(+7)$$
$$=(+4)+(-5)+(+7)$$

● 유리수의 뺄셈   ● 덧셈과 뺄셈의 혼합 계산

● 괄호가 없는 식의 덧셈과 뺄셈

예제 **10**

$2-\dfrac{1}{3}-4+\dfrac{4}{3}$ 를 계산하시오.

풀이 전략

괄호가 없는 식의 덧셈과 뺄셈은

$$-3+5-6=(-3)+(+5)+(-6)$$

숫자 바로 앞의 부호까지 한 덩어리로 생각하고 덧셈으로 연결

풀이

각 수에 양의 부호 +를 붙인 후 뺄셈을 덧셈으로 고치고

$$(+2)-\left(+\dfrac{1}{3}\right)-(+4)+\left(+\dfrac{4}{3}\right)$$
$$=(+2)+\left(-\dfrac{1}{3}\right)+(-4)+\left(+\dfrac{4}{3}\right)$$

덧셈의 교환법칙을 사용한 뒤,

$$=(+2)+(-4)+\left(-\dfrac{1}{3}\right)+\left(+\dfrac{4}{3}\right)$$

덧셈의 결합법칙으로 묶어서 계산한다.

$$=\{(+2)+(-4)\}+\left\{\left(-\dfrac{1}{3}\right)+\left(+\dfrac{4}{3}\right)\right\}$$
$$=(-2)+(+1)=-1$$

● 괄호가 없는 식의 덧셈과 뺄셈

확인문제

10 다음 □ 안에는 알맞은 수를, ○ 안에는 + 또는 −를 써넣으시오.

(1) $(-2)-(-4)=(-2)\bigcirc(+4)=\bigcirc\square$

(2) $(-10)-(+6)=(-10)\bigcirc(-6)=\bigcirc\square$

(3) $(-3)-(-5)+(+1)$

$$=(-3)\bigcirc(+5)+(+1)$$
$$=\bigcirc\square+(+1)$$
$$=\bigcirc\square$$

유형연습 **10**

$\dfrac{1}{2}-\dfrac{1}{3}-\dfrac{5}{2}+\dfrac{5}{6}-\dfrac{4}{3}$ 를 계산하시오.

유형 11 ~만큼 작고, ~만큼 큰 수

개념 11

(1) x보다 a만큼 큰 수 ➡ $x+a$

　예 x보다 -2만큼 큰 수 ➡ $x+(-2)$

(2) x보다 a만큼 작은 수 ➡ $x-a$

　예 x보다 -2만큼 작은 수 ➡ $x-(-2)$

예 4보다 -2만큼 큰 수

　➡ $4+(-2)=2$ └→ 덧셈

예 4보다 -2만큼 작은 수 └→ 뺄셈

　➡ $4-(-2)=4+(+2)=6$

● ~만큼 작고, ~만큼 큰 수　

예제 11

-4보다 2만큼 큰 수를 a, 6보다 7만큼 작은 수를 b라 할 때, 다음 물음에 답하시오.

(1) a의 값을 구하시오.

(2) b의 값을 구하시오.

(3) $a+b$의 값을 구하시오.

풀이 전략

x보다 2만큼 큰 수 ➡ $x+2$

x보다 7만큼 작은 수 ➡ $x-7$

풀이

(1) $a=(-4)+2=-2$

(2) $b=6-7=-1$

(3) $a+b=(-2)+(-1)=-3$

● ~만큼 작고, ~만큼 큰 수(서술형)　

확인문제

11 다음 수를 구하시오.

(1) 3보다 -5만큼 큰 수

(2) -1보다 $+2$만큼 큰 수

(3) -7보다 $+3$만큼 작은 수

(4) -5보다 -5만큼 작은 수

(5) $+\dfrac{1}{2}$보다 -2만큼 작은 수

유형연습 11

$-\dfrac{2}{3}$보다 $\dfrac{3}{2}$만큼 작은 수와 -7보다 8만큼 큰 수 사이에 있는 정수의 개수를 구하시오.

개념 **12**

(1) 유리수의 곱셈

절댓값끼리 곱하고 부호는 다음과 같이 결정한다.

① $(+3) \times (+2) = +6$

② $(-3) \times (-2) = +6$

③ $(+3) \times (-2) = -6$

④ $(-3) \times (+2) = -6$

〈부호 결정〉

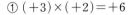

(2) 곱셈의 교환법칙과 결합법칙

세 수 a, b, c에 대하여

① 교환법칙: $a \times b = b \times a$

② 결합법칙: $(a \times b) \times c = a \times (b \times c)$

예 $5 \times 3 = 3 \times 5$, $(5 \times 3) \times 1 = 5 \times (3 \times 1)$

(3) 세 수 이상의 곱셈

절댓값끼리 모두 곱한 후, 부호는 다음과 같이 결정한다.

┌ 곱해진 음수가 짝수 개 → $+$
└ 곱해진 음수가 홀수 개 → $-$

$$(\ominus 2) \times (\ominus 3) \times (\ominus 5) = \ominus (2 \times 3 \times 5) = -30$$

음수가 홀수 개

절댓값의 곱

● 유리수의 곱셈

● 곱셈의 교환법칙과 결합법칙   ● 세 수 이상의 곱셈

예제 **12**

$\left(-\dfrac{1}{2}\right) \times \left(-\dfrac{2}{3}\right) \times \left(-\dfrac{3}{4}\right) \times \cdots \times \left(-\dfrac{9}{10}\right)$를 계산하시오.

풀이 전략

세 수 이상의 곱셈의 부호

➡ 곱해진 음수가 짝수 개이면 $+$, 홀수 개이면 $-$

풀이

음수의 개수가 9이므로 계산 결과는 음수이다. 또한 각각 앞의 수의 분모와 뒤의 수의 분자가 서로 약분되므로

$\left(-\dfrac{1}{2}\right) \times \left(-\dfrac{2}{3}\right) \times \left(-\dfrac{3}{4}\right) \times \cdots \times \left(-\dfrac{8}{9}\right) \times \left(-\dfrac{9}{10}\right)$

$= -\dfrac{1}{10}$

● 세 수 이상의 곱셈

확인문제

12 다음을 계산하시오.

(1) $(+1) \times (+3)$ (2) $(+2) \times (-3)$

(3) $(-5) \times (+3)$ (4) $(-6) \times (-3)$

(5) $(-4) \times (-3)$

유형연습 **12**

다음 식을 계산하시오.

$\dfrac{3}{5} \times \left(-\dfrac{5}{7}\right) \times \dfrac{7}{9} \times \left(-\dfrac{9}{11}\right) \times \cdots \times \dfrac{95}{97} \times \left(-\dfrac{97}{99}\right)$

2 정수와 유리수

유형 **13** 곱이 가장 큰 수, 작은 수 만들기

개념 **13**

(1) 주어진 네 수 중에서 서로 다른 세 수를 뽑아 곱이 가장 큰 수 만들기

$$-3, \ -2, \ 4, \ -5$$

➡ (양수) × (음수) × (음수)
└─→ 여기서 음수는 절댓값이 큰 수를 뽑는다.

[참고] ① 음수를 3개 뽑으면 음수이다.
② 가장 큰 수는 양수를 만들어야 한다.

(2) 주어진 네 수 중에서 서로 다른 세 수를 뽑아 곱이 가장 작은 수 만들기

$$-3, \ 2, \ 4, \ -5$$

➡ (음수) × (양수) × (양수)
└─→ 그래야 결과가 음수가 나온다.

[참고] 절댓값이 큰 수를 뽑아야 한다.

● 곱이 가장 큰 수 만들기

● 곱이 가장 작은 수 만들기

예제 **13**

네 수 $-\dfrac{5}{2}, \dfrac{7}{3}, -\dfrac{2}{3}, -\dfrac{8}{5}$ 중에서 서로 다른 세 수를 뽑아 곱한 값 중 가장 큰 값을 구하시오.

풀이 전략

가장 큰 값이 나오려면
$(+) \times (-) \times (-) = (+)$
└─→ 절댓값이 큰 음수를 뽑는다.

풀이

$\left| -\dfrac{5}{2} \right| = \dfrac{5}{2}, \ \left| -\dfrac{2}{3} \right| = \dfrac{2}{3}, \ \left| -\dfrac{8}{5} \right| = \dfrac{8}{5}$ 이므로

$-\dfrac{5}{2}, -\dfrac{8}{5}$ 을 뽑는다.

즉, $\dfrac{7}{3} \times \left(-\dfrac{5}{2} \right) \times \left(-\dfrac{8}{5} \right) = \dfrac{28}{3}$

따라서 가장 큰 값은 $\dfrac{28}{3}$ 이다.

● 곱이 가장 큰 수 만들기

확인문제

13 두 수의 곱의 계산 결과가 가장 작은 두 수를 고르고, 그 곱을 계산하시오.

(1)
$$-2, \ -1, \ +3, \ +4$$

(2)
$$-8, \ +5, \ -2, \ -3$$

(3)
$$-2, \ +2, \ -5, \ +9$$

유형연습 13

다음 수 중 서로 다른 세 수를 뽑아 곱한 결과 중 세 수의 곱이 가장 큰 수와 가장 작은 수의 차를 구하시오.

$$2, \ -\dfrac{2}{3}, \ \dfrac{1}{3}, \ -3, \ 4$$

● 곱이 가장 큰 수와 작은 수 만들기 응용(서술형)

개념 **14**

(1) **거듭제곱에서의 부호 결정**

$(-3)^2$	vs	-3^2

$(-3) \times (-3)$　　　　$-(3 \times 3)$
$= +9$　　　　　　　　　$= -9$

$(-2)^3$	vs	-2^3

$(-2) \times (-2) \times (-2)$　　$-(2 \times 2 \times 2)$
$= -8$　　　　　　　　　　$= -8$

[참고] 결과가 -8로 같지만 이유가 다르다.
　　　　$(-2)^3$은 $-$가 3개(홀수 개)이므로 $-$이고,
　　　　-2^3은 $-$가 1개이므로 $-$이다.

(2) **$(-1)^n$이 포함된 식의 계산**

$$(-1)^n = \begin{cases} 1 \,(n\text{이 짝수}) \\ -1 \,(n\text{이 홀수}) \end{cases}$$

[참고] 1은 아무리 많이 곱해도 1이다. 곱해진 -1의 개수만 알면 된다.

● 거듭제곱에서의 부호 결정

● $(-1)^n$이 포함된 식의 계산

예제 **14**

$(-1) + (-1)^2 + (-1)^3 + \cdots + (-1)^{100}$을 계산하시오.

풀이 전략

자연수 n에 대하여

$$(-1)^n = \begin{cases} 1 \,(n\text{이 짝수}) \\ -1 \,(n\text{이 홀수}) \end{cases}$$

풀이

$(-1) + (-1)^2 + (-1)^3 + \cdots + (-1)^{99} + (-1)^{100}$
$= (-1) + (+1) + (-1) + \cdots + (-1) + (+1)$
$= 0$
$(-1) + (-1)^2 + (-1)^3 + \cdots + (-1)^{100}$의 거듭제곱을 계산하면 -1이 50개, $+1$이 50개이므로 모두 더하면 0이 된다.

● $(-1)^n$이 포함된 식의 계산

확인문제

14 다음을 계산하시오.

(1) $(-3)^2$　　　　　　(2) -5^2

(3) $(-1)^8$　　　　　　(4) $(-1)^{100} + (-1)^{101}$

유형연습 **14**

$a < 0$일 때, 다음 중 음수인 것은?

① a^2　　　　② $-a^3$　　　　③ $-(-a)$

④ $-2 \times a$　　⑤ $(-a) \times (-a)$

유형 **15** 분배법칙

개념 15

분배법칙: 세 수 a, b, c에 대하여
$a \times (b+c) = a \times b + a \times c$

예 분배법칙을 이용하여 다음을 계산하시오.

① $10 \times \left(-\dfrac{1}{2}+\dfrac{3}{5}\right)$

$= 10 \times \left(-\dfrac{1}{2}\right) + 10 \times \dfrac{3}{5} = (-5) + 6 = 1$

② $3.25 \times 98 + 3.25 \times 2$

$= 3.25 \times (98+2) = 3.25 \times 100 = 325$

③ 23×103

$= 23 \times (100+3) = 23 \times 100 + 23 \times 3$

$= 2300 + 69 = 2369$

④ 32×999

$= 32 \times (1000-1) = 32 \times 1000 - 32 \times 1$

$= 32000 - 32 = 31968$

● 분배법칙 ● 분배법칙의 활용

예제 15

세 유리수 a, b, c에 대하여 $a \times (b+c) = 10$, $a \times c = 2$
일 때, $a \times b$의 값을 구하시오.

풀이 전략

분배법칙

 $\times (\square + \triangle) =$ $\times \square +$ $\times \triangle$

풀이

$a \times (b+c) = 10$에서 분배법칙을 이용하면

$a \times (b+c) = a \times b + a \times c = 10$

$a \times c = 2$이므로 $a \times b + 2 = 10$

따라서 $a \times b = 8$

● 분배법칙의 활용

확인문제

15 다음은 분배법칙을 이용하여 계산하는 과정이다. $\square$ 안에 알맞은 수를 써넣으시오.

(1) $6 \times \left(\dfrac{1}{2} + \dfrac{1}{3}\right) = \square \times \dfrac{1}{2} + \square \times \dfrac{1}{3}$

$\quad = \square + 2 = \square$

(2) $13 \times 101 = 13 \times (\boxed{} + 1)$

$\quad = 13 \times \boxed{} + 13$

$\quad = \boxed{}$

(3) $17 \times 99 = 17 \times (100 - \square)$

$\quad = 17 \times \boxed{} - 17$

$\quad = \boxed{}$

유형연습 15

분배법칙을 이용하여 다음을 계산하시오.

$$3.52 \times (-1.8) + 3.52 \times 2.5 - 0.7 \times 7.52$$

개념 16

(1) **역수**: 두 수의 곱이 1일 때, 한 수를 다른 수의 역수라고 한다.

 예 $\dfrac{1}{3} \times 3 = 1$이므로 $\dfrac{1}{3}$의 역수는 3이고,

 3의 역수는 $\dfrac{1}{3}$이다.

[참고] 0의 역수는 없다.

(2) **역수 구하기**

 ① 분수: 분모와 분자를 서로 바꾼다.

 ② 정수: 분모가 1인 분수로 생각하여 역수를 구한다.

 예 $-3 = -\dfrac{3}{1}$의 역수: $-\dfrac{1}{3}$

 ③ 소수: 분수로 바꾸어 역수를 구한다.

 예 $-1.5 = -\dfrac{3}{2}$의 역수: $-\dfrac{2}{3}$

 ● 역수

예제 16

$-\dfrac{2}{7}$의 역수를 a, $\left(\dfrac{1}{2}\right)^2$의 역수를 b, 3^3의 역수를 c라 할 때, 다음 물음에 답하시오.

(1) a의 값을 구하시오.

(2) b의 값을 구하시오.

(3) c의 값을 구하시오.

 풀이 전략

$\dfrac{a}{b}$의 역수 ➡ $\dfrac{b}{a}$, $-\dfrac{a}{b}$의 역수 ➡ $-\dfrac{b}{a}$

※ 역수는 부호가 바뀌지 않는다!!!

 풀이

(1) $-\dfrac{2}{7}$의 역수는 $-\dfrac{7}{2}$ $\therefore a = -\dfrac{7}{2}$

(2) $\left(\dfrac{1}{2}\right)^2 = \dfrac{1}{4}$이므로 $\dfrac{1}{4}$의 역수는 4 $\therefore b = 4$

(3) $3^3 = 27$이므로 27의 역수는 $\dfrac{1}{27}$ $\therefore c = \dfrac{1}{27}$

확인문제

16 다음 수의 역수를 구하시오.

(1) $\dfrac{3}{2}$

(2) 2

(3) -1

(4) -2.3

유형연습 16

다음 그림과 같은 전개도를 접어 정육면체를 만들면 서로 마주 보는 면의 두 수는 서로 역수이다. 이때 $A + B + C$의 값을 구하시오.

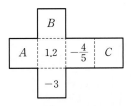

 ● 전개도에서 역수 응용하기(서술형)

개념 **17**

(1) **유리수의 나눗셈**

나누는 수의 역수를 곱하여 계산한다.

나눗셈을 곱셈으로

$$\left(-\frac{5}{6}\right)\div\left(+\frac{3}{2}\right)=\left(-\frac{5}{6}\right)\times\left(+\frac{2}{3}\right)=-\frac{5}{9}$$

역수

(2) **곱셈과 나눗셈의 혼합 계산**

① 나눗셈을 곱셈으로 고친다.

② 부호를 정한 후 각 수의 절댓값의 곱에 그 부호를 붙인다.

[참고] 모두 곱셈으로 바꾼 다음 계산한다.

$$(+2)\times\left(-\frac{9}{4}\right)\div\left(-\frac{3}{8}\right)$$

음수가 2개

$$=(+2)\times\left(-\frac{9}{4}\right)\times\left(-\frac{8}{3}\right)=+\left(2\times\frac{9}{4}\times\frac{8}{3}\right)$$

절댓값의 곱

$$=+12$$

● 유리수의 나눗셈

● 곱셈과 나눗셈의 혼합 계산

예제 **17**

$a+\left(-\frac{1}{2}\right)=-\frac{2}{3}$, $b=\left(-\frac{5}{4}\right)\div\frac{5}{3}\div\left(-\frac{7}{8}\right)$일 때, $a\times b$의 값을 구하시오.

풀이 전략

유리수의 나눗셈은 나누는 수의 역수를 곱하여 계산한다.

➡ $\square\div\frac{a}{b}=\square\times\frac{b}{a}$

풀이

$a+\left(-\frac{1}{2}\right)=-\frac{2}{3}$에서

$a=-\frac{2}{3}-\left(-\frac{1}{2}\right)=-\frac{2}{3}+\frac{1}{2}$

$=-\frac{4}{6}+\frac{3}{6}=-\frac{1}{6}$

$b=\left(-\frac{5}{4}\right)\div\frac{5}{3}\div\left(-\frac{7}{8}\right)$

$=\left(-\frac{5}{4}\right)\times\frac{3}{5}\times\left(-\frac{8}{7}\right)=+\left(\frac{5}{4}\times\frac{3}{5}\times\frac{8}{7}\right)$

$=+\frac{6}{7}$

따라서

$a\times b=-\frac{1}{6}\times\left(+\frac{6}{7}\right)=-\frac{1}{7}$

● 유리수의 사칙연산(서술형)

확인문제

17 다음을 계산하시오.

(1) $(+12)\div(-2)$

(2) $\frac{3}{4}\div(-3)$

(3) $\left(-\frac{5}{3}\right)\div\left(-\frac{10}{9}\right)$

(4) $\frac{3}{4}\div\frac{15}{8}\times(-5)$

유형연습 17

다음을 계산하시오.

$5-\left\{2\times\left(-\frac{15}{4}\right)\div\left(-\frac{9}{2}\right)+6\times\frac{1}{2}\right\}$

개념 18

(1) **덧셈, 뺄셈에서의 부호 결정**

(양수)＋(양수) ➡ (양수)

(음수)＋(음수) ➡ (음수)

(양수)－(음수) ➡ (양수)

(음수)－(양수) ➡ (음수)

(2) **곱셈, 나눗셈에서의 부호 결정**

$$\left.\begin{array}{l}(양수)\times(양수)\\(음수)\times(음수)\end{array}\right\}$$

$$\left.\begin{array}{l}(양수)\times(음수)\\(음수)\times(양수)\end{array}\right\}$$

[참고]

① $a \times b > 0$ ➡ a, b는 같은 부호

       ➡ $a>0, b>0$ 또는 $a<0, b<0$

② $a \times b < 0$ ➡ a, b는 다른 부호

       ➡ $a>0, b<0$ 또는 $a<0, b>0$

● 부호 결정하기 문제(기초)

● 부호 결정하기 문제

예제 18

두 수 a, b에 대하여 $a>0$, $b<0$일 때, 다음 중 항상 양수인 것은?

① $a+b$ ② $a-b$ ③ $a \times b$

④ $a \div b$ ⑤ $b-a$

풀이 전략

a, b 대신 양수이면 $+2$, 음수이면 -2를 직접 넣어서 비교해보자.

풀이

① $a+b$: $(+)+(-)$ ➡ 알 수 없다.

② $a-b$: $(+)-(-)=(+)+(+)$ ➡ $(+)$

③ $a \times b$: $(+) \times (-)$ ➡ $(-)$

④ $a \div b$: $(+) \div (-)$ ➡ $(-)$

⑤ $b-a$: $(-)-(+)=(-)+(-)$ ➡ $(-)$

따라서 항상 양수인 것은 ②이다.

● 부호 결정하기 문제(기초)

확인문제

18 $a>0$, $b<0$일 때, 다음 ◯ 안에 알맞은 부등호를 써넣으시오.

(1) $-a$ ◯ 0

(2) $a \times b$ ◯ 0

(3) $a-b$ ◯ 0

(4) $-b^2$ ◯ 0

유형연습 18

세 유리수 a, b, c에 대하여

$a \times b < 0$, $b \div c < 0$, $a>b$일 때, a, b, c의 부호를 정하면?

① $a>0$, $b>0$, $c>0$

② $a<0$, $b>0$, $c>0$

③ $a>0$, $b<0$, $c<0$

④ $a>0$, $b<0$, $c>0$

⑤ $a<0$, $b>0$, $c<0$

유형 **19** 바르게 계산한 값 구하기

개념 **19**

(1) 덧셈, 뺄셈을 잘못한 경우
   어떤 수 x에 A를 더해야 할 것을 잘못하여 뺐더니 B가 되었다.
   ➡ $x-A=B$, $x=B+A$

(2) 곱셈, 나눗셈을 잘못한 경우
   어떤 수 x를 A로 나누어야 할 것을 잘못하여 곱하였더니 B가 되었다.
   ➡ $x\times A=B$, $x=B\div A$

◉ 바르게 계산한 값 구하기

예제 **19**

어떤 수에 -3을 더해야 할 것을 잘못하여 뺐더니 그 결과가 7이 되었다. 바르게 계산한 값을 구하시오.

풀이 전략

잘못 계산한 식과 바르게 계산한 식을 둘 다 세워 놓고 문제를 풀자.

풀이

①	②
$\square-(-3)=7$	$\square+(-3)$

① $\square-(-3)=7 \rightarrow \square=7+(-3)$
   $\therefore \square=4$
② $\square=4$이므로 $4+(-3)=1$
따라서 바르게 계산한 값은 1이다.

◉ 바르게 계산한 값 구하기

확인문제

19 다음 $\square$ 안에 알맞은 수를 써넣고, 어떤 수 x를 구하시오.

(1) 어떤 수 x에 2를 더해야 할 것을 잘못하여 뺐더니 6이 되었다.
   ⇨ $x-2=6 \rightarrow x=6+\boxed{}$

(2) 어떤 수 x에 -2를 더해야 할 것을 잘못하여 뺐더니 -3이 되었다.
   ⇨ $x-(-2)=-3 \rightarrow x=-3+\boxed{}$

(3) 어떤 수 x에 $\dfrac{1}{2}$을 곱해야 할 것을 잘못하여 나누었더니 $-\dfrac{2}{3}$가 되었다.
   ⇨ $x\div\dfrac{1}{2}=-\dfrac{2}{3} \rightarrow x=-\dfrac{2}{3}\times\boxed{}$

유형연습 **19**

어떤 수 a에 $-\dfrac{3}{4}$을 곱해야 할 것을 잘못하여 더했더니 그 결과가 $-\dfrac{1}{6}$이 되었다. 바르게 계산한 값을 구하시오.

개념 20

(1) **덧셈과 뺄셈의 활용(수직선)**

➡ 왼쪽으로 가면 −, 오른쪽으로 가면 +

예 다음 수직선에서 점 A가 나타내는 수를 구하시오.

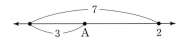

시작은 2 ➡ 왼쪽으로 7만큼 ➡ 오른쪽으로 3
만큼 ➡ **식** $2-7+3$

(2) **혼합 계산의 활용 – 수직선**

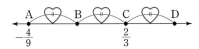

두 점 사이의 거리를 구해서 $\dfrac{1}{2}$을 곱하면 하나의
↳ (큰 수) − (작은 수)
♡를 구할 수 있다.

◉ 혼합 계산의 활용(수직선)

예제 20

다음 수직선에서 점 A가 나타내는 수를 구하시오.

(1)
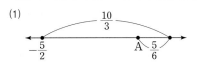

(2)
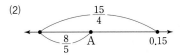

풀이 전략

−5에서 왼쪽으로 a만큼 이동하면 $-5-a$,
오른쪽으로 a만큼 이동하면 $-5+a$

풀이

(1) 점 A가 나타내는 수는

$$-\frac{5}{2}+\frac{10}{3}-\frac{5}{6}=-\frac{5}{2}+\left(+\frac{10}{3}\right)+\left(-\frac{5}{6}\right)$$
$$=\left(-\frac{15}{6}\right)+\left(+\frac{20}{6}\right)+\left(-\frac{5}{6}\right)=0$$

(2) 점 A가 나타내는 수는

$$0.15-\frac{15}{4}+\frac{8}{5}=0.15+\left(-\frac{15}{4}\right)+\left(+\frac{8}{5}\right)$$
$$=\frac{3}{20}+\left(-\frac{75}{20}\right)+\left(+\frac{32}{20}\right)$$
$$=-\frac{40}{20}=-2$$

◉ 덧셈과 뺄셈의 활용(수직선 1)

확인문제

20 다음 수직선에서 세 점 A, B, C가 나타내는 수를
각각 구하시오.

(1)
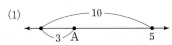

(2)
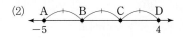

(3)
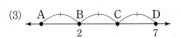

유형연습 20

다음 수직선 위에서 점 B는 두 점 A, C로부터 같은 거리
에 있는 점이고, 점 C는 두 점 B, D로부터 같은 거리에
있는 점이다. 두 점 A, C가 나타내는 수가 각각 $-\dfrac{4}{9}$,
$\dfrac{2}{3}$일 때, 두 점 B, D가 나타내는 수를 각각 구하시오.

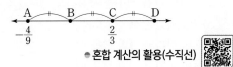

◉ 혼합 계산의 활용(수직선)

유형 21 덧셈과 뺄셈의 활용(2) – 주어진 상황을 유리수로 계산하기

개념 21

(1) 덧셈과 뺄셈의 활용 – 이야기

다음 표는 지각한 인원을 전날과 비교하여 증가하면 부호 +, 감소하면 부호 −를 사용하여 나타낸 것이다.

7월 2일	7월 3일	7월 4일	7월 5일
−5	−13	+4	A

7월 1일에 지각한 학생이 43명일 때,

① 7월 4일에 지각한 학생은 몇 명인가?
  ➡ 43명에서 시작
  ➡ 7월 4일 지각한 인원을 구하는 식
    $43-5-13+4=29$(명)

② 7월 5일에 지각한 학생이 20명일 때, A는?

7월 2일	7월 3일	7월 4일	7월 5일
−5	−13	+4	A
38	25	29	20

  ➡ $29+A=20$ ∴ $A=-9$

(2) 혼합 계산의 활용 – 이야기

시합 또는 게임에서 이기면 a점을 얻고, 지면 b점을 잃을 때

① n번 이겼을 때의 점수 ➡ $n\times(+a)$(점)
② m번 졌을 때의 점수 ➡ $m\times(-b)$(점)
③ n번 이기고, m번 졌을 때의 점수
  ➡ $n\times(+a)+m\times(-b)$(점)

● 덧셈과 뺄셈의 활용
  (이야기)
● 혼합 계산의 활용
  (이야기)

확인문제

21 게임을 하여 이기면 3점을 얻고, 지면 2점을 잃는다고 할 때, 다음 점수를 구하시오.
  (1) 2번 이겼을 때
  (2) 3번 이기고, 4번 졌을 때
  (3) 4번 이기고, 2번 졌을 때

예제 21

다음 표는 윤찬이의 독서량의 변화를 알기 위해 전날과 비교하여 증가하면 부호 +, 감소하면 부호 −를 사용하여 나타낸 것이다. 7일에 50쪽을 읽었다면 3일에 읽은 쪽수는?

3일	4일	5일	6일	7일
+20	+14	−25	+10	−17

① 57쪽   ② 67쪽   ③ 68쪽
④ 72쪽   ⑤ 82쪽

풀이 전략

7일에 50쪽을 읽었고, 전날과 비교하여 −17이므로 전날인 6일에는 7일보다 17만큼 더 읽었다는 것이다. 따라서 6일에는 $50+17=67$(쪽)을 읽었다.

풀이

7일에 50쪽을 읽었으므로

3일	4일	5일	6일	7일
+20	+14	−25	+10	−17
68	82	57	67	50

따라서 3일에 읽은 쪽수는 ③이다.

유형연습 21

은빈이와 하나가 가위바위보를 하여 계단 오르기 놀이를 하는데 이기면 3칸 올라가고 지면 4칸 내려가기로 하였다. 처음의 위치를 0으로 생각하고 1칸 올라가는 것을 +1, 1칸 내려가는 것을 −1이라고 하자. 6번 가위바위보를 하여 비기는 경우 없이 하나가 2번 이겼을 때, 두 사람은 몇 칸 떨어져 있는지를 구하시오.

● 혼합 계산의 활용(이야기)

개념 22

(1) 덧셈과 뺄셈

① $\square + \triangle = \bigcirc$

➡ $\square = \bigcirc - \triangle$, $\triangle = \bigcirc - \square$

② $\square - \triangle = \bigcirc$

➡ $\square = \bigcirc + \triangle$, $\triangle = \square - \bigcirc$

예 $3 + 2 = 5 \Rightarrow \square + 2 = 5 \Rightarrow \square = 5 - 2$

(2) 곱셈과 나눗셈

① $\square \times \triangle = \bigcirc$

➡ $\square = \bigcirc \div \triangle$, $\triangle = \bigcirc \div \square$

② $\square \div \triangle = \bigcirc$

➡ $\square = \bigcirc \times \triangle$, $\triangle = \square \div \bigcirc$

예 $4 \times 2 = 8 \Rightarrow \square \times 2 = 8 \Rightarrow \square = 8 \div 2$

$8 \div 4 = 2 \Rightarrow \square \div 4 = 2 \Rightarrow \square = 2 \times 4$

⊙ 빈칸에 알맞은 값 구하기(덧셈과 뺄셈)

⊙ 빈칸에 알맞은 값 구하기(곱셈과 나눗셈)

예제 22

$\left(-\dfrac{8}{9}\right) \div \left(-\dfrac{15}{6}\right) \times \boxed{} = -\dfrac{2}{3}$ 일 때, □ 안에 알맞은 수를 구하시오.

풀이 전략

$\square \times 5 = 10 \Rightarrow \square = 10 \div 5$

풀이

$\left(-\dfrac{8}{9}\right) \times \left(-\dfrac{6}{15}\right) \times \boxed{} = -\dfrac{2}{3}$

$\left(+\dfrac{16}{45}\right) \times \boxed{} = -\dfrac{2}{3}$

$\therefore \boxed{} = \left(-\dfrac{2}{3}\right) \div \left(+\dfrac{16}{45}\right)$

$= \left(-\dfrac{2}{3}\right) \times \left(+\dfrac{45}{16}\right) = -\dfrac{15}{8}$

⊙ 빈칸에 알맞은 값 구하기(곱셈과 나눗셈)

확인문제

22 다음 □ 안에 알맞은 수를 써넣으시오.

(1) $\boxed{} + (-4) = -1$

(2) $\boxed{} + \left(-\dfrac{2}{3}\right) = -\dfrac{1}{2}$

(3) $\boxed{} - (-5) = 3$

(4) $(-3) - \boxed{} = 7$

⊙ 빈칸에 알맞은 값 구하기(덧셈과 뺄셈)

유형연습 22

$\boxed{} \times \dfrac{5}{3} \div 5^2 \times (-3) = -\dfrac{3}{5}$ 일 때, □ 안에 알맞은 수를 구하시오.

3 문자와 식

개념 01

(1) 곱셈 기호의 생략

① (수)×(문자): 곱셈 기호를 생략하고 수를 문자 앞에 쓴다. 예 $x \times 6 = 6x$

② (문자)×(문자): 곱셈 기호를 생략하고 보통 알파벳 순서로 쓴다. 예 $y \times x \times z = xyz$

③ 같은 문자의 곱: 거듭제곱을 사용하여 나타낸다.
예 $x \times x \times y \times y \times y = x^2 \times y^3 = x^2 y^3$

④ 괄호가 있는 식과 수의 곱: 곱셈 기호를 생략하고 수를 괄호 앞에 쓴다.
예 $2 \times (a+b) = 2(a+b)$

[참고] ① 1과 문자의 곱에서는 1을 생략한다.
예 $b \times a \times 1 = ab$
$x \times y \times (-1) \times x \times y \times x = -x^3 y^2$

② 0.1, 0.01 등과 같은 소수와 문자의 곱에서는 1을 생략하지 않는다.
예 $0.1 \times x = 0.1x$

(2) 나눗셈 기호의 생략

나눗셈을 역수의 곱셈으로 바꾼 후 곱셈 기호를 생략한다.
예 $a \div b = a \times \dfrac{1}{b} = \dfrac{a}{b}$, $x \div \dfrac{2}{3} = x \times \dfrac{3}{2} = \dfrac{3}{2}x$

● 곱셈 기호의 생략   ● 나눗셈 기호의 생략

예제 01

다음 식의 기호 ×, ÷를 생략하여 나타내시오.

$$x \times \left(-\frac{5}{2}\right) \times x - (x-y) \div \left(-\frac{3}{4}\right)$$

풀이 전략

덧셈이나 뺄셈으로 연결된 식은 두 부분으로 나누어서 해결한다.

풀이

$$\boxed{x \times \left(-\frac{5}{2}\right) \times x} \; - \; \boxed{(x-y) \div \left(-\frac{3}{4}\right)}$$
$$\qquad\qquad (1) \qquad\qquad\qquad (2)$$

(1) $x \times \left(-\dfrac{5}{2}\right) \times x = -\dfrac{5}{2}x^2$

(2) $(x-y) \div \left(-\dfrac{3}{4}\right) = (x-y) \times \left(-\dfrac{4}{3}\right) = -\dfrac{4}{3}(x-y)$

따라서

$$-\frac{5}{2}x^2 - \left\{-\frac{4}{3}(x-y)\right\} = -\frac{5}{2}x^2 + \frac{4}{3}(x-y)$$

● 곱셈과 나눗셈 기호의 생략 응용 문제

확인문제

01 다음 식을 간단히 나타내시오.

(1) $b \times a \times 3$
(2) $(a+b) \times (-1)$
(3) $(7-a) \div b$
(4) $x \times y \div (-2) \times y$

유형연습 01

다음 중 곱셈 기호 ×와 나눗셈 기호 ÷를 생략하여 간단히 나타낸 것으로 옳은 것은?

① $a \div b \div 2 = \dfrac{ab}{2}$
② $a \div b \times c = \dfrac{a}{bc}$

③ $a \div \dfrac{1}{b} \div \dfrac{1}{c} = \dfrac{c}{ab}$
④ $a \div (b \div c) = \dfrac{ac}{b}$

⑤ $5 - 2 \times a = 3a$

개념 02

(1) **정다각형의 둘레의 길이**

　➡ (한 변의 길이) × (변의 개수)

(2) **다각형의 넓이**

　① 삼각형 ➡ $\frac{1}{2}$ × (밑변의 길이) × (높이)

　② 직사각형 ➡ (가로의 길이) × (세로의 길이)

　③ 사다리꼴

　　➡ $\frac{1}{2}$ × { (윗변의 길이) + (아랫변의 길이) } × (높이)

(3) **직육면체의 겉넓이와 부피**

　① (겉넓이) = 2 × (밑넓이) + (옆넓이)

　② (부피) = (가로의 길이) × (세로의 길이) × (높이)

　　◉ 문자를 사용하여 식으로 나타내기(도형)

예제 02

오른쪽 그림과 같은 직육면체의 겉넓이를 a, b를 사용한 식으로 나타내시오.

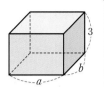

풀이 전략

　(겉넓이) = $2(ab+bc+ac)$

풀이

직육면체의 겉넓이는

$a \times b \times 2 + b \times 3 \times 2 + 3 \times a \times 2 = 2ab+6b+6a$

확인문제

02 다음을 문자를 사용한 식으로 나타내시오.

　(1) 가로의 길이가 a cm, 세로의 길이가 b cm인 직사각형의 둘레의 길이

　(2) 한 변의 길이가 x cm인 정육각형의 둘레의 길이

　(3) 밑변의 길이가 a cm, 높이가 h cm인 삼각형의 넓이

　(4) 한 모서리의 길이가 x cm인 정육면체의 부피

　　◉ 문자를 사용하여 식으로 나타내기(도형)

유형연습 02

오른쪽 그림과 같은 사각형의 넓이를 a, b를 사용한 식으로 나타내시오.

3 문자와 식

3 문자와 식

유형 03 **문자를 사용한 식(거리, 속력, 시간)**

개념 03

(1) (거리) = (속력) × (시간)

(2) (속력) = $\dfrac{(거리)}{(시간)}$

(3) (시간) = $\dfrac{(거리)}{(속력)}$

(거리)

÷ ÷

(속력) × (시간)

예 16 km의 거리를 a시간 동안 달렸을 때의 속력

➡ 시속 $\dfrac{16}{a}$ km

예 a km의 거리를 시속 3 km의 속력으로 걸었을

때 걸린 시간 ➡ $\dfrac{a}{3}$시간

● 문자를 사용하여 식으로 나타내기(거속시)

예제 03

자전거를 타고 집에서 출발하여 시속 x km로 5 km만큼 떨어진 도서관까지 가는데 힘이 들어서 도중에 10분간 쉬었다. 집에서 출발하여 도서관에 도착하는 데 걸린 시간을 식으로 나타내시오.

풀이 전략

(시간) = $\dfrac{(거리)}{(속력)}$, x(분) = $\dfrac{x}{60}$(시간)

풀이

자전거를 타고 이동한 시간은 $\dfrac{5}{x}$시간이고, 쉬는 시간은 10분, $\dfrac{10}{60} = \dfrac{1}{6}$(시간)이다.

따라서 집에서 출발하여 도서관에 도착하는 데 걸린 시간은 $\left(\dfrac{5}{x} + \dfrac{1}{6} \right)$시간이다.

[참고] 시속이 주어졌을 때에는 '분'을 '시간'으로 바꾼다.

➡ x(분) = $\dfrac{x}{60}$(시간)

확인문제

03 거리가 a km인 두 지점을 갈 때에는 시속 5 km로, 올 때에는 시속 4 km로 왕복하였다. 다음 물음에 답하시오.

(1) 왕복하는 동안의 총 이동 거리를 a를 사용한 식으로 나타내시오.

(2) 왕복하는 동안에 걸린 시간을 a를 사용한 식으로 나타내시오.

● 문자를 사용하여 식으로 나타내기(거속시)(서술형)

유형연습 03

동생이 집에서 출발한 지 10분 후에 형이 동생을 따라나섰다. 동생은 분속 80 m로 걷고, 형은 분속 120 m로 걸어서 형이 출발한 뒤 x분 후에 만났다. 두 사람이 만날 때까지 형이 걸은 거리와 동생이 걸은 거리를 각각 식으로 나타내시오.

개념 04

(1) **대입**: 문자를 포함한 식에서 문자를 어떤 수로 바꾸어 넣는 것

(2) **식의 값**: 문자를 포함한 식에서 문자 대신 수를 대입하여 계산한 값

$$x = \boxed{5}$$
$$\downarrow \text{대입}$$
$$2\boxed{x} + 1 = 2 \times \boxed{5} + 1$$
$$= \boxed{11}$$
$$\llcorner \text{식의 값}$$

※ **대입할 때 주의사항**

① 숨겨진 곱셈, 나눗셈 기호 살려내기

② 음수를 대입할 때는 반드시 괄호에 넣어서 대입한다.

예 $a = -3$일 때, $4a$의 값은?

$$4a = \underline{4 \times (-3)} = -12$$
$$\llcorner \text{곱셈 기호 살려내고, 음수를 괄호에 넣어서 대입}$$

● 대입과 식의 값

예제 04

$a = -3$, $b = 4$일 때, $1 - \dfrac{2a - 6}{b}$의 값은?

① -3 ② -1 ③ 2

④ 3 ⑤ 4

풀이 전략

$a = -4$일 때,

$$\overset{\text{괄호에 넣어서 대입}}{-2a + 3 = -2 \underset{\text{생략된 기호}}{\times} (-4) + 3 = 11}$$

풀이

$2a - 6 = 2 \times (-3) - 6 = -6 - 6 = -12$

이므로 $\dfrac{2a - 6}{b} = \dfrac{-12}{4} = -3$

즉, $1 - \dfrac{2a - 6}{b} = 1 - (-3) = 4$

따라서 $1 - \dfrac{2a - 6}{b}$의 값은 ⑤이다.

확인문제

04 다음은 $a = 3$일 때, 식의 값을 구하는 과정이다. □ 안에 알맞은 수를 써넣으시오.

(1) $-1 + a = -1 + \boxed{} = \boxed{}$

(2) $2a + 3 = 2 \times \boxed{} + 3 = \boxed{}$

(3) $4 - 3a = 4 - 3 \times \boxed{} = \boxed{}$

유형연습 04

$a = 3$일 때, 다음 중 식의 값이 가장 큰 것은?

① $a - 1$ ② $\dfrac{9}{a}$ ③ $2a + 1$

④ $2 - 3a$ ⑤ $-5 + 3a$

유형 05 복잡한 식의 값 구하기

개념 05

(1) **거듭제곱이 있는 식에 대입하는 경우**
　➡ 음수와 분수 모두 괄호 안에 넣어서 대입해야 한다.

　　📕 $x=-2$일 때 $x^3=(-2)^3$

　　　$y=\dfrac{1}{3}$일 때 $y^3=\left(\dfrac{1}{3}\right)^3$

(2) **분수를 분모에 대입하는 경우**
　분수를 분모에 대입할 때에는 나눗셈 기호를 사용하여 나타낸 후 대입하고 곱셈으로 고친다.

　　📕 $x=\dfrac{1}{3}$일 때, 식 $\dfrac{2}{x}$의 값

　　　　　　　x 대신 $\dfrac{1}{3}$ 대입

$$\frac{2}{x}=2\div x=2\div\frac{1}{3}=2\times 3=6$$

　나눗셈 기호　　나눗셈을 곱셈으로　　식의 값
　다시 쓰기

● 거듭제곱이 있는 식에 대입하는 경우

● 분수를 분모에 대입하는 경우

예제 05

$x=-2$, $y=\dfrac{1}{3}$일 때, x^3-9y^2+2xy의 값을 구하시오.

풀이 전략

거듭제곱에 분수나 음수를 대입할 때 반드시 괄호를 사용!

풀이

① $x^3=(-2)^3=-8$

② $-9y^2=-9\times\left(\dfrac{1}{3}\right)^2=-9\times\dfrac{1}{9}=-1$

③ $+2xy=+2\times(-2)\times\dfrac{1}{3}=-\dfrac{4}{3}$

이므로

$$x^3-9y^2+2xy=-8-1+\left(-\frac{4}{3}\right)$$
$$=-9-\frac{4}{3}=-\frac{27}{3}-\frac{4}{3}$$
$$=-\frac{31}{3}$$

● 거듭제곱이 있는 식에 대입하는 경우

확인문제

05 $x=-1$일 때, 다음 식의 값을 구하시오.

　(1) x^2

　(2) $(-x)^2$

　(3) $-x^2$

　(4) x^2-x

유형연습 05

$x=\dfrac{1}{2}$, $y=-\dfrac{1}{3}$, $z=\dfrac{1}{4}$일 때, $x^2-\dfrac{2}{y}-10xz$의 값을 구하시오.

개념 **06**

(1) 다항식 용어 정리

① 항: 수 또는 문자의 곱으로 이루어진 식

② 상수항: 수로만 이루어진 항

③ 계수: 수와 문자의 곱으로 이루어진 항에서 문자 앞에 곱해진 수

④ 단항식: 한 개의 항으로만 이루어진 식

⑤ 다항식: 한 개 이상의 항의 합으로 이루어진 식

⑥ 차수: 항에서 문자가 곱해진 개수

⑦ 다항식의 차수: 다항식에서 차수가 가장 큰 항의 차수

(2) 일차식

① 일차식: 차수가 1인 다항식

② x에 대한 일차식은 $ax+b$(a, b는 상수, $a \neq 0$)의 꼴이다.

　예 $-5x$, $2x+6$

[주의] $\dfrac{1}{x}$과 같이 분모에 문자가 있는 경우 일차식이 아니다.

● 다항식 용어 정리

● 일차식 찾기 문제

예제 **06**

네 명의 학생이 다항식에 대하여 설명하고 있다. 이들 중 바르게 설명한 사람을 모두 고른 것은?

> 윤우: $2x+y$는 다항식이야.
> 지수: $3x^2-2x+7$에서 항은 $3x^2$, $2x$, 7이야.
> 도현: $-y+2$는 단항식이고, y의 계수는 -1이야.
> 현아: x^2-5x-2의 차수는 2이고, 상수항은 -2야.

① 윤우, 지수　　　　② 지수, 현아

③ 지수, 도현　　　　④ 도현, 현아

⑤ 윤우, 현아

풀이 전략

$$\underset{\substack{2차\quad 1차\quad 상수항}}{x^2-3x+6} \Rightarrow 다항식의 차수: 2$$

풀이

지수: $3x^2-2x+7$에서 항은 $3x^2$, $-2x$, 7이다.

도현: $-y+2$는 항이 2개로 다항식이다.

따라서 바르게 설명한 사람은 ⑤이다.

확인문제

06 다음 **보기**에서 일차식을 모두 고르시오.

> **│ 보기 │**
> ㄱ. $\dfrac{1}{2}x$　　　ㄴ. $3x+4$　　　ㄷ. $2 \times x^2$
>
> ㄹ. x^2-2x　　ㅁ. $\dfrac{1}{x}$　　　ㅂ. $\dfrac{5y}{2}$

유형연습 **06**

다음 중 옳은 것은?

① $5x+1$의 항은 1개이다.

② $-2x+2$의 상수항은 -2이다.

③ x^2-2x+1의 차수는 3이다.

④ $\dfrac{1}{x}+2$는 일차식이다.

⑤ $\dfrac{1}{2}x-3$에서 x의 계수는 $\dfrac{1}{2}$이다.

3 문자와 식

유형 07 일차식과 수의 곱셈과 나눗셈

개념 07

(1) **단항식과 수의 곱셈과 나눗셈**

① (단항식)×(수), (수)×(단항식)

: 수끼리 곱하여 수를 문자 앞에 쓴다.

예 $2x×5=(2×5)×x=10x$

② (단항식)÷(수): 나누는 수의 역수를 곱한다.

예 $6x÷2=6x×\dfrac{1}{2}=6×\dfrac{1}{2}×x=3x$

└ 곱셈으로 ┘

(2) **일차식과 수의 곱셈과 나눗셈**

① (일차식)×(수), (수)×(일차식): 분배법칙을 이용하여 일차식의 각 항에 수를 곱한다.

예 $(x+3)×2=x×2+3×2=2x+6$

② (일차식)÷(수): 분배법칙을 이용하여 일차식의 각 항에 나누는 수의 역수를 곱한다.

예 $(8x+4)÷2=(8x+4)×\dfrac{1}{2}$

└ 곱셈으로 ┘

$=8x×\dfrac{1}{2}+4×\dfrac{1}{2}=4x+2$

[참고] 괄호 앞에 $-$만 있는 경우

$-(2a+3b)=-2a-3b$

$-(a-b+1)=-a+b-1$

➡ 괄호 안의 각 항의 부호가 반대로 바뀐다.

● 단항식과 수의 곱셈과 나눗셈

● 일차식과 수의 곱셈과 나눗셈

예제 07

다음을 계산하시오.

(1) $-\dfrac{1}{2}\left(3x-\dfrac{4}{5}y\right)$

(2) $(6x-9)÷\left(-\dfrac{3}{2}\right)$

풀이 전략

분배법칙

$$a(b+c)=ab+ac,\ a(b-c)=ab-ac$$

풀이

(1) $-\dfrac{1}{2}\left(3x-\dfrac{4}{5}y\right)$

① $-\dfrac{1}{2}×3x=-\dfrac{3}{2}x$

② $-\dfrac{1}{2}×\left(-\dfrac{4}{5}y\right)=+\dfrac{2}{5}y$

따라서 $-\dfrac{3}{2}x+\dfrac{2}{5}y$

(2) $(6x-9)÷\left(-\dfrac{3}{2}\right)=(6x-9)×\left(-\dfrac{2}{3}\right)$

① $6x×\left(-\dfrac{2}{3}\right)=-4x$

② $-9×\left(-\dfrac{2}{3}\right)=+6$

따라서 $-4x+6$

● 일차식과 수의 곱셈과 나눗셈

확인문제

07 다음을 계산하시오.

(1) $2x×3$

(2) $12x÷3$

(3) $4(a+3)$

(4) $(6x-4)÷2$

유형연습 07

$\left(5x-\dfrac{1}{2}\right)÷\left(-\dfrac{1}{4}\right)$의 계산 결과에서 x의 계수를 a, 상수항을 b라 할 때, $a+b$의 값을 구하시오.

개념 **08**

(1) **동류항**: 문자와 차수가 각각 같은 항

　예 $3x$, $-2x$는 문자와 차수가 같으므로 동류항이다.

　　$2a$, $5b$는 차수는 같지만 문자가 다르므로 동류항이 아니다.

　　x^2, $2x$는 문자는 같지만 차수가 다르므로 동류항이 아니다.

[참고] 동류항끼리만 덧셈이 가능하다.

$$3x+1+x-4=(3x+x)+(1-4)=4x-3$$

　예 $-4a+6+2a=-2a+6$

(2) **일차식의 덧셈과 뺄셈**

괄호 탈출!(분배법칙) → 동류항끼리 모으기

예 $2(5a-2)-3(2a-1)$

　①　　　　②

① $2(5a-2)=10a-4$

② $-3(2a-1)=-6a+3$

따라서 $10a-4-6a+3=4a-1$

● 동류항

● 일차식의 덧셈과 뺄셈 (1)

예제 **08**

$-2(4x+3)+3(2x-1)$을 계산하였을 때, x의 계수와 상수항의 합을 구하시오.

풀이 전략

$(1+3)x+(2-5)y$

$4x-3y$

풀이

$-2(4x+3)+3(2x-1)$

$=-8x-6+6x-3=-2x-9$

x의 계수는 -2이고, 상수항은 -9이므로

x의 계수와 상수항의 합은

$(-2)+(-9)=-11$

● 일차식의 덧셈과 뺄셈 (2)

확인문제

08 다음 다항식에서 동류항을 말하시오.

(1) $3a-1+2a+5$

(2) $x+1-3x+5$

(3) $2a+2b-5b-a$

(4) $-6x-8y+4x+3y$

유형연습 **08**

$-4(2x-3)$과 $(3x-21)\div(-3)$을 각각 계산하여 일차식으로 나타내었을 때, 두 일차식의 합은?

① $-9x+11$ 　　　② $-9x+19$

③ $-7x+14$ 　　　④ $-7x+17$

⑤ $-5x+19$

3
문자와 식

3 문자와 식

유형 09 분수꼴인 일차식의 덧셈과 뺄셈

개념 09

분수꼴인 일차식의 덧셈과 뺄셈은 다음과 같은 순서로 계산한다.

❶ 분모의 최소공배수로 통분한다.

❷ 동류항끼리 모아서 계산한다.

$$\frac{-x+4}{5} \ominus \frac{2+x}{3}$$

예 $\dfrac{-x+4}{5} - \dfrac{2+x}{3}$

$$= \frac{3(-x+4)-5(2+x)}{15}$$

$$= \frac{-3x+12-10-5x}{15}$$

$$= \frac{-8x+2}{15}$$

● 분수꼴인 일차식의 덧셈과 뺄셈

예제 09

다음은 일차식 $\dfrac{x-2}{3} - \dfrac{x-3}{2}$ 을 간단히 하는 과정이다. ①~⑤ 중에서 처음으로 틀린 부분을 찾고 바르게 계산하시오.

$$\frac{x-2}{3} - \frac{x-3}{2}$$

$$= 6 \times \frac{x-2}{3} - 6 \times \frac{x-3}{2} \quad \cdots\cdots ①$$

$$= 2(x-2) - 3(x-3) \quad \cdots\cdots ②$$

$$= 2x-4-3x-9 \quad \cdots\cdots ③$$

$$= 2x-3x-4-9 \quad \cdots\cdots ④$$

$$= -x-13 \quad \cdots\cdots ⑤$$

풀이 전략

통분할 때는 분자에 반드시 괄호를 사용한다.

풀이

처음으로 틀린 부분은 ①이다.

$\dfrac{x-2}{3} - \dfrac{x-3}{2}$ 의 분모를 6으로 통분하면

$$(주어진 식) = \frac{2(x-2)-3(x-3)}{6}$$

$$= \frac{2x-4-3x+9}{6} = \frac{-x+5}{6}$$

확인문제

09 다음 식을 간단히 하시오.

(1) $\dfrac{x}{2} + \dfrac{x}{4}$

(2) $\dfrac{y}{2} - \dfrac{y}{3}$

(3) $\dfrac{x}{6} - \dfrac{x}{4}$

유형연습 09

다음 식을 간단히 하시오.

$$24\left(\frac{x-3}{2} - \frac{x-1}{3}\right) - \frac{10x-5}{5}$$

● 일차식의 덧셈과 뺄셈(서술형)

개념 10

(1) **괄호가 있는 경우**
  ➡ ( ) → { } → [ ]의 순서대로 계산한다.

(2) **계수에 소수와 분수가 섞여 있는 경우**
  ➡ 소수를 분수로 고친다.

[참고] 괄호 앞의 부호에 주의한다.

예 $x-2\{1+(2x-3)\}$
$=x-2(1+2x-3)$
$=x-2(2x-2)$
$=x-4x+4$
$=-3x+4$

● 복잡한 일차식의 덧셈과 뺄셈

예제 10

$(ax-3)+3\{-5-3(x-1)\}$을 계산하였을 때, x의 계수가 -6이다. 이때 상수 a의 값을 구하시오.

풀이 전략
계수가 문자로 주어져도 수라고 생각하고 풀이한다.

풀이
(주어진 식)
$=(ax-3)+3(-5-3x+3)$
$=(ax-3)+3(-3x-2)$
$=(ax-3)-9x-6$
$=ax-3-9x-6$
$=ax-9x-9$
$=(a-9)x-9$
x의 계수가 -6이므로 $a-9=-6$
따라서 $a=-6+9=3$

● 복잡한 일차식의 덧셈과 뺄셈

확인문제

10 다음 식에서 x의 계수가 3이 되도록 하는 상수 a의 값을 구하시오.

(1) $(a-3)x+5$

(2) $ax+4x-2$

(3) $-2x+ax+3$

(4) $x+5x-ax+7$

유형연습 10

$10x-y-\{3x+5y-(2x-3y)\}$를 간단히 한 식에서 x의 계수를 a, y의 계수를 b라 할 때, $a+b$의 값을 구하시오.

● 다항식의 덧셈과 뺄셈(서술형)

3 문자와 식

유형 **11** 다양한 일차식의 계산

개념 11

(1) **도형을 활용한 일차식의 계산**

넓이를 구할 수 있는 도형으로 나누어서 계산한다.

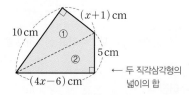

① $\dfrac{1}{2} \times 10 \times (x+1) = 5(x+1) = 5x+5$

② $\dfrac{1}{2} \times 5 \times (4x-6) = \dfrac{5}{2}(4x-6) = 10x-15$

(두 직각삼각형의 넓이의 합)
$= 5x+5+(10x-15)$
$= 5x+5+10x-15 = 15x-10 \,(\text{cm}^2)$

(2) **문자에 일차식을 대입하기**

① 반드시 괄호에 넣어서 대입한다.

② 대입해야 할 식이 복잡할 때는 먼저 간단하게 정리한다.

◉ $A = 3x+2,\ B = -2x+1$일 때, $3A-2B$를 계산하면?

$3(3x+2) - 2(-2x+1) = 9x+6+4x-2$
$\qquad\qquad\qquad\qquad = 13x+4$

● 도형을 활용한 일차식의 계산

● 문자에 일차식을 대입하기

확인문제

11 $A = x+2,\ B = -x+3$일 때, 다음을 계산하시오.

(1) $A+B$ (2) $A-B$

(3) $A-2B$

예제 11

오른쪽 그림의 도형의 넓이를 문자를 사용한 식으로 나타내시오.

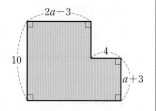

풀이 전략

넓이를 구할 수 있는 도형으로 나누어서 계산한다.

풀이

두 개의 직사각형으로 나누어 구하면

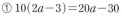
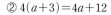

① $10(2a-3) = 20a-30$

② $4(a+3) = 4a+12$

①+②
$= (20a-30) + (4a+12)$
$= 20a-30+4a+12$
$= 24a-18$

[다른 풀이]

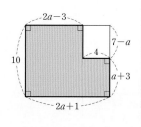

$10(2a+1) - 4(7-a)$
$= 20a+10-28+4a$
$= 24a-18$

유형연습 11

다음 그림에서 색칠한 부분의 넓이를 문자를 사용한 식으로 나타내시오.

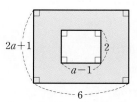

개념 12

어떤 다항식 □에 대하여

① $\square + A = B \Rightarrow \square = B - A$

② $\square - A = B \Rightarrow \square = B + A$

예 어떤 다항식에서 $2x-1$을 뺐더니 $3x+4$가 되었다. 이때 어떤 다항식은?

어떤 다항식을 □라고 하면

$\square - (2x-1) = 3x+4$

$\square = 3x+4+(2x-1) = 5x+3$

따라서 $\square = 5x+3$

● 어떤 다항식 구하기

예제 12

다음 조건을 만족시키는 두 다항식 A, B에 대하여 다음 물음에 답하시오.

> (가) A에 $3x-6$을 더했더니 $7x+2$가 되었다.
> (나) $x+4$에서 B를 뺐더니 $6x-5$가 되었다.

(1) 다항식 A를 구하시오.

(2) 다항식 B를 구하시오.

(3) $A+B$를 간단히 하시오.

풀이 전략

어떤 다항식 □에 A를 더했더니 B가 되었다.

$\square + A = B \Rightarrow \square = B - A$

풀이

(1) $A + (3x-6) = 7x+2$

$A = 7x+2-(3x-6)$

$\quad = 7x+2-3x+6 = 4x+8$

(2) $x+4-B = 6x-5$

$B = x+4-(6x-5)$

$\quad = x+4-6x+5 = -5x+9$

(3) $A+B = 4x+8+(-5x+9)$

$\quad\quad = 4x+8-5x+9 = -x+17$

● 어떤 다항식 구하기(서술형)

확인문제

12 다음 □ 안에 들어갈 알맞은 식을 구하시오.

(1) $(3x-4y) - \boxed{} = 2x-3y$

(2) $(x+3y) + \boxed{} = -2x+8y$

(3) $\boxed{} - (-2x+5y) = 5x-y$

(4) $\boxed{} + (-x-3y) = -3x+y$

유형연습 12

어떤 일차식에서 $2x+1$에 3을 곱한 것을 뺐더니 $-4x+5$가 되었다. 이때 어떤 일차식을 구하시오.

3 문자와 식

유형 13 바르게 계산한 식 구하기

개념 13

❶ 어떤 다항식을 □로 놓고 주어진 조건에 따라 식을 세운다.

❷ □를 구한다.

❸ 바르게 계산한 식을 구한다.

예 어떤 다항식에 $3a-5$를 더해야 할 것을 잘못하여 뺐더니 $-a+4$가 되었다.

(1) 어떤 다항식을 구하시오.

어떤 다항식을 □라 하면

$\square-(3a-5)=-a+4$

따라서 $\square=-a+4+(3a-5)$

$=-a+4+3a-5=2a-1$

(2) 바르게 계산한 식을 구하시오.

$2a-1+(3a-5)=2a-1+3a-5$

$=5a-6$

◆바르게 계산한 식 구하기

예제 13

어떤 식에서 $4x-3$을 빼어야 할 것을 잘못하여 더했더니 $6x+5$가 되었다. 이때 바르게 계산한 식을 구하시오.

풀이 전략

어떤 다항식 □에서 A를 빼어야 할 것을 잘못하여 더했더니 B가 되었다.

$\square+A=B$ ➡ $\square=B-A$

바르게 계산한 식: $\square-A$

풀이

어떤 다항식을 □라 하면

$\square+(4x-3)=6x+5$

$\square=6x+5-(4x-3)$

$=6x+5-4x+3=2x+8$

따라서 바르게 계산하면

$2x+8-(4x-3)=2x+8-4x+3$

$=-2x+11$

◆바르게 계산한 식 구하기(서술형)

확인문제

13 다음은 다항식 A에 $x+1$을 더해야 할 것을 잘못하여 뺐더니 $x+3$이 되었을 때, 바르게 계산하는 과정이다. 괄호 안에 알맞은 식을 써넣으시오.

$A-(\ (1)\ )=x+3$

$A=x+3+(\ (2)\ )$

따라서 $A=(\ (3)\ )$

$(\ (4)\ )+(x+1)=(\ (5)\ )$

유형연습 13

어떤 식에서 $-3(2x-2)$를 빼어야 할 것을 잘못하여 더했더니 $5x-3$이 되었을 때, 다음 물음에 답하시오.

(1) 어떤 식을 구하시오.

(2) 바르게 계산한 식을 구하시오.

개념 14

(1) **등식**: 등호(=)를 사용하여 수 또는 식이 같음을 나타낸 식

             등호 있으니까 등식

    예 $3-1 = 2$, $x+1 = 0$은

    등식이고, $2-1$, $3<4$

            등호×, 등식 아님

    는 등식이 아니다.

등식

$$\underbrace{2x+5}_{\text{좌변}} = \underbrace{x-2}_{\text{우변}}$$

양변

(2) **방정식**: 미지수의 값에 따라 참이 되기도 하고, 거짓이 되기도 하는 등식

  ➡ 참이 되는 미지수의 값을 해(근)라고 한다.

(3) **방정식의 해**: $x=a$를 방정식에 대입할 때,

  ① (좌변)=(우변)

    ➡ $x=a$가 방정식의 해이다.

  ② (좌변)≠(우변)

    ➡ $x=a$가 방정식의 해가 아니다.

● 등식

● 방정식의 뜻

예제 14

다음 중 [ ] 안의 수가 주어진 방정식의 해인 것은?

① $2x-3=5$ [3]

② $6-3x=x+2$ [−1]

③ $4x+2=x-7$ [−3]

④ $2(x-1)=-x+5$ [−2]

⑤ $-(x+2)-3=x-1$ [2]

풀이 전략

주어진 방정식에 $x=a$를 대입하여 (좌변)=(우변)이면 a는 방정식의 해이다.

풀이

① $2\times3-3=5$이므로 $3=5$ (거짓)

② $6-3\times(-1)=-1+2$이므로 $9=1$ (거짓)

③ $4\times(-3)+2=-3-7$이므로 $-10=-10$ (참)

④ $2\{(-2)-1\}=-(-2)+5$이므로

   $2\times(-3)=2+5$, $-6=7$ (거짓)

⑤ $-(2+2)-3=2-1$이므로 $-7=1$ (거짓)

따라서 [ ] 안의 수가 주어진 방정식의 해인 것은 ③이다.

● 방정식의 해

확인문제

14 다음 중 등식인 것에는 ○표, 등식이 <u>아닌</u> 것에는 × 표를 하시오.

  (1) $3x+1-x$ (   )

  (2) $2=x-4$ (   )

  (3) $1+3=4$ (   )

  (4) $2x+1\leq x-2$ (   )

  (5) $-2x+3=5x$ (   )

유형연습 14

다음 방정식 중 그 해가 $x=3$인 것은?

① $3x-5=2x$ ② $2(x-1)=x-4$

③ $9=3x+1$ ④ $2x=x+4$

⑤ $3x-9=0$

유형 **15** 항등식

개념 **15**

(1) **항등식**: 미지수에 어떤 수를 대입하여도 참이 되는 등식

(2) **항등식 찾기**

좌변, 우변을 정리하였을 때,

(좌변)＝(우변)이면 항등식이다.

예 $x+2x=3x$

➡ (좌변)＝$x+2x=3x=$(우변)

➡ $x+2x=3x$는 항등식이다.

●항등식

예제 **15**

등식 $-2(x-2)=4-ax$가 x의 값에 관계없이 항상 성립할 때, 상수 a의 값을 구하시오.

풀이 전략

$ax+b=cx+d$가 x에 대한 항등식이면 $a=c$, $b=d$

풀이

주어진 등식은 x의 값에 관계없이 항상 성립하므로 항등식이다.

항등식은 (좌변)＝(우변)이므로

(좌변)＝$-2(x-2)=-2x+4$

(우변)＝$4-ax=-ax+4$

따라서 $a=2$

●항등식

확인문제

15 다음 **보기** 중에서 x에 대한 항등식을 모두 고르시오.

┌─ **보기** ─┐

ㄱ. $x+2=2+x$

ㄴ. $x-(2x-5)=-x-5$

ㄷ. $3-x=x-3$

ㄹ. $7-2x=x+7-3x$

└─────┘

유형연습 **15**

등식 $(a+1)x-1=3(x+2)+b-3$이 x에 대한 항등식일 때, 상수 a, b에 대하여 다음 물음에 답하시오.

(1) 주어진 등식의 우변을 정리하시오.

(2) a의 값을 구하시오.

(3) b의 값을 구하시오.

●항등식 응용하기(서술형)

개념 16

(1) **등식의 성질**

$a=b$이면

① $a+c=b+c$ ② $a-c=b-c$

③ $ac=bc$ ④ $\dfrac{a}{c}=\dfrac{b}{c}$ (단, $c\neq 0$)

(2) **등식의 성질을 이용하여 방정식 풀기**

등식의 성질을 이용해서 $x=(수)$의 꼴로 변형한다.

예 $2x-4=2$

$2x-4+4=2+4$ ← 양변에 4를 더하면

$2x=6$

$x=3$ ← 양변을 2로 나누면

(3) **이항**: 등식의 한 변에 있는 항을 부호만 바꾸어 다른 변으로 옮기는 것

예 $x+2=4 \Rightarrow x=4-2$

● 등식의 성질

● 등식의 성질을 이용하여 방정식 풀기

● 이항이란?

확인문제

16 $a=b$일 때, 다음 중 옳은 것은?

① $a+5=b-5$ ② $2a+1=2b$

③ $2a-2=2(b-1)$ ④ $\dfrac{a}{2}+1=\dfrac{b+1}{2}$

⑤ $3(a+1)=3b+1$

● 등식의 성질

예제 16

방정식 $5x-10=4$를 풀기 위해 다음 등식의 성질을 이용할 때, ab의 값은?

• 등식의 양변에 같은 수 a를 더해도 등식은 성립한다.
• 등식의 양변에 같은 수 b를 곱해도 등식은 성립한다.

① -2 ② -1 ③ 1   ④ 2   ⑤ 3

풀이 전략

$5x-10=4$ →(등식의 성질을 이용)→ $x=(수)$

풀이

$5x-10+10=4+10$ ∴ $a=10$

$5x=14$

$5x\times\dfrac{1}{5}=14\times\dfrac{1}{5}$ ∴ $b=\dfrac{1}{5}$

$x=\dfrac{14}{5}$

즉, $ab=10\times\dfrac{1}{5}=2$

따라서 ab의 값은 ④이다.

유형연습 16

다음 **보기** 중 옳은 것을 모두 고른 것은?

— | 보기 |

ㄱ. $ac=bc$이면 $a=b$이다.

ㄴ. $\dfrac{a}{2}=\dfrac{b}{3}$이면 $3a=2b$이다.

ㄷ. $a=b$이면 $1-a=1-b$이다.

ㄹ. $a-2=b+2$이면 $a=b$이다.

ㅁ. $3a+1=b$이면 $6a+2=2b$이다.

ㅂ. $a=2b$이면 $a+1=2(b+1)$이다.

① ㄱ, ㄴ, ㄷ   ② ㄴ, ㄷ, ㄹ

③ ㄴ, ㄷ, ㅁ   ④ ㄷ, ㄹ, ㅂ

⑤ ㄹ, ㅁ, ㅂ

유형 **17** 일차방정식

개념 **17**

(1) **일차방정식 찾기**

등식의 모든 항을 좌변으로 이항하여 정리한 식이 (일차식)$=0$ 꼴이면 ➡ 일차방정식

(예) $2x+3=0$

(예) $x+3=x-4$

➡ $x+3-x+4=0$ ➡ $7=0$

(일차방정식 $\times$)

(예) $x^2-2x+1=x(x-4)$

➡ $x^2-2x+1=x^2-4x$

➡ $x^2-2x+1-x^2+4x=0$

➡ $2x+1=0$ (일차방정식 $\bigcirc$)

(2) **일차방정식이 되도록 하는 상수의 조건**

① 일단 모두 좌변으로 이항해서 (식)$=0$을 만든다.

② 이차 이상의 항의 계수는 0이 되고, 일차항의 계수는 0이 되지 않게 한다.

• 일차방정식 찾기

• 일차방정식이 되도록 하는 상수의 조건

예제 **17**

등식 $-ax+12=2x+3(2-x)$가 일차방정식이 되기 위한 상수 a의 조건을 구하시오.

풀이 전략

모든 항을 좌변으로 이항해서

(식)$=0$으로 만든다.

(일차식)$=0$이 되도록 상수 a의 조건을 구한다.

풀이

$-ax+12=2x+3(2-x)$

$-ax+12=2x+6-3x$

$-ax+12-2x-6+3x=0$

$-ax+x+6=0$

$(-a+1)x+6=0$에서 일차항이 없어지면 일차방정식이 아니므로

$-a+1\neq0$

따라서 $a\neq1$

확인문제

17 다음 **보기** 중에서 일차방정식인 것을 모두 고르시오.

┌─ | 보기 | ─────
ㄱ. $3x-2=3$

ㄴ. $2(x-1)=x^2-3$

ㄷ. $x-3=5+x$

ㄹ. $-5x+4=5x-4$

유형연습 17

등식 $2x(x+1)=ax^2+bx+3$이 일차방정식이 되기 위한 상수 a, b의 조건을 구하시오.

• 일차방정식이 되도록 하는 상수의 조건

개념 **18**

(1) 일차방정식의 풀이

① 이항 ➡ $ax=b$꼴 만들기

② 양변을 a로 나누어 $x=(수)$ 만들기

예 $3x-1=x+5$ ┐ 이항(끼리끼리 모으자)

$3x-x=5+1$ ┐ 양변을 정리

$2x=6$ ┐ 양변을 2로 나누자

$x=3$ ┘

(2) 괄호가 있는 일차방정식의 풀이

괄호가 있는 방정식은 분배법칙을 이용하여 괄호를 풀고, 방정식의 해를 구한다.

```
        괄호 풀기(분배법칙)
              ▼
        이항해서 끼리끼리
              ▼
        양변을 각각 정리
              ▼
        x의 계수로 나누자
```

● 일차방정식의 풀이

● 괄호가 있는 일차방정식의 풀이

예제 **18**

일차방정식 $7x-2(x-2)=3(x-6)$을 푸시오.

풀이 전략

괄호가 있는 일차방정식은 분배법칙을 이용하여 괄호를 먼저 풀고, 식을 간단히 정리한 뒤 해를 구한다.

풀이

$$7x-2(x-2)=3(x-6)$$
$$\downarrow 분배법칙$$
$$7x-2x+4=3x-18$$
$$\downarrow 이항$$
$$5x-3x=-18-4$$
$$\downarrow 양변을 정리$$
$$2x=-22$$
$$\downarrow 양변을 2로 나눈다.$$
$$x=-11$$

● 괄호가 있는 일차방정식의 풀이

확인문제

18 다음은 일차방정식 $5(x+2)=3x+4$를 푸는 과정이다. □ 안에 알맞은 것을 써넣으시오.

$5(x+2)=3x+4$의 괄호를 풀면

$5x+\boxed{}=3x+4$

$3x$와 $\boxed{}$을 각각 이항하면

$5x+(\boxed{})=4+(\boxed{}), \boxed{}x=\boxed{}$

양변을 x의 계수로 나누면 $x=\boxed{}$

유형연습 **18**

일차방정식 $2x+5=-(x+1)$의 해가 $x=a$이고
일차방정식 $3x+2=2(x+1)+4$의 해가 $x=b$일 때,
$a+b$의 값을 구하시오.

유형 **19** 복잡한 일차방정식의 풀이

개념 **19**

(1) 계수가 소수인 일차방정식의 풀이

양변에 10, 100, 1000, ···
등을 곱해서
계수를 정수로 만들기

$$\boxed{예} \begin{array}{l} -0.3x+0.6 \\ =-0.3 \\ -3x+6=-3 \end{array}$$

주어진 식의
양변에 10을 곱한다.

▼

이항해서 끼리끼리

▼

양변을 각각 정리

▼

x의 계수로 나누자

(2) 계수가 분수인 일차방정식의 풀이

양변에 분모의
최소공배수를 곱해서
계수를 정수로 만들기

$$\boxed{예} \begin{array}{l} \dfrac{1}{2}x+\dfrac{1}{3}=-\dfrac{1}{6} \\ 3x+2=-1 \end{array}$$

2, 3, 6의 최소공배수인
6을 곱한다.

▼

이항해서 끼리끼리

▼

양변을 각각 정리

▼

x의 계수로 나누자

● 계수가 소수인 일차
방정식의 풀이

● 계수가 분수인 일차
방정식의 풀이

예제 **19**

다음 일차방정식을 푸시오.

$$0.3(x-2)=0.4(x-2)+1.1$$

풀이 전략

양변에 10, 100, 1000, ···을 곱하여 계수를 정수로 만든다.

풀이

주어진 식의 양변에 10을 곱한다.

$3(x-2)=4(x-2)+11$

$3x-6=4x-8+11$

$3x-4x=3+6$

$-x=9$

따라서 $x=-9$

확인문제

19 다음은 일차방정식 $\dfrac{1}{2}x+3=\dfrac{1}{5}x$를 푸는 과정이다.

□ 안에 알맞은 수를 써넣으시오.

양변에 2, 5의 최소공배수인 $\boxed{}$을 곱하면

$\boxed{}\times\left(\dfrac{1}{2}x+3\right)=\boxed{}\times\dfrac{1}{5}x$

괄호를 풀면 $\boxed{}x+\boxed{}=\boxed{}x$

이항하여 정리하면 $x=\boxed{}$

유형연습 **19**

다음 일차방정식을 푸시오.

$$0.2(3x-1)=\dfrac{1}{3}(2x-3)+1$$

● 계수가 분수, 소수인 일차방정식의 풀이

개념 20

(1) **방정식의 해가 주어진 경우**
  예 $3x-2=a$의 해가 $x=2$이면
  ➡ $3x-2=a$에 $x=2$를 대입하여 a의 값을 구한다.

(2) **해가 같은 두 일차방정식**
  ① 해를 구할 수 있는 방정식의 해를 구한다.
  ② 관계를 만족시키는 해를 구하고, 방정식에 대입하여 미지수의 값을 구한다.

●방정식의 해가 주어진 경우

●해가 같은 두 일차방정식

예제 20

x에 대한 일차방정식 $3(x-a)=-11+2a+x$의 해가 $x=2$일 때, 상수 a의 값을 구하시오.

[풀이 전략]

일차방정식의 해가 $x=2$로 주어지면
주어진 방정식에 $x=2$를 대입 ➡ 등식이 성립

[풀이]

주어진 식에 $x=2$를 대입한다.
$3(2-a)=-11+2a+2$
$6-3a=-9+2a$
$-3a-2a=-9-6$
$-5a=-15$
따라서 $a=3$

●방정식의 해가 주어진 경우

확인문제

20 다음은 일차방정식의 해가 $x=3$일 때, 상수 a의 값을 구하는 과정이다. □ 안에 알맞은 수를 써넣으시오.

(1) $x-5=2a$ ➡ $\boxed{}-5=2a$
  ➡ $2a=\boxed{}$
  ➡ $a=\boxed{}$

(2) $\dfrac{a}{6}+\dfrac{x}{2}=1$ ➡ $\dfrac{a}{6}+\dfrac{\boxed{}}{2}=1$
  ➡ $a+\boxed{}=\boxed{}$
  ➡ $a=\boxed{}$

유형연습 20

일차방정식 $0.1(2+x)-4(1-0.2x)=-0.2$의 해가 x에 대한 일차방정식 $\dfrac{x}{2}+\dfrac{2x-a}{3}=\dfrac{1}{6}$의 해의 4배일 때, 상수 a의 값을 구하시오.

●방정식의 해가 주어진 경우 응용하기(서술형)

유형 21 해에 대한 조건이 주어진 방정식

개념 21

해에 대한 조건이 주어진 방정식

• 항상 해(x)에 대한 조건, a에 대한 조건이 같이 나온다.

• 자연수 조건이 나오면 1, 2, 3, …을 차례로 넣어 보자.

　　예 x에 대한 일차방정식 $5x=-12+x+4a$의 해가 음의 정수일 때, 자연수 a의 값을 모두 구하시오.

　　[풀이]

　　$5x-x=-12+4a$

　　$4x=-12+4a$

　　$x=-3+a$에서 $-3+a$가 음수이려면

　　$a=1$이면 $-3+1=-2$

　　$a=2$이면 $-3+2=-1$

　　$a=3$이면 $-3+3=0 \to$ 0은 음수 ×

　　따라서 $a=1$ 또는 $a=2$

⊙ 해에 대한 조건이 주어진 방정식

예제 21

x에 대한 일차방정식 $8x-6+6a=5(x+a)$의 해가 자연수일 때, 자연수 a의 값을 구하시오.

풀이 전략

a를 상수항으로 생각하고 $x=(수)$꼴로 만든 다음, a는 자연수이므로 1부터 차례로 대입한다.

풀이

$8x-6+6a=5x+5a$

$8x-5x=5a+6-6a$

$3x=6-a$

$x=\dfrac{6-a}{3} \to$ 자연수

a에 1부터 차례로 넣어보면

$a=3$일 때 $\dfrac{6-3}{3}=1$로 해가 자연수가 되고,

$a=6$일 때 $\dfrac{6-6}{3}=0$은 자연수가 아니다.

따라서 조건을 만족시키는 a는 3뿐이다.

즉, $a=3$

⊙ 해에 대한 조건이 주어진 방정식(서술형)

확인문제

21 주어진 x에 대한 일차방정식의 해가 자연수일 때, a의 값이 될 수 있는 것을 다음 수 중에서 모두 고르시오.

$$-2, -1, 0, 1, 2, 3$$

(1) $x+a=2$

(2) $x-a=-1$

(3) $x+a=0$

유형연습 21

x에 대한 일차방정식 $3(x+4)=-x+a-6$의 해가 음의 정수일 때, 이를 만족시키는 자연수 a의 개수는?

① 1　　　　　② 2　　　　　③ 3

④ 4　　　　　⑤ 무수히 많다.

개념22

큰 정사각형의 한 변의 길이가 작은 정사각형의 한 변의 길이보다 3 cm가 더 긴 두 정사각형이 있다. 이 두 정사각형의 둘레의 길이의 합이 132 cm일 때, 두 정사각형의 넓이의 합을 구하시오.

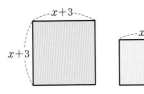

둘레: $4(x+3)$　둘레: $4x$

$4(x+3)+4x=132$

$4x+12+4x=132$, $8x=120$　∴ $x=15$

큰 정사각형의 한 변의 길이는 18 cm

작은 정사각형의 한 변의 길이는 15 cm

따라서

(두 정사각형의 넓이의 합)$=18^2+15^2$
$=324+225$
$=549\,(\mathrm{cm}^2)$

● 일차방정식의 활용(도형)

예제22

가로의 길이가 세로의 길이보다 5 cm만큼 더 긴 직사각형의 둘레의 길이가 34 cm일 때, 이 직사각형의 넓이를 구하시오.

풀이전략

(직사각형의 둘레)$=2\{($가로의 길이$)+($세로의 길이$)\}$

풀이

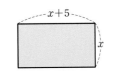

세로의 길이를 x cm라고 하면 가로의 길이는 $(x+5)$ cm 이므로 직사각형의 둘레의 길이는

$2\{x+(x+5)\}=34$

$2(2x+5)=34$

$4x+10=34$

$4x=24$, 즉 $x=6$

따라서 세로의 길이는 6 cm이고 가로의 길이는 11 cm이므로 직사각형의 넓이는

$6\times11=66\,(\mathrm{cm}^2)$

● 일차방정식의 활용(도형)(서술형)

확인문제

22 다음을 x에 대한 방정식으로 나타내시오.

(1) 한 변의 길이가 x cm인 정삼각형의 둘레의 길이는 12 cm이다.

(2) 가로의 길이가 x cm, 세로의 길이가 $(x-3)$ cm 인 직사각형의 둘레의 길이는 18 cm이다.

(3) 밑변의 길이가 5 cm, 높이가 x cm인 삼각형의 넓이는 25 cm²이다.

유형연습22

가로의 길이가 12 cm, 세로의 길이가 10 cm인 직사각형이 있다. 가로의 길이는 x cm만큼 늘이고, 세로의 길이는 3 cm만큼 줄였더니 처음 직사각형의 넓이보다 8 cm²만큼 줄어들었다. x의 값은?

① 1　　　② 2　　　③ 3

④ 4　　　⑤ 5

유형 **23** 일차방정식의 활용(어떤 수에 관한 문제)

개념 **23**

(1) **어떤 수에 관한 문제**

어떤 수를 2배하여 8을 더해야 할 것을 잘못해서 8배하여 2를 더했더니 구하려고 했던 수의 3배가 되었다. 처음에 구하려고 했던 수를 구하시오.

① 어떤 수를 2배하여 8을 더함 ➡ $2x+8$

② 어떤 수를 8배하여 2를 더함 ➡ $8x+2$

➡ ②가 ①의 3배 ➡ ①×3=②

    ❹ $3(2x+8)=8x+2$

        $6x+24=8x+2$

        $6x-8x=2-24$

        $-2x=-22$

        $\therefore x=11$

(2) **연속하는 세 수에 관한 문제**

연속하는 세 자연수: $x-1,\ x,\ x+1$

연속하는 세 홀수(짝수): $x-2,\ x,\ x+2$

● 일차방정식의 활용(어떤 수에 관한 문제)

● 일차방정식의 활용(연속하는 세 수)

예제 **23**

연속하는 세 짝수의 합이 174일 때, 다음 물음에 답하시오.

(1) 일차방정식을 세우시오.

(2) (1)에서 세운 일차방정식의 해를 구하시오.

(3) 연속하는 세 짝수 중 가장 작은 수를 구하시오.

풀이 전략

연속하는 세 짝수(홀수)

➡ $\underline{x-2,\ x,\ x+2}$ 또는 $\underline{x,\ x+2,\ x+4}$
   연속하는 세 짝수(홀수)는 2씩 차이가 난다.

풀이

(1) 세 짝수 중 가운데 수를 x라 하면
   세 짝수는 $x-2,\ x,\ x+2$이므로
   $(x-2)+x+(x+2)=174$

(2) (1)에서 세운 방정식을 풀면
   $x-2+x+x+2=174$
   $3x=174$
   따라서 $x=58$

(3) 가운데 수가 58이므로
   가장 작은 수는 56이다.

확인문제

23 다음 □ 안에 알맞은 수 또는 식을 써넣으시오.

연속하는 세 짝수의 합이 72일 때 가장 작은 수를 구하려고 한다. 이 중 가운데 수를 x로 놓으면 세 수는 (1) ⬚ 가 된다. 이를 등식으로 나타내면

$x-2+x+x+2=$ (2) ⬚

(3) ⬚ $=72,\ x=$ (4) ⬚

따라서 세 수 중 가장 작은 수는 (5) ⬚ 이다.

유형연습 **23**

연속하는 세 자연수 중 가장 큰 수의 6배는 나머지 두 수의 합보다 51이 크다고 할 때, 가장 큰 수를 구하시오.

● 일차방정식의 활용(연속하는 세 수)

개념**24**

(1) **원가, 정가에 관한 문제**

① 원가가 x원인 물건에 a %의 이익을 붙인 정가

➡ $x+\dfrac{a}{100}x=\left(1+\dfrac{a}{100}\right)x$(원)

② 정가가 x원인 물건을 a % 할인한 판매 가격

➡ $x-\dfrac{a}{100}x=\left(1-\dfrac{a}{100}\right)x$(원)

③ (이익)=(판매 가격)-(원가)

(2) **예금액에 관한 문제**

매달 1000원씩 x개월 동안 예금할 때,

x개월 후의 예금액은

(현재 예금액)+$1000x$(원)

예제**24**

원가에 20 %의 이익을 붙여서 정가를 정한 상품이 팔리지 않아 정가에서 1200원을 할인하여 판매하였더니 원가의 10 %의 이익을 얻었다고 한다. 이 상품의 원가를 구하시오.

풀이 전략

(20 % 이익)에서 (1200원 할인)=(10 % 이익)

풀이

원가를 x원이라 하면

$\dfrac{20}{100}x-1200=\dfrac{10}{100}x$

$20x-120000=10x$

$10x=120000$

∴ $x=12000$

따라서 상품의 원가는 12000원이다.

● 일차방정식의 활용(원가, 정가)

3
문
자
와
식

확인문제

24 다음을 x에 대한 방정식으로 나타내시오.

(1) 성은이는 정가가 x원인 책을 10 % 할인받아서 9000원에 샀다.

(2) 영준이는 통장에 5만 원이 있는데 x일 동안 매일 500원씩 예금을 했더니 7만 원이 되었다.

(3) 원가가 x원인 상품에 20 %의 이익을 붙여서 6000원에 팔았다.

유형연습 24

도매시장에서 사과 30상자를 사 와서 전체의 $\dfrac{3}{5}$은 30 %의 이익을 붙여서 팔고, 나머지 $\dfrac{2}{5}$는 10 %의 이익을 붙여서 팔았더니 33000원의 이익이 생겼다. 처음 사 온 사과 한 상자의 가격은?

① 4500원   ② 5000원   ③ 5500원

④ 6000원   ⑤ 6500원

유형 **25** 일차방정식의 활용(자리를 바꾼 수)

개념 **25**

백의 자리의 숫자가 a, 십의 자리의 숫자가 b, 일의 자리의 숫자가 c인 수 ➡ $100a+10b+c$

$2\ 3\ 4=200+30+4$
백 십 일

예 일의 자리의 숫자가 8인 두 자리의 자연수가 있다. 이 자연수의 십의 자리의 숫자와 일의 자리의 숫자를 바꾼 수는 처음 수의 2배보다 12만큼 작을 때, 처음 수를 구하시오.

십의 자리의 숫자를 x라 하면

처음 수 → $\boxed{x}\boxed{8}$ → $10x+8$

바꾼 수 → $\boxed{8}\boxed{x}$ → $80+x$

(바꾼 수)=(처음 수)$\times 2-12$이므로

$80+x=(10x+8)\times2-12$

$80+x=20x+16-12$

$19x=76$

$\therefore x=4$

따라서 처음 수는 48이다.

●일차방정식의 활용(자리를 바꾼 수)

예제 **25**

일의 자리의 숫자가 7인 두 자리 자연수가 있다. 십의 자리의 숫자와 일의 자리의 숫자를 바꾼 수는 처음의 수보다 36만큼 클 때, 처음의 자연수를 구하시오.

풀이 전략

십의 자리의 숫자를 x라 하면

처음 수 → $\boxed{x}\boxed{7}$ → $10x+7$

바꾼 수 → $\boxed{7}\boxed{x}$ → $70+x$

풀이

(바꾼 수)=(처음 수)$+36$

$70+x=10x+7+36$

$x-10x=43-70$

$-9x=-27$

$\therefore x=3$

따라서 처음 수는 37이다.

●일차방정식의 활용(자리를 바꾼 수)(서술형)

확인문제

25 다음 수를 식으로 나타내시오.

(1) 십의 자리의 숫자가 2, 일의 자리의 숫자가 x인 수

(2) 십의 자리의 숫자가 x, 일의 자리의 숫자가 4인 수

(3) 백의 자리의 숫자가 3, 십의 자리의 숫자가 x, 일의 자리의 숫자가 5인 수

(4) 십의 자리의 숫자가 x, 일의 자리의 숫자가 $x+2$인 수

유형연습 **25**

일의 자리의 숫자가 십의 자리의 숫자보다 1만큼 큰 두 자리의 자연수가 있다. 이 자연수는 각 자리의 숫자의 합의 5배와 같을 때, 이 자연수를 구하시오.

3
문자와 식

개념 **26**

속력이 중간에 바뀌는 문제

등산을 하는데 올라갈 때는 시속 2 km, 내려올 때는 같은 길로 시속 4 km로 걸어서 총 3시간이 걸렸다. 올라간 거리를 구하시오.

	올라갈 때	내려올 때
거리	x km	x km
속력	시속 2 km	시속 4 km
시간	$\dfrac{x}{2}$시간	$\dfrac{x}{4}$시간

$\dfrac{x}{2}+\dfrac{x}{4}=3,\ 2x+x=12,\ 3x=12 \qquad \therefore\ x=4$

따라서 올라간 거리는 4 km이다.

● 일차방정식의 활용(속력이 중간에 바뀌는 문제)

예제 **26**

단우는 등산을 하는데 올라갈 때는 시속 3 km로 걷고, 내려올 때는 올라갈 때보다 2 km 더 먼 거리를 시속 5 km로 걸어서 총 6시간이 걸렸다. 올라간 거리를 구하시오.

풀이 전략

(시속 3 km로 가는 데 걸린 시간)+(시속 5 km로 오는 데 걸린 시간)=(총 걸린 시간)

풀이

올라갈 때 거리를 x km라 하면

	올라갈 때	내려올 때
거리	x km	$(x+2)$ km
속력	시속 3 km	시속 5 km
시간	$\dfrac{x}{3}$시간	$\dfrac{x+2}{5}$시간

$\dfrac{x}{3}+\dfrac{x+2}{5}=6,\ 5x+3(x+2)=90$

$5x+3x+6=90,\ 8x=84 \qquad \therefore\ x=\dfrac{21}{2}$

따라서 올라간 거리는 $\dfrac{21}{2}$ km이다.

● 일차방정식의 활용(속력이 중간에 바뀌는 문제)

확인문제

26 x km의 등산 코스를 올라갈 때는 시속 4 km, 내려올 때는 시속 6 km로 올라갔다 내려오는 데 총 5시간이 걸렸다고 한다. 다음 표를 완성하고 □ 안에 알맞은 것을 써넣으시오.

	올라갈 때	내려올 때
거리	(1)	(2)
속력	시속 4 km	시속 6 km
시간	(3)	(4)

일차방정식을 세우면 $\dfrac{\square}{4}+\dfrac{\square}{6}=\square$

유형연습 **26**

집에서 근처에 있는 공원까지 가는데, 동생은 자전거를 타고 매분 120 m의 속력으로, 형은 걸어서 매분 60 m의 속력으로 동시에 출발하였다. 동생이 형보다 5분 먼저 도착하였다고 할 때, 집에서 공원까지의 거리를 구하시오.

유형 27 일차방정식의 활용 – 거리, 속력, 시간(2)

개념 27

같은 거리를 다른 속력으로 가는 문제

민준이네 아빠는 자전거 또는 승용차를 타고 집에서 회사로 출근한다. 자전거는 시속 20 km로, 승용차는 시속 60 km로 달린다고 할 때, 자전거를 타고 가는 것이 승용차를 타고 가는 것보다 30분이 더 걸린다고 한다. 이때 집과 회사 사이의 거리를 구하시오.

	자전거	승용차
거리	x km	x km
속력	시속 20 km	시속 60 km
시간	$\dfrac{x}{20}$ 시간	$\dfrac{x}{60}$ 시간

[참고] 30분은 $\dfrac{1}{2}$ 시간으로 바꾼다.

$\dfrac{x}{20}=\dfrac{x}{60}+\dfrac{1}{2}$, $3x=x+30$

$2x=30$ ∴ $x=15$

따라서 집과 회사 사이의 거리는 15 km이다.

● 일차방정식의 활용(같은 거리를 다른 속력으로 갔을 때)

확인문제

27 두 지점 A, B 사이의 거리는 3 km이다. A에서 출발하여 B까지 가는데 처음에는 시속 3 km로 가다가 늦을 것 같아서 시속 4 km로 갔더니 20분이 걸렸다. 시속 3 km로 간 거리를 x km라 할 때, 다음 표를 완성하고 □ 안에 알맞은 것을 써넣으시오.

	시속 3 km	시속 4 km
거리	x km	(1)
시간	(2)	(3)

일차방정식을 세우면 $\dfrac{\Box}{3}+\dfrac{\Box}{4}=\dfrac{\Box}{60}$

예제 27

동생이 집을 출발한 지 40분 후에 형이 동생을 따라나섰다. 동생은 시속 5 km로 가고, 형은 시속 15 km로 자전거를 타고 따라간다고 한다. 형은 출발한 지 몇 분 후에 동생을 만나게 되는지 구하시오.

풀이 전략

(형이 x시간 동안 움직인 거리)$=$(동생이 $\left(x+\dfrac{2}{3}\right)$시간 동안 움직인 거리)

풀이

형이 출발한 지 x시간 후에 만난다고 하면

	형	동생
거리	$15x$ km	$5\left(x+\dfrac{2}{3}\right)$ km
속력	시속 15 km	시속 5 km
시간	x시간	$\left(x+\dfrac{2}{3}\right)$시간

(형의 거리)$=$(동생의 거리)

$15x=5\left(x+\dfrac{2}{3}\right)$, $15x=5x+\dfrac{10}{3}$

$10x=\dfrac{10}{3}$ ∴ $x=\dfrac{1}{3}$(시간)

따라서 형이 출발한 지 20분 후에 만난다.

● 일차방정식의 활용(같은 거리를 다른 속력으로 갔을 때)
(서술형)

유형연습 27

집에서 약속 장소까지 시속 3 km로 걸으면 약속 시간 5분 후에 도착하고, 시속 12 km로 자전거를 타고 가면 약속 시간 20분 전에 도착한다고 할 때, 집에서 약속 장소까지의 거리를 구하시오.

개념 28

(1) 터널이나 다리를 통과하는 문제

← 아직 터널 안에

← 터널 완전 통과

(터널 길이)만큼 가면 통과 못하고,

(터널 길이＋열차 길이)만큼 가면 통과한다.

(2) 호수 한 바퀴 도는 문제

① 반대 방향

(거리의 합)＝(호수 한 바퀴)

② 같은 방향

(거리의 차)＝(호수 한 바퀴)

● 일차방정식의 활용(호수 한 바퀴)

확인문제

28 다음은 둘레의 길이가 1.2 km인 호숫가를 같은 지점에서 출발하여 반대 방향으로 A는 분속 70 m로, B는 분속 50 m로 걸을 때, 처음으로 다시 만날 때까지 걸린 시간을 구하는 과정이다. □ 안에 알맞은 것을 써넣으시오.

두 사람이 다시 만날 때까지 걸은 거리의 합은 ⑴ [ ] m이다. 두 사람이 처음으로 다시 만날 때까지 x분이 걸렸다면
⑵ [ ] ＋ ⑶ [ ] ＝1200
⑷ [ ] ＝1200   ∴ x＝⑸ [ ]
따라서 ⑹ [ ] 분 후에 처음으로 다시 만난다.

예제 28

일정한 속력으로 달리는 열차가 500 m 길이의 터널을 완전히 통과하는 데 30초가 걸리고, 900 m 길이의 터널을 완전히 통과하는 데 50초가 걸렸다. 이 열차의 길이는?

① 100 m   ② 110 m   ③ 120 m
④ 130 m   ⑤ 140 m

풀이 전략

열차가 터널을 완전히 통과 ➡ (터널 길이＋열차 길이)만큼 움직여야 한다!

풀이

열차의 길이를 x m라고 하면 두 터널에서의 속력이 같으므로

$$\frac{500+x}{30}=\frac{900+x}{50}$$

양변에 150을 곱하면 $5(500+x)=3(900+x)$
$2500+5x=2700+3x,\ 2x=200$
∴ $x=100$
따라서 열차의 길이는 ①이다.

유형연습 28

일정한 속력으로 달리는 열차가 있다. 이 열차는 길이가 1200 m인 다리를 완전히 통과하는 데 60초가 걸리고, 길이가 700 m인 터널을 완전히 통과하는 데 36초가 걸린다고 한다. 이 열차의 길이를 구하시오.

● 일차방정식의 활용(터널이나 다리를 통과하는 문제)

3
문자와 식

유형 **29** 일차방정식의 활용(학생 수 증감 문제)

개념 **29**

x가 $a\%$ 증가 ➡ $+\dfrac{a}{100}x$ (증가량)

x가 $a\%$ 감소 ➡ $-\dfrac{a}{100}x$ (감소량)

예 작년 전체 학생 수는 300명이었는데 작년에 비해 올해 남학생 수는 6 % 증가하였고, 여학생 수는 4 % 감소하여 전체적으로 3명 증가하였다. 작년 남학생 수는?

	남학생 수	여학생 수
작년	x	$300-x$
증감량	$+\dfrac{6}{100}x$	$-\dfrac{4}{100}(300-x)$

$+\dfrac{6}{100}x-\dfrac{4}{100}(300-x)=3$

$+6x-4(300-x)=300$

$6x-1200+4x=300,\ 10x=1500$

$\therefore x=150$

따라서 작년 남학생 수는 150명이다.

● 일차방정식의 활용(학생 수 증감 문제)

예제 **29**

민수네 중학교의 올해 남학생 수와 여학생 수는 작년에 비하여 남학생은 8 % 증가하였고, 여학생은 10 % 감소하였다. 작년의 전체 학생 수는 330명이었고 올해는 작년에 비해서 6명이 감소하였을 때, 올해 민수네 중학교의 남학생 수를 구하시오.

풀이 전략

작년의 학생 수가 x명일 때, 올해는 작년에 비하여 학생 수가 $a\%$ 증가했다면 (증가한 학생 수)$=x\times\dfrac{a}{100}=\dfrac{a}{100}x$ (명)

풀이

	남학생 수	여학생 수
작년	x	$330-x$
증감량	$+\dfrac{8}{100}x$	$-\dfrac{10}{100}(330-x)$

$+\dfrac{8}{100}x-\dfrac{10}{100}(330-x)=-6$

$8x-10(330-x)=-600$

$8x-3300+10x=-600,\ 18x=2700$

$\therefore x=150$

즉, 작년의 남학생 수는 150명이므로 올해의 남학생 수는

$150+150\times\dfrac{8}{100}=150+12=162$ (명)

따라서 올해 남학생 수는 162명이다.

● 일차방정식의 활용(학생 수 증감 문제)

확인문제

29 다음을 x에 대한 방정식으로 나타내시오.

(1) 작년 x명이었던 남학생 수가 3 % 증가하여 9명이 늘었다.

(2) 작년 x명이었던 여학생 수가 5 % 감소하여 114명이 되었다.

(3) 작년 x명이었던 동아리 회원 수가 10 % 증가하여 33명이 되었다.

유형연습 **29**

작년에 수학 동아리에 가입한 학생 수는 60명이었다. 올해에 가입한 남학생 수는 작년보다 10 % 증가하고, 여학생 수는 작년보다 5 % 감소하여 총 가입한 학생 수는 작년보다 5 % 증가하였다. 올해 가입한 남학생 수와 여학생 수를 각각 구하시오.

개념**30**

(1) **일의 양 문제**

혼자서 어떤 일을 완성하는 데 x일이 걸린다.

➡ 전체 일의 양을 1이라고 하면 하루에 하는 일의 양은 $\dfrac{1}{x}$이다.

예 일을 하는 데 12일 걸린다면 하루에 $\dfrac{1}{12}$만큼 일하는 셈이다.

(2) **호스로 물 채우기 문제**

일의 완성 → 물을 다 채움 → 1

어떤 물통을 가득 채우는데

① A 호스로 6시간 걸린다.

➡ 1시간에 $\dfrac{1}{6}$만큼 채운다.

② B 호스로 10시간 걸린다.

➡ 1시간에 $\dfrac{1}{10}$만큼 채운다.

③ A, B 호스로 동시에 x시간 물을 받는다.

➡ x시간에 $\dfrac{1}{6}x+\dfrac{1}{10}x$만큼 채운다.

● 일차방정식의 활용(일의 양 문제)

● 일차방정식의 활용(호스로 물 채우기)

예제**30**

어느 수영장에 물을 가득 채우는데 A 호스만 이용하면 12시간, B 호스만 이용하면 24시간이 걸린다고 한다. A 호스로 6시간 동안 물을 받다가 빨리 일을 마무리하기 위해 A, B 두 호스로 물을 받으려고 할 때, 이 수영장을 가득 채우기 위해서는 A, B 호스로 몇 시간을 더 받아야 하는지 구하시오.

풀이전략

① A 호스만 12시간 걸린다. ➡ 1시간에 $\dfrac{1}{12}$만큼 채운다.

② B 호스만 24시간 걸린다. ➡ 1시간에 $\dfrac{1}{24}$만큼 채운다.

풀이

A 호스만 6시간 받다가 둘이 합쳐 x시간만큼 채운다.

➡ $\dfrac{1}{12}\times 6+\left(\dfrac{1}{12}x+\dfrac{1}{24}x\right)=1$ (다 채움)

$\dfrac{1}{2}+\dfrac{1}{12}x+\dfrac{1}{24}x=1$

$12+2x+x=24$

$3x=12$

$x=4$

따라서 4시간을 더 받아야 한다.

● 일차방정식의 활용(호스로 물 채우기)

확인문제

30 어떤 일을 완성하는 데 윤아는 5일, 민아는 8일이 걸린다고 한다. 전체 일의 양을 1이라고 할 때, 다음을 구하시오.

(1) 윤아가 하루에 하는 일의 양

(2) 민아가 하루에 하는 일의 양

(3) 윤아와 민아가 함께 x일 동안 하는 일의 양

유형연습 30

어떤 물통에 물을 가득 채우려면 A 호스로는 20분, B 호스로는 30분이 걸린다. A 호스와 B 호스로 물을 받다가 B 호스를 10분 동안 잠궈 물통에 물을 가득 채웠을 때, 이 물통에 물을 가득 채우는 데 걸린 시간을 구하시오.

● 일차방정식의 활용(호스로 물 채우기)(서술형)

3 문자와 식

유형 31 일차방정식의 활용(나이에 관한 문제)

개념31

(1) 현재 나이가 a살인 사람의 x년 후의 나이
➡ $(a+x)$살

(2) 현재 나이가 a살인 사람의 x년 전의 나이
➡ $(a-x)$살

(3) 형과 동생의 나이 차이가 a살
➡ 동생의 나이가 x살이면 형의 나이는 $(x+a)$살

(4) 어머니와 아들의 나이의 합이 a살
➡ 아들의 나이가 x살이면
어머니의 나이는 $(a-x)$살

예제31

올해 어머니의 나이가 41살, 다연이의 나이가 14살이다. 어머니의 나이가 다연이의 나이의 2배가 되는 것은 몇 년 후인지 구하시오.

풀이 전략

$(x$년 후의 나이$)=($현재 나이$)+x$

풀이

	올해	x년 후
어머니	41살	$(41+x)$살
다연	14살	$(14+x)$살

$41+x=2(14+x)$
$41+x=28+2x$
$x-2x=28-41$
$-x=-13$
$\therefore x=13$

따라서 어머니의 나이가 다연이의 나이의 2배가 되는 것은 13년 후이다.

● 일차방정식의 활용(나이에 관한 문제)

확인문제

31 현재 어머니의 나이는 44살, 세준이의 나이는 16살이다. 어머니의 나이가 세준이의 나이의 2배가 되는 것은 몇 년 후인지 구하는 일차방정식을 세우려고 한다. 다음 표를 완성하고, □ 안에 알맞은 것을 써넣으시오.

	올해 나이	x년 후의 나이
어머니	44	
세준	16	

➡ 방정식: $44+\square=2(16+\square)$

유형연습 31

현재 세윤이와 아버지의 나이 차는 28살이다. 5년 후 아버지의 나이가 세윤이의 나이의 3배보다 2살 많아진다고 할 때, 현재 세윤이의 나이를 구하시오.

개념 32

강당의 긴 의자에 학생들이 앉는데 한 의자에 5명씩 앉으면 5명의 학생이 앉지 못하고, 한 의자에 6명씩 앉으면 마지막 의자에는 3명이 앉고 완전히 빈 의자 3개가 남는다고 한다. 이때 강당에 있는 학생 수를 구하시오.

의자의 개수가 x라면 마지막 의자에 3명이 앉고, 빈 의자가 3개 남았다.

➡ 완전히 꽉 채워 앉은 의자는 $(x-4)$개

(1) **의자의 개수:** x

$5x+5=6(x-4)+3$

$5x+5=6x-24+3$

$5x-6x=-21-5,\ -x=-26$

$\therefore x=26$

따라서 의자는 26개이다.

(2) **학생 수:** $5x+5$

$5x+5=5\times26+5=135$

따라서 학생은 135명이다.

● 일차방정식의 활용(여러 명이 의자에 앉는 문제)

예제 32

강당의 긴 의자에 6명씩 앉으면 4명이 앉지 못하고, 7명씩 앉으면 마지막 의자에는 3명이 앉고 빈 의자가 2개 남는다.

(1) 구하는 의자의 개수를 x로 놓고 방정식을 세우시오.

(2) 의자의 개수를 구하시오.

(3) 학생 수를 구하시오.

[풀이전략]

의자의 개수가 x일 때, 마지막 의자에 3명이 앉고, 빈 의자가 2개 남았다

➡ 완전히 꽉 채워 앉은 의자는 $(x-3)$개

[풀이]

(1) 의자의 개수: x

6명씩 앉으면 4명이 앉지 못하므로 학생 수는

$6x+4$

7명씩 앉으면 마지막 의자에는 3명이 앉고 빈 의자가 2개 남으므로 학생 수는 $7(x-3)+3$

즉, $6x+4=7(x-3)+3$

(2) $6x+4=7(x-3)+3$

$6x+4=7x-21+3$

$6x-7x=-18-4$ $\therefore x=22$

따라서 의자의 개수는 22개이다.

(3) $6x+4=6\times22+4=136$

따라서 학생 수는 136명이다.

확인문제

32 긴 의자에 학생들이 앉으려고 한다. 긴 의자의 개수를 x개라 할 때, 다음 각 경우에 대하여 전체 학생 수를 식으로 나타내시오.

(1) 한 개에 7명씩 앉으면 3명이 앉지 못한다.

(2) 한 개에 5명씩 앉으면 4명이 앉지 못한다.

(3) 한 개에 8명씩 앉으면 마지막 의자에 5명이 앉고, 완전히 빈 의자가 2개 남았다.

유형연습 32

수련회에 가서 야영을 위해 설치한 텐트에 학생들을 배정하려고 한다. 한 텐트에 5명씩 들어가면 12명이 남고, 7명씩 들어가면 마지막 텐트에는 4명이 들어가고 텐트 하나가 남는다고 할 때, 학생 수를 구하시오.

4 좌표평면과 그래프

개념 01

(1) **좌표**: 수직선 위의 한 점에 대응하는 수
   예 점 A의 좌표가 a일 때, A(a)

(2) **순서쌍**: 두 수의 순서를 정하여 (a, b)와 같이 짝 지어 나타낸 것

(3) **순서쌍이 서로 같은 경우**
   두 순서쌍 (a, b)와 (c, d)가 같다.
   ➡ $a=c$, $b=d$
   예 두 순서쌍 $(x-1, -5)$와 $(2, 1+y)$가 서로 같을 때, $x+y$의 값은?
   $x-1=2$에서 $x=3$
   $-5=1+y$에서 $y=-6$
   따라서 $x+y=-3$

◈순서쌍

예제 01

두 순서쌍 $(-1-3a, 3b-5)$, $(-2a-3, -7+b)$가 서로 같을 때, 다음 물음에 답하시오.

(1) a, b에 대한 방정식을 각각 세우시오.

(2) a, b의 값을 각각 구하시오.

(3) $a+b$의 값을 구하시오.

풀이 전략

두 순서쌍 (a, b), (c, d)가 서로 같다. ➡ $a=c$, $b=d$

풀이

(1) $-1-3a=-2a-3$
   $3b-5=-7+b$
(2) $-3a+2a=-3+1$
   $-a=-2$
   $\therefore a=2$
   $3b-b=-7+5$
   $2b=-2$
   $\therefore b=-1$
(3) $a+b=2+(-1)=1$

◈순서쌍이 서로 같은 경우(서술형)

확인문제

01 다음 두 순서쌍이 서로 같을 때, a, b의 값을 각각 구하시오.

(1) $(a, 1)$과 $(3, b)$

(2) $(-2, a-1)$과 $(b, 2)$

(3) $(4, a+3)$과 $(b-6, -2)$

(4) $\left(9, \dfrac{a}{2}\right)$와 $(-b, 1)$

유형연습 01

세 순서쌍 $(2a, 3b)$, $(-a-3, -b+8)$, $(-c-1, d-1)$이 서로 같을 때, $a+b+c+d$의 값을 구하시오.

◈순서쌍 응용하기(서술형)

개념 **02**

(1) **좌표평면**

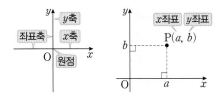

(2) x축, y축 위의 좌표

① x축 위의 점의 좌표 ➡ (x좌표, 0)

② y축 위의 점의 좌표 ➡ (0, y좌표)

● 좌표평면

● x축, y축 위의 좌표

예제 **02**

점 A($5a+8$, $3a+2b$)는 x축 위의 점이고, 점 B($2b-12$, $3b+a+1$)은 y축 위의 점일 때, 점 A의 좌표를 구하시오.

풀이 전략

x축 위의 점 ➡ (y좌표)$=0$ ➡ (x좌표, 0)

y축 위의 점 ➡ (x좌표)$=0$ ➡ (0, y좌표)

풀이

① B($2b-12$, $3b+a+1$)은 y축 위의 점이므로

$2b-12=0$이다.

$2b-12=0$에서 $2b=12$, $b=6$

② A($5a+8$, $3a+2b$)는 x축 위의 점이므로

$3a+2b=0$이고, $b=6$이므로

$3a+2\times6=0$, $3a=-12$, $a=-4$

$a=-4$이므로 점 A의 좌표는 ($5a+8$, 0)$=(-12$, $0)$

따라서 점 A의 좌표는 $(-12$, $0)$이다.

● x축, y축 위의 좌표

확인문제

02 다음 중 옳은 것에는 ○표, 옳지 <u>않은</u> 것에는 ×표를 하시오.

⑴ 점 $(-3$, $5)$에서 x좌표는 5이다. (　　)

⑵ x축 위의 점은 y좌표가 0이다. (　　)

⑶ y축 위의 점은 x좌표가 0이다. (　　)

⑷ 점 $(-5$, $0)$은 y축 위에 있다. (　　)

⑸ 좌표평면에서 원점의 좌표는 0이다. (　　)

유형연습 **02**

두 점 A($-2a+3$, $3b-2$), B($6-2a$, $5b-3$)이 각각 x축, y축 위에 있을 때, ab의 값을 구하시오.

● x축, y축 위의 좌표(서술형)

유형 **03** 좌표평면 위의 도형의 넓이(1)

개념**03**

좌표평면 위의 도형의 넓이 구하기
① 주어진 점을 좌표평면 위에 나타낸다.
② 점을 선분으로 연결하여 도형을 그린다.
③ 도형의 넓이를 구한다.

예 세 점 A$(-4, 2)$, B$(4, -3)$, C$(1, 2)$를 좌표평면 위에 각각 나타내고, 이 세 점을 꼭짓점으로 하는 삼각형 ABC의 넓이를 구하시오.

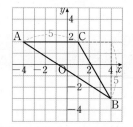

(삼각형 ABC의 넓이)
$$= 5 \times 5 \times \frac{1}{2}$$
$$= \frac{25}{2}$$

●좌표평면 위의 도형의 넓이

예제**03**

세 점 A$(-2, 3)$, B$(2, -2)$, C$(5, 1)$을 꼭짓점으로 하는 삼각형 ABC의 넓이를 구하시오.

풀이 전략

좌표평면 위에 주어진 점을 나타내고 삼각형을 그린다.
➡ 삼각형의 변의 길이를 알 수 없는 경우, 삼각형의 세 점을 지나는 직사각형을 그려준다.

풀이

(삼각형 ABC의 넓이)
$=$(직사각형의 넓이)$-$①$-$②$-$③

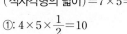

(직사각형의 넓이)$= 7 \times 5 = 35$

①: $4 \times 5 \times \dfrac{1}{2} = 10$

②: $7 \times 2 \times \dfrac{1}{2} = 7$

③: $3 \times 3 \times \dfrac{1}{2} = \dfrac{9}{2}$

따라서

(삼각형 ABC의 넓이)$= 35 - 10 - 7 - \dfrac{9}{2} = \dfrac{27}{2}$

●좌표평면 위의 도형의 넓이(변의 길이를 알 수 없는 경우)

확인문제

03 세 점 A$(-1, 2)$, B$(2, 2)$, C$(3, -3)$을 꼭짓점으로 하는 삼각형 ABC를 그리고, 그 넓이를 구하시오.

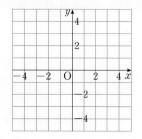

유형연습 **03**

세 점 A$(-3, 4)$, B$(2, 3)$, C$(-2, -4)$를 꼭짓점으로 하는 삼각형 ABC의 넓이를 구하시오.

개념 **04**

예 좌표평면 위의 세 점 A(a, 2), B(3, -1), C(3, 3)을 꼭짓점으로 하는 삼각형 ABC의 넓이가 10일 때, a의 값을 구하시오. (단, $a < 0$)

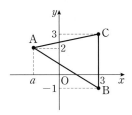

선분 BC를 밑변으로 하고, 점 A부터 선분 BC에 이르는 거리를 높이라 하자.
(선분 BC의 길이)$= 4$
점 A부터 선분 BC에 이르는 거리를 h라 하면
$4 \times h \times \dfrac{1}{2} = 10$이므로
$2 \times h = 10$
$\therefore h = 5$
따라서 $a = -2$

● 좌표평면 위의 도형의 넓이(서술형)

예제 **04**

네 점 A(-4, 4), B(-4, -2), C(4, -2), D(a, 4)를 꼭짓점으로 하는 사각형 ABCD의 넓이가 39일 때, a의 값을 구하시오. (단, $a > 0$)

풀이 전략

(사다리꼴의 넓이)
$= \dfrac{1}{2} \times \{(\text{윗변의 길이}) + (\text{아랫변의 길이})\} \times (\text{높이})$

풀이

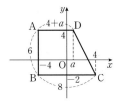

사각형 ABCD의 넓이는
➡ $\dfrac{1}{2} \times \{(4+a) + 8\} \times 6 = 39$
$\dfrac{1}{2} \times (12+a) \times 6 = 39$
$3 \times (12+a) = 39$
$12 + a = 13 \qquad \therefore a = 1$

4
좌표평면과 그래프

확인문제

04 오른쪽 그림과 같이 좌표평면 위의 세 점 $(-1, 1)$, $(2, 1)$, $(3, a)$를 꼭짓점으로 하는 삼각형의 넓이가 다음과 같을 때, a의 값을 구하시오.
(단, $a < 0$)

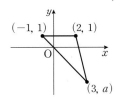

(1) 6
(2) 9
(3) 12

유형연습 04

x축 위의 점 A($2a-5$, $b-2$), y축 위의 점 B($a-3$, $2b-1$)과 점 C($a+b$, $a-b$)로 만들어지는 삼각형 ABC의 넓이를 구하시오.

● 좌표평면 위의 도형의 넓이 - 심화(서술형)

유형 05 사분면

개념 05

(1) **사분면**: 좌표평면에서 좌표축에 의하여 나누어지는 네 부분을 각각 제1사분면, 제2사분면, 제3사분면, 제4사분면이라고 한다.

예 점 (a, b)가 제2사분면 위의 점일 때,

➡ $a < 0, b > 0$

예 점 $(a+b, -ab)$가 제3사분면 위의 점일 때,

➡ $a+b < 0, -ab < 0$

[참고] 좌표축 위의 점은 어느 사분면에도 속하지 않는다.

(2) **사분면 결정하기**

① $ab > 0$ ➡ 두 수 a, b의 부호는 같다.

즉, $a > 0, b > 0$ 또는 $a < 0, b < 0$

② $ab < 0$ ➡ 두 수 a, b의 부호가 다르다.

즉, $a > 0, b < 0$ 또는 $a < 0, b > 0$

● 사분면 결정하기

예제 05

$a > b$, $\dfrac{a}{b} < 0$일 때, 점 $(-a, -b)$는 제몇 사분면 위의 점인지 구하려고 한다. 다음 물음에 답하시오.

(1) a, b의 부호를 구하시오.

(2) $-a, -b$의 부호를 구하시오.

(3) 점 $(-a, -b)$가 속하는 사분면을 구하시오.

풀이 전략

$\dfrac{a}{b} > 0$ ➡ 두 수 a, b의 부호가 같다.

$\dfrac{a}{b} < 0$ ➡ 두 수 a, b의 부호가 다르다.

풀이

(1) $\dfrac{a}{b}$: 음수 ➡ $a > b$ ➡ $a : +, b : -$

따라서 $a > 0, b < 0$

(2) $a > 0$이므로 $-a < 0$

$b < 0$이므로 $-b > 0$

(3) $(-a, -b)$에서 $-a < 0, -b > 0$이므로

점 $(-a, -b)$는 제2사분면 위의 점이다.

● 사분면 결정하기(서술형)

확인문제

05 $a > 0, b > 0$일 때, 다음 점은 제몇 사분면 위의 점인지 구하시오.

(1) $A(a, -b)$

(2) $B(-a, b)$

(3) $C(-a, -b)$

(4) $D(ab, a+b)$

유형연습 05

점 $A(a+b, a-2b)$는 x축 위의 점이고, 점 $B(2b-1, 2a)$는 y축 위의 점이라고 할 때, 점 $C(a+b, a-4b)$는 제몇 사분면 위의 점인가?

① 제1사분면   ② 제2사분면

③ 제3사분면   ④ 제4사분면

⑤ 어느 사분면에도 속하지 않는다.

개념 06

(1) **그래프**: 여러 가지 상황 또는 자료를 분석하여 그 변화나 상태를 한눈에 알아보기 쉽게 좌표평면 위에 점, 직선, 곡선 등의 그림으로 나타낸 것

(2) **그래프 해석하기**

x의 값이 증가함에 따라 y의 값의 변화는

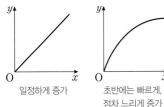 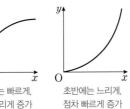

일정하게 증가 · 초반에는 빠르게, 점차 느리게 증가 · 초반에는 느리게, 점차 빠르게 증가

[참고] 그래프의 해석에서는 그래프의 꺾이는 지점에 집중한다.

● 그래프 해석하기

● 상황에 맞는 그래프 찾기

확인문제

06 다음은 시간에 따른 거리를 나타낸 그래프이다. 그래프에 알맞은 상황을 **보기**에서 고르시오.

(가)   (나)   (다)

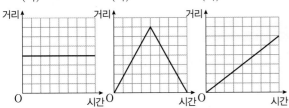

--- | 보기 | ---
ㄱ. 자전거를 타고 일정한 속력으로 계속해서 달렸다.
ㄴ. 차가 주차장에 세워져 있었다.
ㄷ. 일정한 속력으로 공원까지 뛰어갔다가 돌아왔다.

예제 06

현준이는 집에서 출발하여 도서관에 가서 책을 빌린 후 다시 집으로 돌아왔다. 오른쪽 그림의 그래프

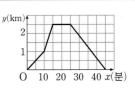

는 시간에 따라 집에서부터 현준이가 위치한 지점까지의 거리를 나타낸 것이다. 현준이가 집에서 출발한 지 x분 후의 거리를 y km라고 할 때, 다음 물음에 답하시오.

(단, 집에서 도서관까지 직선으로 이동한다.)

(1) 현준이네 집에서 도서관까지의 거리를 구하시오.
(2) 도서관에서 집으로 돌아오는 데 걸린 시간을 구하시오.

풀이 전략

일정하게 증가   변화 없음   일정하게 감소

풀이

(1) 2.5 km
(2) 20분

● 그래프 해석하기

유형연습 06

다음 그림과 같은 물통에 시간당 일정한 양의 물을 채울 때, 경과 시간 x에 따른 물의 높이 y의 변화를 그래프로 나타내시오.

(1)   (2)

개념 **07**

(1) **정비례:** 두 변수 x, y에서 x의 값이 2배, 3배, 4배, …로 변함에 따라 y의 값도 2배, 3배, 4배, …로 변하는 관계에 있을 때, y는 x에 정비례한다고 한다.

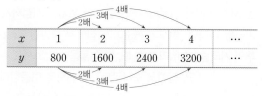

x	1	2	3	4	…
y	800	1600	2400	3200	…

관계식 ➡ $y=800x$

정비례 관계의 식은 항상 $y=ax(a\neq0)$꼴이다.

(2) **정비례 관계의 식**

정비례 관계의 식은 $\dfrac{y}{x}$의 값이 일정하다.

➡ $\dfrac{y}{x}=a(일정)$

⟶ 정비례의 뜻

⟶ 정비례 관계의 식 구하기

예제 **07**

y가 x에 정비례하고 $x=10$일 때 $y=-5$이다. y와 x의 관계식을 구하고, $x=-4$일 때 y의 값을 구하시오.

풀이 전략

'정비례한다.'

⬇

$y=ax(a\neq0)$에 주어진 x, y 대입

⬇

상수 a의 값을 구하고, 관계식을 구한다.

풀이

y가 x에 정비례하므로 $y=ax$라 하자.

$x=10$일 때, $y=-5$이므로

$-5=10a$ ∴ $a=-\dfrac{1}{2}$

따라서 x와 y 사이의 관계식은 $y=-\dfrac{1}{2}x$

또 $x=-4$를 대입하면 $y=-\dfrac{1}{2}\times(-4)=2$

[참고] 정비례 관계의 식은 $\dfrac{y}{x}=a(일정)$

$\dfrac{-5}{10}=\dfrac{\bigstar}{-4}=-\dfrac{1}{2}$이므로 $\bigstar=2$

⟶ 정비례 관계의 식 구하기

확인문제

07 한 변의 길이가 x cm인 정육각형의 둘레의 길이를 y cm라 할 때, 다음 물음에 답하시오.

(1) 표를 완성하시오.

x	1	2	3	4	…
y					…

(2) x와 y 사이의 관계식을 구하시오.

유형연습 **07**

y가 x에 정비례하고 $x=3$일 때 $y=-9$이다. $y=6$일 때 x의 값을 구하시오.

개념 08

정비례 관계($y=ax$)의 그래프의 성질

➡ 원점을 지나는 직선이다.

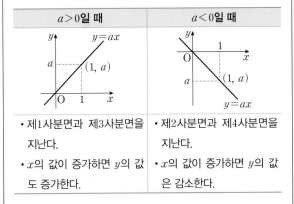

$a>0$일 때	$a<0$일 때
• 제1사분면과 제3사분면을 지난다.	• 제2사분면과 제4사분면을 지난다.
• x의 값이 증가하면 y의 값도 증가한다.	• x의 값이 증가하면 y의 값은 감소한다.

① $|a|$의 값이 커질수록 y축에 가까워진다.

② $|a|$의 값이 작아질수록 x축에 가까워진다.

 ● 정비례 관계의 그래프

 ● 정비례 관계 $y=ax$의 그래프 위의 점

확인문제

08 다음 정비례 관계의 그래프를 좌표평면 위에 나타내고 물음에 답하시오.

ㄱ. $y=x$　　　ㄴ. $y=2x$　　　ㄷ. $y=\dfrac{1}{2}x$

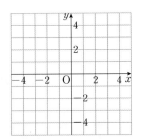

(1) 그래프는 모두 제☐사분면과 제☐사분면을 지난다.

(2) 그래프는 모두 x의 값이 증가하면 y의 값은 (증가, 감소)한다.

예제 08

다음 중 정비례 관계 $y=\dfrac{5}{3}x$의 그래프에 대한 설명으로 옳지 <u>않은</u> 것은?

① 원점을 지난다.

② y가 x에 정비례한다.

③ 점 $(-6, -10)$을 지난다.

④ 제2사분면과 제4사분면을 지난다.

⑤ x의 값이 증가하면 y의 값도 증가한다.

풀이 전략

$y=ax(a\neq0)$의 그래프는 원점을 지나는 직선이다.

풀이

③ $y=\dfrac{5}{3}x$에 $x=-6$을 대입하면 y의 값이

$\dfrac{5}{3}\times(-6)=-10$이므로 점 $(-6, -10)$을 지난다.

④ $y=ax$에서 $a>0$이면 제1사분면과 제3사분면을 지난다.

⑤ $y=ax$에서 $a>0$이면 x의 값이 증가할 때, y의 값도 증가한다.

따라서 옳지 않은 것은 ④이다.

 ● 정비례 관계의 그래프

유형연습 08

다음 정비례 관계의 그래프에서 a의 값이 될 수 있는 것은?

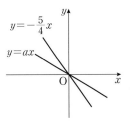

① -1　　　② -2　　　③ -3

④ -4　　　⑤ -5

유형 **09** 정비례 관계의 그래프의 식 구하기

개념 **09**

> 그래프가 원점을 지나는 직선이면?
>
> ▼
>
> $y=ax$로 놓고
>
> ▼
>
> 원점을 제외한 직선 위의 한 점을 대입한다. 이때 대입 안하고 $\dfrac{y}{x}$의 값으로 a를 구할 수도 있다.

예 y가 x에 정비례하고, 그 그래프가 점 $(-6, 8)$을 지난다. 이때 x와 y 사이의 관계식은?

$y=ax$에 $x=-6$, $y=8$을 대입하면

$8=-6a$, 즉 $a=\dfrac{8}{-6}=-\dfrac{4}{3}$이므로

x와 y 사이의 관계식은 $y=-\dfrac{4}{3}x$

● 정비례 관계의 그래프의 식 구하기

● 정비례 관계의 그래프의 식 구하기(기본)

확인문제

09 다음은 정비례 관계 $y=ax$의 그래프가 주어진 점을 지날 때, 상수 a의 값을 구하는 과정이다. □ 안에 알맞은 수를 써넣으시오.

(1) $(2, 4)$

$y=ax$에 $x=\boxed{}$, $y=\boxed{}$를 대입하면

$\boxed{}=a\times\boxed{}$ 따라서 $a=\boxed{}$

(2) $(3, -6)$

$y=ax$에 $x=\boxed{}$, $y=\boxed{}$을 대입하면

$\boxed{}=a\times\boxed{}$ 따라서 $a=\boxed{}$

(3) $(-4, 2)$

$y=ax$에 $x=\boxed{}$, $y=\boxed{}$를 대입하면

$\boxed{}=a\times\boxed{}$ 따라서 $a=\boxed{}$

예제 **09**

오른쪽 그림과 같이 점 $(-4, 6)$을 지나는 그래프가 점 $(p, -9)$를 지날 때, p의 값을 구하시오.

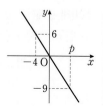

풀이 전략

원점을 지나는 직선

↓

$y=ax$로 놓고 원점을 제외한 직선 위의 한 점을 대입한다.

풀이

원점을 지나는 직선이므로 $y=ax$로 놓고

$x=-4, y=6$을 대입하면 $6=-4a, a=-\dfrac{3}{2}$

이므로 관계식은 $y=-\dfrac{3}{2}x$

$y=-\dfrac{3}{2}x$의 그래프가 점 $(p, -9)$를 지나므로

$-9=-\dfrac{3}{2}\times p$에서 $p=-9\times\left(-\dfrac{2}{3}\right)=6$

따라서 $p=6$

● 정비례 관계의 그래프의 식 구하기

유형연습 **09**

다음 그림과 같이 두 점 $A(1, 3)$, $B(5, 2)$에 대하여 정비례 관계 $y=ax$의 그래프가 선분 AB와 만날 때, a의 값의 범위를 구하시오.

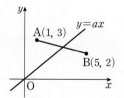

개념 10

정비례 관계의 활용 문제 푸는 순서

❶ 변화하는 두 양을 x, y로 정한다.

❷ 두 변수 x, y 사이에 정비례 관계가 성립하면
$y=ax(a \neq 0)$로 나타낸다.
  ➡ 대응표를 그리자.
  (ⅰ) x의 값이 2배, 3배, … 될 때마다 y의 값도 2배, 3배,
    … 된다면 ➡ 정비례
  (ⅱ) $\dfrac{y}{x}$의 값이 항상 일정하다면 ➡ 정비례

❸ $y=ax(a \neq 0)$를 이용하여 필요한 값을 구한다.

❹ 구한 값이 조건에 맞는지 확인한다.

◉ 정비례 관계의 활용

예제 10

60 L짜리 비어 있는 물통에 2분에 5 L씩 물을 넣는다고
한다. x분 후의 물통에 들어 있는 물의 양을 y L라고 할
때, 다음 물음에 답하시오.

(1) x와 y 사이의 관계식을 구하시오.

(2) 물통에 물을 넣기 시작한 후 물통의 $\dfrac{2}{3}$가 차는 데 걸
리는 시간을 구하시오.

풀이 전략

대응표를 그려 본다. ➡

x분 후	2	4	6	…
y L	5	10	15	…

풀이

(1) $\dfrac{y}{x}=a$이므로 $x=2$, $y=5$를 대입하면

$a=\dfrac{5}{2}$이므로 관계식은 $y=\dfrac{5}{2}x$

(2) $60 \times \dfrac{2}{3}=40$(L)이므로 $y=40$을 대입하면

$40=\dfrac{5}{2}x$에서 $x=40 \times \dfrac{2}{5}=16$

따라서 구하는 시간은 16분이다.

[참고] 정비례는 $\dfrac{y}{x}=a$(일정)

$\dfrac{40}{\square}=\dfrac{5}{2}$에서 $\square=16$으로 구해도 된다.

◉ 정비례 관계의 활용

4

좌표평면과 그래프

확인문제

10 다음에서 x와 y 사이의 관계식을 구하시오.

(1) 가로의 길이가 x cm, 세로의 길이가 5 cm인 직
사각형의 넓이는 y cm²이다.

(2) 1개에 1000원인 빵 x개의 가격은 y원이다.

(3) 시속 30 km로 x시간 동안 간 거리는 y km이다.

(4) 한 변의 길이가 x cm인 정육각형의 둘레의 길이
는 y cm이다.

유형연습 10

집에서 3 km 떨어진 학교까지
백현이는 자전거를 타거나 걸어
서 등교한다. 오른쪽 그래프에서
A는 자전거를 타고 등교하는 경
우를, B는 걸어서 등교하는 경우
를 나타낸 것이다. 백현이가 자
전거를 타고 등교하면 걸어서 등교할 때보다 몇 분 빨리
가는지 구하시오.

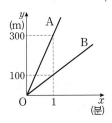

유형 **11** $y=ax$의 그래프와 도형의 넓이

개념 **11**

정비례 관계 $y=ax$의 그래프 위의 한 점 P에서 x축에 내린 수선이 x축과 만나는 점이 Q일 때

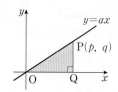

삼각형 POQ의 넓이는

$$\frac{1}{2}\times(\text{선분 OQ의 길이})\times(\text{선분 PQ의 길이})$$
$$=\frac{1}{2}\times p\times q$$

[참고] 주어진 점의 x좌표 또는 y좌표가 음수라면 길이를 생각할 때는 부호를 떼고 생각한다.

● $y=ax$ 그래프와 도형의 넓이

예제 **11**

오른쪽 그림은 $y=\frac{5}{4}x$, $y=\frac{1}{4}x$의 그래프이다.

다음 물음에 답하시오.
(단, O는 원점이다.)

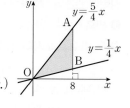

(1) 점 A의 y좌표를 구하시오.
(2) 점 B의 y좌표를 구하시오.
(3) 삼각형 AOB의 넓이를 구하시오.

풀이 전략

x좌표가 8일 때의 점 A와 점 B의 y좌표를 각각 구한다.
➡ 선분 AB의 길이를 구한다.

풀이

(1) 점 A의 좌표를 $(8, a)$라 하면 $a=\frac{5}{4}\times 8=10$

(2) 점 B의 좌표를 $(8, b)$라 하면 $b=\frac{1}{4}\times 8=2$

(3) 선분 AB의 길이는 $10-2=8$이므로 삼각형 AOB의 넓이는 $\frac{1}{2}\times(\text{선분 AB의 길이})\times 8=\frac{1}{2}\times 8\times 8=32$

● $y=ax$ 그래프와 도형의 넓이(서술형)

확인문제

11 오른쪽 그림과 같이 정비례 관계 $y=\frac{3}{2}x$의 그래프 위의 한 점 P에서 x축에 내린 수선이 x축과 만나는 점 Q의 좌표가 $(4, 0)$일 때, 다음 물음에 답하시오.(단, O는 원점이다.)

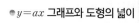

(1) 점 P의 좌표를 구하시오.
(2) 선분 OQ의 길이를 구하시오.
(3) 선분 PQ의 길이를 구하시오.
(4) 삼각형 POQ의 넓이를 구하시오.

유형연습 **11**

오른쪽 그림에서 두 점 A, B는 각각 정비례 관계 $y=-\frac{3}{2}x$, $y=\frac{1}{3}x$의 그래프 위의 점이고, 두 점의 x좌표가 -6일 때, 삼각형 ABO의 넓이는? (단, O는 원점이다.)

① $\frac{33}{2}$ ② 22 ③ $\frac{55}{2}$

④ 33 ⑤ 44

유형 12 $y=ax$의 그래프와 도형의 넓이 응용하기

개념 12

오른쪽 그림에서 두 점 P, Q 는 각각 $y=ax$, $y=\dfrac{2}{3}x$의 그래프 위의 점이고, 점 R의 좌표는 (9, 0)이다. 직사각형 PSRQ의 넓이가 36일 때, 상수 a의 값을 구하시오.

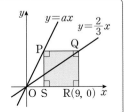

❶ 점 Q의 좌표 구하기

$y=\dfrac{2}{3}x$에 $x=9$를 대입하면 $y=\dfrac{2}{3}\times 9=6$

즉, Q(9, 6)

❷ 직사각형 PSRQ의 넓이 이용하기

점 Q의 y좌표가 6이므로 선분 QR의 길이는 6

직사각형 PSRQ의 넓이가 36이므로 선분 SR의 길이도 6이어야 한다.

따라서 점 S의 x좌표는 3

❸ a의 값 구하기

점 P의 좌표는 (3, 6)이므로 $y=ax$에 대입하면

$6=3a$ ∴ $a=2$

● $y=ax$ 그래프와 도형의 넓이 응용하기(서술형)

예제 12

오른쪽 그림과 같이 가로, 세로의 길이가 각각 10 cm, 8 cm인 직사각형 ABCD에서 점 P는 점 B에서 출발하여 점 C까지 변 BC를 따라

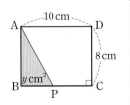

움직이는데 x초 동안 $2x$ cm를 움직인다. x초 동안 움직였을 때 만들어지는 삼각형 ABP의 넓이를 y cm²라 하자. 삼각형 ABP의 넓이가 32 cm²이면 점 P가 점 B를 출발하여 몇 초 동안 움직였는지 구하시오.

풀이 전략

대응표를 그려 본다. ➡

x초	1	2	…
y cm²	8	16	…

풀이

① 관계식: 정비례하므로 $y=ax$에 $x=1$, $y=8$을 대입하면

$a=8$, 즉 $y=8x$

② $y=32$일 때, x의 값 구하기: $32=8x$ ∴ $x=4$

따라서 4초 동안 움직였다.

● $y=ax$ 그래프와 도형의 넓이 활용(서술형)

확인문제

12 오른쪽 그림과 같이 정비례 관계 $y=2x$의 그래프 위의 한 점 A에서 x축과 y축으로 수선을 내렸을 때, 정비례 관계 $y=\dfrac{1}{2}x$의 그래프와 만나는 점을 각각 B, C라고 하자. 다음을 구하시오.

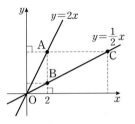

(1) 점 A의 좌표 (2, ☐)

(2) 점 B의 좌표 (2, ☐)

(3) 점 C의 좌표 (☐, ☐)

유형연습 12

오른쪽 그림과 같이 밑변의 길이가 9 cm, 높이가 12 cm인 직각삼각형 ABC에서 변 BC 위의 점 P는 점 B에서 출발하여 점 C까지 x초 동안 0.5x cm만큼 움직인다.

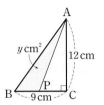

점 P가 x초 동안 움직였을 때 만들어지는 삼각형 ABP의 넓이를 y cm²라 할 때, 다음 물음에 답하시오.

(1) x와 y 사이의 관계식을 구하시오.

(2) 삼각형 ABP의 넓이가 24 cm²이면 점 P가 점 B에서 출발하고 몇 초 후인지 구하시오.

4
좌표평면과 그래프

유형 **13** 반비례

개념 **13**

(1) **반비례:** 두 변수 x, y에 대하여 x의 값이 2배, 3배, 4배, …로 변함에 따라 y의 값은 $\frac{1}{2}$배, $\frac{1}{3}$배, $\frac{1}{4}$배, …가 되는 관계에 있을 때, y는 x에 반비례한다고 한다.

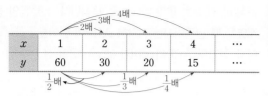

x	1	2	3	4	…
y	60	30	20	15	…

관계식 $\Rightarrow y = \dfrac{60}{x}$

반비례 관계의 식은 항상 $y = \dfrac{a}{x}(a \neq 0)$꼴이다.

(2) **반비례 관계의 식**

반비례 관계의 식은 xy의 값이 일정하다.

$\Rightarrow xy = a$(일정)

● 반비례의 뜻

● 반비례 관계의 식 구하기

예제 **13**

y가 x에 반비례하고 $x=3$일 때 $y=8$이다. y와 x의 관계식을 구하고, $x=-6$일 때 y의 값을 구하시오.

풀이 전략

'반비례한다.'

↓

$y = \dfrac{a}{x}(a \neq 0)$에 주어진 x, y 대입

↓

상수 a의 값을 구하고, 관계식을 구한다.

풀이

반비례 관계의 식은 $y = \dfrac{a}{x}$이므로

$8 = \dfrac{a}{3}$ $\quad \therefore a = 24$

y와 x의 관계식은 $y = \dfrac{24}{x}$

$x=-6$일 때 y의 값은 $y = \dfrac{24}{-6} = -4$

[참고] 반비례 관계의 식은 $xy = a$(일정)

$x=-6$일 때, $y = \bigstar$이라 하면

$-6 \times \bigstar = 24$이므로 $\bigstar = -4$

● 반비례 관계의 식 구하기

확인문제

13 100 km의 거리를 x시간 동안 일정하게 시속 y km로 이동할 때, 다음 물음에 답하시오.

(1) 표를 완성하시오.

x	1	2	3	4	…
y					…

(2) x와 y 사이의 관계식을 구하시오.

유형연습 **13**

x의 값이 2배, 3배, 4배, …가 될 때 y의 값은 $\frac{1}{2}$배, $\frac{1}{3}$배, $\frac{1}{4}$배, …가 되고, $x=3$일 때 $y=-5$이다. $x=6$일 때 y의 값을 구하시오.

개념 **14**

반비례 관계$\left(y=\dfrac{a}{x}\right)$의 그래프의 성질

➡ 좌표축에 한없이 가까워지는 한 쌍의 매끄러운 곡선이다.

$a>0$일 때	$a<0$일 때
• 제1사분면과 제3사분면을 지난다.	• 제2사분면과 제4사분면을 지난다.
• 각 사분면에서 x의 값이 증가하면 y의 값은 감소한다.	• 각 사분면에서 x의 값이 증가하면 y의 값도 증가한다.

① $|a|$의 값이 작을수록 원점에 가깝다.

② $|a|$의 값이 클수록 원점에서 멀다.

[참고] y가 x에 반비례할 때 x의 값의 범위가 주어지지 않으면 x의 값의 범위는 0을 제외한 수 전체로 생각한다.

• 반비례 관계의 그래프

• 반비례 그래프 중 좌표축에 가까운 그래프 찾기

확인문제

14 다음 반비례 관계의 그래프를 좌표평면 위에 나타내고, 물음에 답하시오.

ㄱ. $y=\dfrac{4}{x}$

ㄴ. $y=\dfrac{6}{x}$

ㄷ. $y=\dfrac{8}{x}$

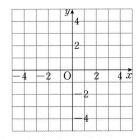

(1) 그래프는 모두 제▢사분면과 제▢사분면을 지난다.

(2) 그래프가 원점에 가까운 것부터 차례대로 쓰시오.

예제 **14**

다음 중 반비례 관계 $y=\dfrac{8}{x}$의 그래프에 대한 설명으로 옳은 것은?

① 점 $(2, 16)$을 지난다.

② 원점을 지나는 직선이다.

③ 제1사분면과 제2사분면을 지난다.

④ 제1사분면 내에서 x의 값이 증가하면 y의 값도 증가한다.

⑤ 제3사분면 내에서 x의 값이 증가하면 y의 값은 감소한다.

풀이 전략

반비례 관계$\left(y=\dfrac{a}{x}\right)$의 그래프는 좌표축에 한없이 가까워지는 한 쌍의 매끄러운 곡선이다.

풀이

① $x=2$를 $y=\dfrac{8}{x}$에 대입하면

$y=\dfrac{8}{2}=4$이므로 점 $(2, 4)$를 지난다.

② 반비례 관계의 그래프는 좌표축에 한없이 가까워지는 한 쌍의 매끄러운 곡선이다.

③ $a>0$이므로 제1사분면과 제3사분면을 지난다.

④ $a>0$일 때 각 사분면 내에서 x의 값이 증가하면 y의 값은 감소한다.

따라서 옳은 것은 ⑤이다.

• 반비례 관계의 그래프

유형연습 **14**

$y=\dfrac{48}{x}$의 그래프가 세 점 $(-6, a)$, $(b, 12)$, $(c, a+b)$를 지날 때, $a+b+c$의 값을 구하시오.

• 반비례 관계 그래프 위의 점(서술형)

유형 15 반비례 관계의 그래프의 식 구하기

개념 15

반비례 관계의 그래프가 주어지면?

⬇

$y=\dfrac{a}{x}$로 놓고

⬇

그래프가 지나는 한 점을 대입하여 a의 값을 구한다.

⬤ 반비례 관계의 그래프가 점 $(-5, -7)$을 지난다.

이때 x와 y 사이의 관계식을 구하시오.

$-7=\dfrac{a}{-5}$에서 $a=35$이므로

x와 y 사이의 관계식은 $y=\dfrac{35}{x}$이다.

[참고] $xy=a$로 일정하기 때문에

$a=(-5)\times(-7)=35$

⬤반비례 관계의 그래프의 식 구하기(기본)

⬤반비례 관계의 그래프의 식 구하기

확인문제

15 다음은 반비례 관계 $y=\dfrac{a}{x}$의 그래프가 주어진 점을 지날 때, 상수 a의 값을 구하는 과정이다. □ 안에 알맞은 수를 써넣으시오.

(1) $(3, 2)$

$y=\dfrac{a}{x}$에 $x=\square$, $y=\square$를 대입하면

$\square=\dfrac{a}{\square}$, 즉 $a=\square$

(2) $(-2, 5)$

$y=\dfrac{a}{x}$에 $x=\square$, $y=\square$를 대입하면

$\square=\dfrac{a}{\square}$, 즉 $a=\square$

예제 15

오른쪽 그림과 같이 반비례 관계의 그래프가 세 점 $(6, 4)$, $(m, -12)$, $(-6, n)$을 지날 때, $m+n$의 값은?

① -12　　② -10

③ -8　　④ -6　　⑤ -4

풀이 전략

반비례 관계 $y=\dfrac{a}{x}$의 그래프가 점 (m, n)을 지나면

$y=\dfrac{a}{x}$에 $x=m$, $y=n$을 대입하여 a의 값을 구한다.

풀이

반비례 관계의 그래프이므로 $y=\dfrac{a}{x}$에 $x=6$, $y=4$를 대입하면 $4=\dfrac{a}{6}$, $a=24$

즉, $y=\dfrac{24}{x}$에 $x=m$, $y=-12$를 대입하면

$-12=\dfrac{24}{m}$, 즉 $m=-2$

$y=\dfrac{24}{x}$에 $x=-6$, $y=n$을 대입하면 $n=\dfrac{24}{-6}=-4$

$\therefore m+n=-2+(-4)=-6$

따라서 $m+n$의 값은 ④이다.

⬤반비례 관계의 그래프의 식 구하기

유형연습 15

오른쪽 그림은 반비례 관계 $y=\dfrac{a}{x}$의 그래프의 일부이고, 두 점 P, Q는 이 그래프 위의 점이다. 두 점 P, Q의 x좌표의 차가 1일 때, 상수 a의 값을 구하시오.

개념 16

반비례 관계의 활용 문제 푸는 순서

❶ 변화하는 두 양을 x, y로 정한다.

❷ 두 변수 x, y 사이에 반비례 관계가 성립하면

$y=\dfrac{a}{x}(a\neq0)$로 나타낸다.

➡ 대응표를 그리자.

(i) x의 값이 2배, 3배, … 될 때마다 y의 값이 $\dfrac{1}{2}$배,

$\dfrac{1}{3}$배, … 된다면 ➡ 반비례

(ii) xy의 값이 항상 일정하다면 ➡ 반비례

❸ $y=\dfrac{a}{x}(a\neq0)$를 이용하여 필요한 값을 구한다.

❹ 구한 값이 조건에 맞는지 확인한다.

●반비례 관계의 활용

예제 16

30조각의 수박을 x명이 똑같이 나누어 먹으면 1인당 y 조각씩 먹을 수 있다고 할 때, 다음 물음에 답하시오.

⑴ x와 y 사이의 관계를 식으로 나타내시오.

⑵ 1인당 6조각씩 먹었을 때, 수박을 먹은 사람의 수를 구하시오.

풀이 전략

대응표를 그려 본다. ➡

x명	1	2	3	…
y조각	30	15	10	…

풀이

⑴ 반비례 관계이므로

$y=\dfrac{a}{x}$에 $x=1$, $y=30$을 대입하면

$30=\dfrac{a}{1}$, 즉 $a=30$ ➡ $y=\dfrac{30}{x}$

⑵ $y=6$일 때, $x=\square$라 하면

$6=\dfrac{30}{\square}$, 즉 $\square=5$이므로 5명

●반비례 관계의 활용

확인문제

16 다음에서 x와 y 사이의 관계식을 구하시오.

⑴ 16조각인 피자 한 판을 x명이 똑같이 나누어 먹을 때 1명당 먹는 피자 y조각

⑵ 100 km의 거리를 시속 x km의 속력으로 가는 데 걸린 시간은 y시간

⑶ 학생 30명을 x개의 모둠으로 똑같이 나눌 때, 한 모둠의 학생 수 y명

⑷ 가로의 길이가 x cm, 넓이가 20 cm^{2}인 직사각형의 세로의 길이 y cm

유형연습 16

야외 공연을 위하여 의자를 한 줄에 8개씩 배열하였을 때, 45줄이 되었다고 한다. 같은 개수의 의자를 한 줄에 40개씩 배열하면 몇 줄이 되는지 구하시오.

●반비례 관계의 활용 ⑵ (서술형)

유형 ⑰ $y = \dfrac{a}{x}$ 의 그래프와 도형의 넓이

개념 17

⑩ 점 P가 반비례 관계 $y = \dfrac{a}{x}$의 그래프 위의 점일 때, 직사각형 OAPB의 넓이 구하기

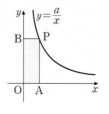

$P\left(p, \dfrac{a}{p}\right)(p > 0)$라 하면

$A(p, 0)$, $B\left(0, \dfrac{a}{p}\right)$이므로

(직사각형 OAPB의 넓이)$= p \times \dfrac{a}{p} = a$

● $y = \dfrac{a}{x}$ 그래프와 도형의 넓이

예제 17

오른쪽 그림은 반비례 관계 $y = \dfrac{a}{x}$의 그래프의 일부분이다. 점 C의 좌표가 $(0, 8)$이고 그래프 위의 점 B에 대하여 직사각형 OABC의 넓이가 24일 때, 상수 a의 값을 구하시오.

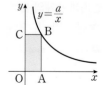

풀이 전략

(직사각형 OABC의 넓이) = ★ × ♥

풀이

점 B의 좌표를 $(p, 8)$이라 하면 $A(p, 0)$, $C(0, 8)$
직사각형 OABC의 넓이가 24이므로
(선분 OA의 길이) × (선분 AB의 길이)
$= p \times 8 = 24$ ∴ $p = 3$
따라서 점 B의 좌표는 $(3, 8)$이므로
$y = \dfrac{a}{x}$에 $x = 3$, $y = 8$을 대입하면
$8 = \dfrac{a}{3}$ ∴ $a = 24$

● $y = \dfrac{a}{x}$ 그래프와 도형의 넓이

확인문제

17 오른쪽 그림은 반비례 관계 $y = \dfrac{6}{x}$의 그래프의 일부이다. 점 $B(b, 6)$이 그래프 위의 점일 때, 다음을 구하시오.

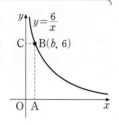

(1) b의 값

(2) 점 A의 좌표

(3) 점 C의 좌표

유형연습 17

오른쪽 그림과 같이 두 점 A, C는 반비례 관계 $y = \dfrac{a}{x}$의 그래프 위의 점이고, 직사각형 ABCD의 넓이가 140일 때, 상수 a의 값을 구하시오. (단, 직사각형의 모든 변은 좌표축과 평행하다.)

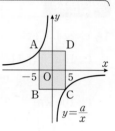

● $y = \dfrac{a}{x}$ 그래프와 도형의 넓이

개념 18

두 그래프가 만나는 점(교점)의 좌표는

$y=ax$, $y=\dfrac{b}{x}$의 그래프 둘 다 대입 가능

예 오른쪽 그림과 같이 정비
례 관계 $y=4x$의 그래프
와 반비례 관계 $y=\dfrac{a}{x}$의
그래프가 점 A에서 만난
다. 점 A의 x좌표가 2일
때, 상수 a의 값을 구하시오.

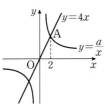

① $y=4x$에 $x=2$를 대입하여 점 A의 좌표 구하기

➡ 점 A의 좌표는 $(2, 8)$

② 점 A의 좌표를 이용하여 a의 값 구하기

➡ $8=\dfrac{a}{2}$, 즉 $a=16$

● 정비례와 반비례 그래프의 교점이 주어진 경우

예제 18

오른쪽 그림과 같이 $y=-\dfrac{2}{3}x$,

$y=\dfrac{a}{x}$의 그래프가 점 A에서

만나고, 점 B$(b, -8)$이

$y=\dfrac{a}{x}$의 그래프 위에 있을 때,

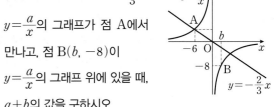

$a+b$의 값을 구하시오.

(단, a는 상수이다.)

풀이 전략

정비례 관계 $y=ax$의 그래프와 반비례 관계 $y=\dfrac{b}{x}$의 그래
프가 만나는 점이 (m, n)일 때, $y=ax$, $y=\dfrac{b}{x}$에 $x=m$,
$y=n$을 각각 대입하여 a, b의 값을 구한다.

풀이

점 A$(-6, p)$는 $y=-\dfrac{2}{3}x$, $y=\dfrac{a}{x}$의 두 그래프의 교점이

므로 $y=-\dfrac{2}{3}x$에 대입하면 $p=-\dfrac{2}{3}\times(-6)=4$

점 A$(-6, 4)$를 $y=\dfrac{a}{x}$에 대입하면 $a=-24$

점 B$(b, -8)$이 $y=-\dfrac{24}{x}$의 그래프 위의 점이므로

$-8=-\dfrac{24}{b}$, $b=3$

따라서 $a+b=-24+3=-21$

● 정비례와 반비례 그래프의 교점이 주어진 경우(1)(서술형)

확인문제

18 오른쪽 그림의 그래프를 보고
다음 물음에 답하시오.

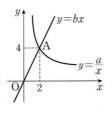

(1) 반비례 관계 $y=\dfrac{a}{x}$의 그래
프가 점 A를 지남을 이용
하여 a의 값을 구하시오.

(2) 정비례 관계 $y=bx$의 그래프가 점 A를 지남을
이용하여 b의 값을 구하시오.

유형연습 18

오른쪽 그림은 정비례 관계

$y=\dfrac{1}{3}x$의 그래프와 반비례

관계 $y=\dfrac{a}{x}$의 그래프이다.

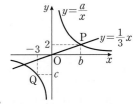

두 그래프가 점 P에서 만나고,

점 Q는 $y=\dfrac{a}{x}$의 그래프 위의 점일 때, $a+b+c$의 값을
구하시오.

5 기본 도형

개념 01

(1) **교점**: 선과 선 또는 선과 면이 만나서 생기는 점

> **예** 직사각형에서의 교점의 개수: 4

(2) **교선**: 면과 면이 만나서 생기는 선

> **예** 사각뿔에서의 교선의 개수: 8

● 교점과 교선

예제 01

오른쪽 그림의 직육면체에서 교점을 a개, 교선을 b개, 면을 c개라고 할 때, $a+b-c$의 값을 구하시오.

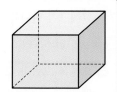

풀이 전략

각기둥과 각뿔에서 교점의 개수는 꼭짓점의 개수와 같고, 교선의 개수는 모서리의 개수와 같다.

풀이

교점의 개수는 꼭짓점의 개수와 같으므로 $a=8$
교선의 개수는 모서리의 개수와 같으므로 $b=12$
직육면체의 면의 개수는 6이므로 $c=6$
따라서 $a+b-c=8+12-6=14$

● 교점과 교선

확인문제

01 오른쪽 그림과 같은 직육면체에 대하여 다음을 구하시오.

(1) 모서리 AB와 모서리 BF의 교점
(2) 면 AEHD와 모서리 AB의 교점
(3) 면 EFGH와 면 CGHD의 교선
(4) 교점의 개수
(5) 교선의 개수

유형연습 01

육각기둥의 교점의 개수를 a, 육각뿔의 교선의 개수를 b, 원기둥의 교선의 개수를 c라고 할 때, $a+b+c$의 값을 구하시오.

개념**02**

(1) **직선 AB**

① 그림:

② 기호: $\overleftrightarrow{AB}$

③ $\overleftrightarrow{AB}=\overleftrightarrow{BA}$

(2) **반직선 AB**

① 그림:

② 기호: $\overrightarrow{AB}$

③ $\overrightarrow{AB}\neq\overrightarrow{BA}$

(3) **선분 AB**

① 그림:

② 기호: $\overline{AB}$

③ $\overline{AB}=\overline{BA}$

● 직선, 반직선, 선분

예제**02**

오른쪽 그림과 같이 한 원 위에 4개의 점 A, B, C, D가 있다. 이 중 두 점을 이어서 만들 수 있는 서로 다른 반직선은 몇 개인가?

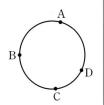

① 10개   ② 11개   ③ 12개

④ 13개   ⑤ 14개

풀이 전략

반직선 AB와 반직선 BA는 서로 다른 반직선이다.

풀이

두 점을 이어서 만들 수 있는 서로 다른 반직선은
$\overrightarrow{AB}$, $\overrightarrow{BA}$, $\overrightarrow{AC}$, $\overrightarrow{CA}$, $\overrightarrow{AD}$, $\overrightarrow{DA}$, $\overrightarrow{BC}$, $\overrightarrow{CB}$, $\overrightarrow{BD}$, $\overrightarrow{DB}$, $\overrightarrow{CD}$, $\overrightarrow{DC}$로 모두 12개이다.
따라서 서로 다른 반직선의 개수는 ③이다.

● 직선, 반직선, 선분의 개수

확인문제

02 다음 그림과 같이 세 점 A, B, C가 직선 l 위에 있을 때, 옳은 것에는 ○표, 옳지 <u>않은</u> 것에는 ×표를 하시오.

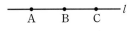

(1) $\overleftrightarrow{AB}=\overleftrightarrow{BC}$ (   )

(2) $\overrightarrow{AB}=\overrightarrow{AC}$ (   )

(3) $\overline{AC}=\overline{CA}$ (   )

(4) $\overrightarrow{BC}=\overrightarrow{AC}$ (   )

(5) $\overrightarrow{AC}=\overrightarrow{BC}$ (   )

유형연습 **02**

다음 그림과 같이 삼각형 ABC의 각 변 위에 각각 점 D, E, F가 있다. 6개의 점 중에서 두 점을 연결하여 만들 수 있는 서로 다른 직선의 개수와 서로 다른 반직선의 개수의 합은?

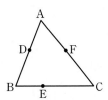

① 31   ② 32   ③ 33

④ 34   ⑤ 35

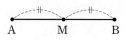 유형 **03** 선분의 중점

개념 03

(1) $\overline{AB}$의 중점: $\overline{AB}$ 위의 한 점 M에 대하여 $\overline{AM}=\overline{BM}$일 때, 점 M을 $\overline{AB}$의 중점이라고 한다.

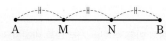
A   M   B

① $\overline{AM}=\overline{BM}=\dfrac{1}{2}\overline{AB}$

② $\overline{AB}=2\overline{AM}$

③ $\overline{MB}=\dfrac{1}{2}\overline{AB}$

(2) $\overline{AB}$의 삼등분점

A   M   N   B

① $\overline{AB}=3\overline{MN}$

② $\overline{AM}=\dfrac{1}{3}\overline{AB}$

③ $\overline{AN}=\dfrac{2}{3}\overline{AB}$

● 선분의 중점, 삼등분점

예제 03

다음 그림에서 $\overline{AO}:\overline{OB}=3:2$이고, 점 M, N은 각각 $\overline{AO}$, $\overline{OB}$의 중점이다. $\overline{AB}=40\ cm$일 때, $\overline{MO}$의 길이를 구하시오.

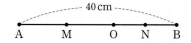
A   M   O   N   B

풀이 전략

$\overline{AO}:\overline{OB}=3:2$이므로 $\overline{AO}=\dfrac{3}{5}\overline{AB}$이다.

풀이

$\overline{AO}=\dfrac{3}{5}\overline{AB}=\dfrac{3}{5}\times40=24\ (cm)$

따라서

$\overline{MO}=\dfrac{1}{2}\overline{AO}=\dfrac{1}{2}\times24=12\ (cm)$

● 중점, 삼등분점 응용하기(비율로 주어진 경우)

확인문제

03 다음 그림에서 점 M은 $\overline{AB}$의 중점이고 점 N은 $\overline{AM}$의 중점일 때, □ 안에 알맞은 수를 써넣으시오.

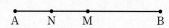
A   N   M   B

(1) $\overline{AB}=\boxed{}\overline{BM}$

(2) $\overline{AN}=\boxed{}\overline{AM}$

(3) $\overline{MN}=\boxed{}\overline{AB}$

(4) $\overline{AB}=\boxed{}\overline{AN}$

(5) $\overline{AB}=\boxed{}\overline{BN}$

유형연습 03

다음 그림에서 $\overline{AD}=48\ cm$이고, $\overline{CD}=5\overline{BC}$, $\overline{BD}=3\overline{AB}$일 때, $\overline{AC}$의 길이를 구하시오.

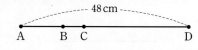
A   B   C   D

개념 **04**

(1) **수직, 직교**
  ① 직각으로 만난다.
  ② 기호: $\overleftrightarrow{AB} \perp \overleftrightarrow{CD}$

(2) **수직이등분선**
  ① 직각으로 만나고 선분의 중점을 지난다.
  ② $\overline{AB} \perp l$, $\overline{AM} = \overline{BM}$

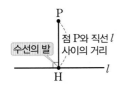

(3) **수선의 발**

점 P와 직선 l 사이의 거리

수선의 발

●수직, 수선의 발, 수직이등분선

예제 **04**

오른쪽 그림에서 $\overline{AM} = \overline{BM}$, $\angle CMB = 90°$, $\overline{AB} = 12$ cm, $\overline{CD} = 10$ cm일 때, 다음 중 옳지 않은 것은?

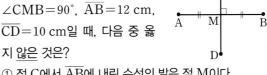

① 점 C에서 $\overleftrightarrow{AB}$에 내린 수선의 발은 점 M이다.
② 점 A에서 $\overleftrightarrow{CD}$에 내린 수선의 발은 점 M이다.
③ 점 A와 $\overleftrightarrow{CD}$ 사이의 거리는 6 cm이다.
④ $\overleftrightarrow{AB}$와 $\overleftrightarrow{CD}$는 직교한다.
⑤ 선분 AB는 선분 CD의 수직이등분선이다.

풀이 전략
어떤 선분의 수직이등분선은 직각으로 만나고 선분의 중점을 지난다.

풀이
⑤ 선분 CD가 선분 AB의 수직이등분선이다.
따라서 옳지 않은 것은 ⑤이다.

●수직, 수선의 발, 수직이등분선

5
기본 도형

확인문제

04 오른쪽 그림을 보고 다음 물음에 답하시오.

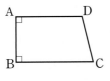

  (1) $\overline{BC}$와 직교하는 선분을 구하시오.
  (2) $\overline{AB}$와 $\overline{AD}$의 관계를 기호로 나타내시오.
  (3) 점 A에서 $\overline{BC}$에 내린 수선의 발을 구하시오.
  (4) 점 C에서 $\overline{AB}$에 내린 수선의 발을 구하시오.
  (5) 점 D에서 $\overline{AB}$에 내린 수선의 발을 구하시오.

유형연습 04

오른쪽 그림에서 $\angle AOC = 90°$, $\overline{AO} = \overline{BO}$일 때, 다음 중 옳은 것은?

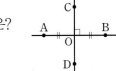

① $\overleftrightarrow{AB} = \overleftrightarrow{CD}$
② $\overline{AO} = \overline{BO} = \overline{CO} = \overline{DO}$
③ $\overleftrightarrow{AB}$는 $\overleftrightarrow{CD}$의 수직이등분선이다.
④ 점 B와 $\overleftrightarrow{CD}$ 사이의 거리는 $\overline{CO}$이다.
⑤ 점 C에서 $\overleftrightarrow{AB}$에 내린 수선의 발은 점 O이다.

유형 **05** 각의 크기

개념 **05**

(1) **각**: 한 점 O에서 시작하는 두 반직선 OA, OB로 이루어진 도형이다. 이 도형을 각 AOB라 하고, 이것을 기호로 ∠AOB 또는 ∠BOA로 나타낸다.

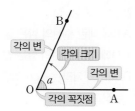

(2) **각의 크기에 따른 분류**

① $0° <$ (예각) $< 90°$

② (직각) $= 90°$

③ $90° <$ (둔각) $< 180°$

④ (평각) $= 180°$

● 평각과 직각을 이용한 각의 크기 구하기

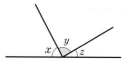

예제 **05**

다음 그림에서 ∠x : ∠y : ∠z = 2 : 3 : 1일 때, ∠y의 크기를 구하시오.

풀이 전략

평각의 크기는 180°이다.

풀이

∠x + ∠y + ∠z = 180°이므로

∠y = $180° × \dfrac{3}{6} = 90°$

[참고] 나머지 각의 크기도 구하면

∠x = $180° × \dfrac{2}{6} = 60°$

∠z = $180° × \dfrac{1}{6} = 30°$

● 각의 크기의 비가 주어진 경우

확인문제

05 다음 각을 예각, 직각, 둔각, 평각으로 분류하시오.

(1) 75°   (   )

(2) 150°   (   )

(3) 25°   (   )

(4) 180°   (   )

(5) 110°   (   )

(6) 90°   (   )

유형연습 **05**

다음 그림에서 점 O는 $\overleftrightarrow{AB}$ 위의 점이고, ∠AOC=19°이다. ∠COD : ∠DOE=3 : 4이고 ∠EOB : ∠FOB=7 : 3일 때, ∠DOF의 크기를 구하시오.

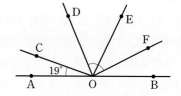

개념 06

(1) **분침이 움직인 각도**

① 60분: $360°$

② 1분: $360° \times \dfrac{1}{60} = 6°$

(2) **시침이 움직인 각도**

① 60분: $360° \times \dfrac{1}{12} = 30°$

② 1분: $30° \times \dfrac{1}{60} = 0.5°$

예제 06

오른쪽 그림과 같이 시계가 6시 50분을 가리킬 때, 시침과 분침이 이루는 두 각 중 작은 각의 크기를 구하시오. (단, 시침, 분침의 두께는 생각하지 않는다.)

풀이 전략

분침과 시침이 각각 1분 동안 움직이는 각도를 구한다.

풀이

분침은 1분 동안 $6°$, 시침은 1분 동안 $0.5°$ 움직이므로

분침은 50분 동안 $6° \times 50 = 300°$ 움직인다.

한편 시침은 6에서 출발해서 7까지 가므로 12로부터 6시 50분에 시침이 가리키는 지점까지의 각도는

$180° + 0.5° \times 50 = 180° + 25° = 205°$

따라서 시침과 분침이 이루는 두 각 중 작은 쪽의 각의 크기는

$300° - 205° = 95°$

● **시계의 분침과 시침이 이루는 각(서술형)**

5
기본 도형

확인문제

06 다음을 구하시오.

(1) 시침이 10분 동안 움직인 각도

(2) 시침이 30분 동안 움직인 각도

(3) 시침이 45분 동안 움직인 각도

(4) 분침이 10분 동안 움직인 각도

(5) 분침이 30분 동안 움직인 각도

(6) 분침이 45분 동안 움직인 각도

유형연습 06

오른쪽 그림과 같이 시계가 2시 46분을 가리킬 때, 시침과 분침이 이루는 각 중에서 작은 쪽의 각의 크기를 구하시오. (단, 시침, 분침의 두께는 생각하지 않는다.)

개념 **07**

(1) **맞꼭지각**: 서로 다른 두 직선
이 한 점에서 만날 때 생기는
네 각 $\angle a$, $\angle b$, $\angle c$, $\angle d$를
두 직선의 교각이라고 하고
이 교각 중에서 $\angle a$와 $\angle c$,
$\angle b$와 $\angle d$처럼 서로 마주 보는 두 각을 맞꼭지각
이라고 한다.

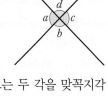

(2) **맞꼭지각의 성질**: 맞꼭지각의 크기는 서로 같다.
➡ $\angle a = \angle c$, $\angle b = \angle d$

⬤ **맞꼭지각**

예제 **07**

오른쪽 그림에서 $\angle y$의 크기는?

① 35°   ② 40°

③ 45°   ④ 50°

⑤ 55°

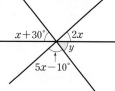

풀이 전략

맞꼭지각의 크기는 같고 평각의 크기는 180°이다.

풀이

맞꼭지각의 크기는 서로 같으므로 $\angle y = \angle x + 30°$
$(5\angle x - 10°) + (\angle x + 30°) + 2\angle x = 180°$에서
$8\angle x = 160°$ $\therefore \angle x = 20°$
즉, $\angle y = \angle x + 30° = 20° + 30° = 50°$
따라서 $\angle y$의 크기는 ④이다.

⬤ **맞꼭지각을 이용하여 x, y의 값 구하기**

확인문제

07 오른쪽 그림과 같이 세 직
선이 한 점에서 만날 때,
다음 각의 맞꼭지각을 구
하시오.

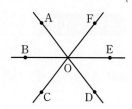

(1) $\angle AOF$

(2) $\angle AOC$

(3) $\angle BOC$

(4) $\angle COE$

(5) $\angle DOE$

유형연습 **07**

오른쪽 그림과 같이 두 직선
AC, BE가 점 O에서 만나고
$\angle AOF = 30°$,
$\angle EOF = 2x - 2°$,
$\angle DOE = 3x - 5°$,
$\angle BOC = 3x + 3°$일 때,
$\angle COD$의 크기를 구하시오.

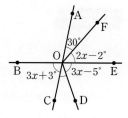

개념 **08**

(1) **두 점 사이의 거리**: 두 점 A, B를 잇는 무수히 많은 선 중에서 길이가 가장 짧은 선인 $\overline{AB}$의 길이를 두 점 A, B 사이의 거리라고 한다.

(2) **점과 직선 사이의 거리**: 점 P에서 직선 l에 그은 수선의 길이가 점 P와 직선 l 위의 점을 이은 선분의 길이 중 가장 짧으므로 점 P와 직선 l 사이의 거리는 $\overline{PB}$의 길이와 같다.

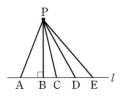

◦ 두 점, 점과 직선 사이의 거리

예제 **08**

오른쪽 그림에서 두 점 A와 C 사이의 거리를 a cm, 두 점 B와 C 사이의 거리를 b cm라고 할 때, $a-b$의 값을 구하시오.

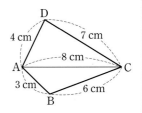

풀이 전략

두 점을 잇는 무수히 많은 선 중에서 길이가 가장 짧은 선인 선분의 길이를 두 점 사이의 거리라고 한다.

풀이

$a=8$, $b=6$이므로
$a-b=8-6=2$

◦ 두 점, 점과 직선 사이의 거리

확인문제

08 오른쪽 그림에서 주어진 점과 선분 사이의 거리를 각각 구하시오.
  (1) 점 A와 선분 CD
  (2) 점 B와 선분 AD
  (3) 점 C와 선분 AD
  (4) 점 A와 선분 BE
  (5) 점 B와 선분 CD
  (6) 점 E와 선분 CD

유형연습 **08**

오른쪽 그림에 대한 설명으로 옳지 않은 것은?
① $\overline{DH}$는 $\overline{CH}$의 수선이다.
② $\overline{AB}$와 $\overline{BC}$는 서로 수직이다.
③ 점 D와 $\overline{AB}$ 사이의 거리는 5 cm이다.
④ 점 C와 $\overline{AB}$ 사이의 거리는 15 cm이다.
⑤ 점 D에서 $\overline{BC}$에 내린 수선의 발은 점 H이다.

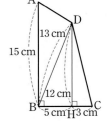

유형 **09** 위치 관계

개념 **09**

(1) 점과 직선의 위치 관계
  ① 점이 직선 위에 있다.
  ② 점이 직선 위에 있지 않다.

(2) 한 평면 위에 있는 두 직선의 위치 관계
  ① 한 점에서 만난다.
  ② 평행하다.
  ③ 일치한다.

(3) 공간에서 두 직선의 위치 관계
  ① 한 점에서 만난다.
  ② 평행하다.
  ③ 일치한다.
  ④ 꼬인 위치에 있다.

(4) 공간에서 직선과 평면의 위치 관계
  ① 한 점에서 만난다.
  ② 평행하다.
  ③ 직선이 평면에 포함된다.

(5) 공간에서 두 평면의 위치 관계
  ① 한 직선에서 만난다.
  ② 평행하다.
  ③ 일치한다.

예제 **09**

오른쪽 그림과 같이 밑면이 정육각형인 육각기둥에서 모서리 AB와 꼬인 위치에 있는 모서리가 아닌 것은?

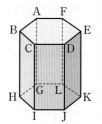

① $\overline{IJ}$ ② $\overline{DJ}$
③ $\overline{HI}$ ④ $\overline{GL}$
⑤ $\overline{JK}$

풀이 전략
꼬인 위치에 있는 것은 만나지도 않고 평행하지도 않다.

풀이
모서리 AB와 만나는 모서리는
$\overline{AF}$, $\overline{EF}$, $\overline{AG}$, $\overline{BC}$, $\overline{CD}$, $\overline{BH}$
모서리 AB와 평행한 모서리는
$\overline{DE}$, $\overline{GH}$, $\overline{JK}$이다.
즉, 모서리 AB와 ①~④는 꼬인 위치에 있고 ⑤는 평행하므로 꼬인 위치에 있는 모서리가 아니다.
따라서 꼬인 위치에 있는 모서리가 아닌 것은 ⑤이다.

● 꼬인 위치에 관한 문제

확인문제

09 오른쪽 그림에 대한 설명으로 옳은 것에는 ○표, 옳지 않은 것에는 ×표를 하시오.

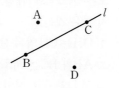

  (1) 직선 l은 점 A를 지나지 않는다. (   )
  (2) 직선 l은 점 B를 지난다. (   )
  (3) 점 C는 직선 l 위에 있다. (   )
  (4) 점 D는 직선 l 위에 있다. (   )
  (5) 두 점 B, C는 같은 직선 위에 있지 않다. (   )

유형연습 **09**

오른쪽 그림과 같이 정삼각형 8개의 면으로 이루어진 입체도형에서 모서리 AB와 만나는 모서리의 개수를 a라 하고, 모서리 AB와 꼬인 위치에 있는 모서리의 개수를 b라 할 때, $a+b$의 값을 구하시오.

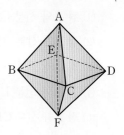

개념 **10**

(1) 공간에서 두 직선의 위치 관계

① 한 점에서 ② 평행하다. ③ 일치한다. ④ 꼬인 위치
만난다. 에 있다.

(2) 공간에서 직선과 평면의 위치 관계

① 한 점에서 ② 평행하다. ③ 직선이 평면에
만난다. 포함된다.

(3) 공간에서 두 평면의 위치 관계

① 한 직선에서 ② 평행하다. ③ 일치한다.
만난다.

예제 **10**

오른쪽 그림과 같이 직육면
체의 일부분을 잘라 낸 입체
도형에서 면 ABMD와 수직
인 모서리의 개수를 a, 모서
리 FN과 수직인 면의 개수를
b라고 할 때, $a+b$의 값을 구
하시오.

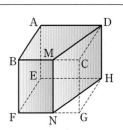

풀이 전략

공간에서 직선과 평면은 한 점에서 만나거나 평행하거나 직
선이 평면에 포함된다.

풀이

면 ABMD와 수직인 모서리는 $\overline{AE}$, $\overline{BF}$, $\overline{MN}$, $\overline{DH}$이므로
$a=4$
모서리 FN과 수직인 면은 면 ABFE이므로 $b=1$
따라서 $a+b=4+1=5$

[참고] 모서리 FN은 면 EFNH에 포함된다. 모서리 FN과
면 EFNH가 수직으로 만난다고 착각하지 않는다.

● **일부가 잘린 입체도형의 위치 관계**

확인문제

10 오른쪽 그림과 같이 직육면체
를 잘라 만든 사각기둥에 대한
설명으로 옳은 것에는 ○표, 옳
지 않은 것에는 ×표를 하시오.

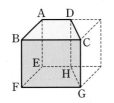

(1) 모서리 AB와 모서리 AD
는 한 점에서 만난다. (   )

(2) 모서리 BF와 모서리 DH는 평행하다. (   )

(3) 모서리 AD와 평행한 면의 개수는 3이다. (   )

(4) 모서리 BC와 꼬인 위치에 있는 모서리의 개수는
2이다. (   )

유형연습 **10**

오른쪽 그림은 직육면체의 세
모서리의 중점을 지나는 삼
각뿔을 잘라 내어 만든 입체
도형이다. 면 ABED와 평행
한 모서리의 개수를 a, 모서
리 DE와 꼬인 위치에 있는 모서리의 개수를 b라고 할 때,
$a+b$의 값을 구하시오.

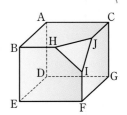

5

기
본
도
형

유형 **11** 전개도가 주어진 입체도형의 위치 관계

개념 **11**

❶ 전개도에 맞는 입체도형을 그린다.
❷ 입체도형 위에 꼭짓점의 기호를 붙이는데 겹쳐지는 꼭짓점은 모두 표시한다.
❸ 입체도형에서 위치 관계를 파악한다.

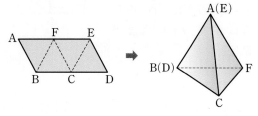

예 모서리 AB와 꼬인 위치에 있는 모서리
➡ 모서리 CF

● 전개도가 주어진 입체도형의 위치 관계

예제 **11**

오른쪽 그림의 전개도로 만든 삼각기둥에서 면 HEFG와 평행한 모서리는?

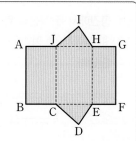

① $\overline{AB}$ ② $\overline{AJ}$
③ $\overline{BC}$ ④ $\overline{CD}$
⑤ $\overline{JC}$

풀이 전략

주어진 전개도로 입체도형을 만들어야 면과 모서리의 위치 관계를 파악할 수 있다.

풀이

주어진 전개도로 삼각기둥을 만들면 오른쪽 그림과 같다.
따라서 면 HEFG와 평행한 모서리는 ⑤이다.

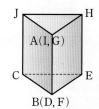

● 전개도가 주어진 입체도형의 위치 관계

확인문제

11 다음 그림의 전개도로 만든 삼각기둥에서 모서리 AB의 위치 관계에 대한 설명으로 옳은 것에는 ○표, 옳지 <u>않은</u> 것에는 ×표를 하시오.

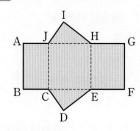

(1) 평행한 면은 1개이다.　　　　　　　　(　　)
(2) 수직인 면은 3개이다.　　　　　　　　(　　)
(3) 만나는 모서리는 4개이다.　　　　　　(　　)
(4) 꼬인 위치에 있는 모서리는 2개이다.　(　　)

유형연습 **11**

오른쪽 그림의 전개도를 접어서 만든 삼각뿔에서 모서리 AB와 꼬인 위치에 있는 모서리의 개수를 a, 평행한 모서리의 개수를 b, 한 점에서 만나는 모서리의 개수를 c라고 할 때, $a+b+c$의 값을 구하시오.

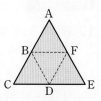

개념 12

(1) 한 평면 위에서 두 직선 l, m이 다른 한 직선 n과 만나서 생기는 8개의 각 중에서

① 동위각: 같은 위치에 있는 각
➡ ∠a와 ∠e, ∠b와 ∠f, ∠c와 ∠g, ∠d와 ∠h

② 엇각: 엇갈린 위치에 있는 각
➡ ∠b와 ∠h, ∠c와 ∠e

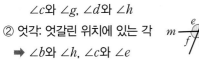

(2) **평행한 두 직선이 다른 한 직선과 만날 때**
① 동위각의 크기는 같다.
② 엇각의 크기는 같다.

(3) 서로 다른 두 직선이 한 직선과 만날 때 동위각 또는 엇각의 크기가 같으면 두 직선은 서로 평행하다.

● 동위각과 엇각의 뜻

● 평행선에서의 동위각, 엇각의 성질

확인문제

12 다음 중 두 직선 l, m이 평행하면 ○표, 평행하지 않으면 ×표를 하시오.

(1)
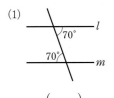
( )

(2)
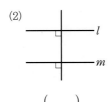
( )

(3)
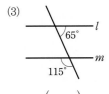
( )

(4)
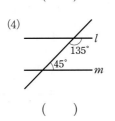
( )

예제 12

다음 중 두 직선 l, m이 서로 평행하지 <u>않은</u> 것은?

①
②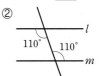
③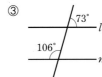
④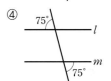
⑤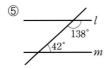

풀이 전략

서로 다른 두 직선이 한 직선과 만날 때 동위각 또는 엇각의 크기가 같으면 두 직선은 서로 평행하다.

풀이

③ $180° - 106° = 74° \neq 73°$로 두 동위각의 크기가 같지 않으므로 두 직선 l, m은 서로 평행하지 않다.
따라서 두 직선 l, m이 서로 평행하지 않은 것은 ③이다.

● 두 직선이 평행할 조건

유형연습 12

오른쪽 그림에서 평행한 두 직선을 찾으면?

① l과 m
② l과 n
③ m과 n
④ p와 q
⑤ m과 q

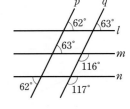

5
기
본
도
형

개념 **13**

(1) 평행한 보조선을 긋는 경우

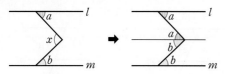

➡ $l /\!/ m$이면 $\angle x = \angle a + \angle b$

(2) 평행한 보조선을 여러 개 긋는 경우

①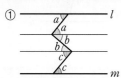

②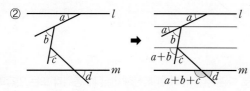

➡ $l /\!/ m$이면 $\angle a + \angle b + \angle c + \angle d = 180°$

예제 **13**

오른쪽 그림에서 $l /\!/ m$일 때, $\angle x$의 크기를 구하시오.

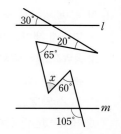

풀이 전략

주어진 두 직선에 평행한 보조선을 그어 크기가 같은 각을 찾는다.

풀이

직선 l, m과 평행한 2개의 보조선을 긋고 동위각과 엇각의 성질을 이용하여 크기가 같은 곳을 표시하면 오른쪽 그림과 같다.

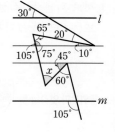

즉, $\angle x + 45° + 75° = 180°$
$\angle x + 120° = 180°$
따라서 $\angle x = 60°$

● 평행선에서의 동위각, 엇각 응용(보조선 긋기)(서술형)

확인문제

13 다음 그림에서 $l /\!/ m$일 때, $\angle x$의 크기를 구하시오.

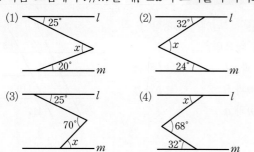

유형연습 **13**

다음 그림에서 $l /\!/ m$일 때, $\angle x - \angle y$의 크기를 구하시오.

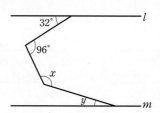

개념 **14**

종이테이프가 접힌 곳에서 평행선에서의 동위각, 엇각을 이용해 문제를 해결할 수 있다.

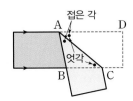

(1) **접은 각의 크기가 같음을 이용한다.**

➡ ∠DAC=∠BAC

(2) **엇각의 크기가 같음을 이용한다.**

➡ ∠DAC=∠ACB

확인문제

14 다음 그림은 직사각형 모양의 종이를 접은 것이다. 물음에 답하시오.

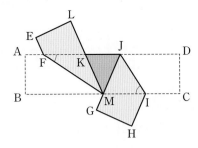

(1) ∠KFM과 크기가 같은 각에는 ○표, 같지 <u>않은</u> 각에는 ×표를 하시오.

① ∠KMF (　　) 　② ∠LKF (　　)

③ ∠EFK (　　) 　④ ∠FMB (　　)

(2) ∠JIM과 크기가 같은 각에는 ○표, 같지 <u>않은</u> 각에는 ×표를 하시오.

① ∠JMI (　　) 　② ∠MJI (　　)

③ ∠DJI (　　) 　④ ∠KJM (　　)

예제 **14**

오른쪽 그림과 같이 직사각형 모양의 종이를 접었을 때, $\angle y - \angle x$의 크기를 구하시오.

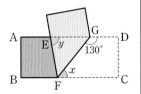

풀이 전략

접은 각의 크기와 엇각의 크기가 같으므로 크기가 같은 각을 그림에 표시한다.

풀이

$\angle EGF = 180° - 130° = 50°$

직사각형의 마주 보는 두 변은 평행하므로 엇각의 크기가 같다. 즉, $\angle x = \angle EGF = 50°$

또 접은 각의 크기는 서로 같으므로

$\angle GFE = \angle GFC = 50°$

삼각형의 세 각의 크기의 합은 $180°$임을 이용하면

$\angle y = 180° - (50° + 50°) = 80°$

따라서 $\angle y - \angle x = 80° - 50° = 30°$

● 평행선에서의 동위각, 엇각의 응용
(종이테이프가 접힌 문제)

유형연습 **14**

다음 그림은 직사각형 모양의 종이를 접은 것이다. $\angle B'PC' = 38°$일 때, $\angle x + \angle y$의 크기를 구하시오.

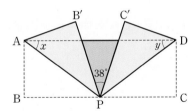

유형 **15** 작도

개념 **15**

(1) **작도**: 눈금 없는 자와 컴퍼스만을 사용하여 도형을 그리는 것

　① 눈금 없는 자: 두 점을 연결하여 선분을 그리거나 선분을 연장할 때 사용한다.

　② 컴퍼스: 원을 그리거나 주어진 선분의 길이를 재어서 옮길 때 사용한다.

(2) $\overline{AB}$와 길이가 같은 선분의 작도

　➡ $\overline{AB} = \overline{PQ}$

(3) ∠XOY와 크기가 같은 각의 작도

　➡ $\angle XOY = \angle QAP$

확인문제

15 다음 중 작도에 대한 설명으로 옳은 것에는 ○표, 옳지 않은 것에는 ×표를 하시오.

　(1) 작도할 때는 눈금 없는 자와 컴퍼스만을 사용한다.
　　　　　　　　　　　　　　　　　　　　　　(　)

　(2) 눈금 없는 자는 선분의 길이를 잴 때 사용한다.
　　　　　　　　　　　　　　　　　　　　　　(　)

　(3) 두 점을 연결하는 선분을 그릴 때는 눈금 없는 자를 사용한다. 　　　　　　　　　　　　　(　)

● 작도의 뜻

예제 **15**

다음 그림은 ∠XOY와 크기가 같은 각을 $\overrightarrow{PQ}$를 한 변으로 하여 작도한 것이다. 작도 순서를 바르게 나열한 것은?

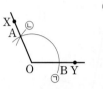

① ㉠ → ㉡ → ㉢ → ㉣ → ㉤

② ㉠ → ㉡ → ㉤ → ㉢ → ㉣

③ ㉠ → ㉢ → ㉡ → ㉣ → ㉤

④ ㉤ → ㉠ → ㉡ → ㉢ → ㉣

⑤ ㉤ → ㉡ → ㉠ → ㉢ → ㉣

풀이 전략

$\overline{AB}$의 길이와 $\overline{CD}$의 길이가 같다는 것을 이용한다.

풀이

③ ㉠-㉢-㉡-㉣
-㉤의 순서로
작도한다.

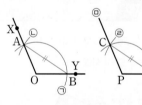

● 크기가 같은 각의 작도

유형연습 **15**

아래 그림은 ∠XOY와 크기가 같은 각을 작도한 것이다. 다음 중에서 옳지 <u>않은</u> 것은?

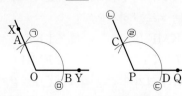

① $\overline{OA} = \overline{OB}$ 　　　　② $\overline{OA} = \overline{OY}$

③ $\overline{AB} = \overline{CD}$ 　　　　④ $\overline{PC} = \overline{PD}$

⑤ 작도 순서는 ㉤-㉢-㉠-㉣-㉡이다.

개념 16

(1) **동위각을 이용한 평행선의 작도**: 직선 l 밖의 한 점 P를 지나고 직선 l과 평행한 직선의 작도
➡ $\angle CQD = \angle APB$이므로 $l /\!/ m$

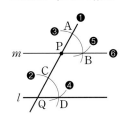

(2) **엇각을 이용한 평행선의 작도**: 직선 l 밖의 한 점 P를 지나고 직선 l과 평행한 직선의 작도
➡ $\angle CQD = \angle APB$이므로 $l /\!/ m$

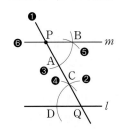

확인문제

16 오른쪽 그림은 직선 l 위에 있지 않은 한 점 P를 지나고 직선 l에 평행한 직선을 작도한 것이다. 다음 중 옳지 않은 것은?

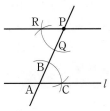

① $\overline{AB} = \overline{PR}$ ② $\overline{AC} = \overline{PQ}$
③ $\overline{BC} = \overline{BQ}$ ④ $\overline{BC} = \overline{QR}$
⑤ $\angle BAC = \angle RPQ$

● 평행선의 작도(엇각 이용)

예제 16

오른쪽 그림은 점 P를 지나고 직선 l에 평행한 직선 m을 작도한 것이다. 다음 중 성립하지 않는 것은?

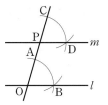

① $\angle AOB = \angle CPD$
② $\overline{OB} = \overline{PC}$ ③ $\overline{OB} = \overline{PD}$
④ $\overline{AB} = \overline{CD}$ ⑤ $\overline{AB} = \overline{PD}$

풀이 전략

'서로 다른 두 직선이 한 직선과 만날 때, 동위각의 크기가 서로 같으면 두 직선은 평행하다.'는 성질을 이용하여 점 P를 지나고 직선 l에 평행한 직선 m을 작도한다.

풀이

① $\angle AOB$와 $\angle CPD$는 동위각이므로 $\angle AOB = \angle CPD$
②, ③ 두 점 O, P를 중심으로 하고 반지름의 길이가 같은 원을 각각 그리므로 $\overline{OA} = \overline{OB} = \overline{PC} = \overline{PD}$
④ 점 C를 중심으로 하고 반지름의 길이가 $\overline{AB}$인 원을 그리므로 $\overline{AB} = \overline{CD}$
따라서 성립하지 않는 것은 ⑤이다.

● 평행선의 작도(동위각 이용)

유형연습 16

오른쪽 그림은 점 P를 지나고 직선 l에 평행한 직선을 작도하는 과정이다. 다음 중 옳지 않은 것은?

① $\overline{AB} = \overline{PR}$ ② $\overline{BC} = \overline{QR}$
③ $\angle QPR = \angle BAC$
④ 동위각의 크기가 같은 두 직선은 평행함을 이용한다.
⑤ 작도 순서는 ⓑ-ⓓ-ⓖ-ⓒ-ⓜ-ⓔ이다.

5
기본 도형

유형 **17** 삼각형의 작도

개념 17

(1) **삼각형이 하나로 정해지는 조건**

① 세 변의 길이가 주어질 때

② 두 변의 길이와 그 끼인각의 크기가 주어질 때

③ 한 변의 길이와 그 양 끝 각의 크기가 주어질 때

(2) **삼각형의 세 변의 길이 사이의 관계**

세 변의 길이가 주어질 때 삼각형이 될 수 있는 조건

➡ (가장 긴 변의 길이)<(다른 두 변의 길이의 합)

●삼각형이 하나로 정해지는 조건

●삼각형의 세 변의 길이 사이의 관계

예제 17

$\angle A = 30°$, $\overline{AB} = 9$ cm일 때, 다음 중 $\triangle ABC$가 하나로 정해지기 위해 더 필요한 조건이 **아닌** 것은?

① $\angle B = 70°$ ② $\overline{AC} = 6$ cm

③ $\overline{BC} = 6$ cm   ④ $\angle C = 50°$

⑤ $\overline{AC} = 4$ cm

풀이 전략

주어진 조건을 하나씩 추가시켜 삼각형이 하나로 정해지는 조건을 만족하는지 확인한다.

풀이

① $\angle A = 30°$, $\angle B = 70°$, $\overline{AB} = 9$ cm

: 한 변의 길이와 그 양 끝 각의 크기가 주어진 경우이다.

② $\angle A = 30°$, $\overline{AB} = 9$ cm, $\overline{AC} = 6$ cm

: 두 변의 길이와 그 끼인각의 크기가 주어진 경우이다.

③ $\angle A = 30°$, $\overline{AB} = 9$ cm, $\overline{BC} = 6$ cm

: 두 변의 길이와 그 끼인각이 아닌 다른 한 각의 크기가 주어졌으므로 $\triangle ABC$가 하나로 정해지지 않는다.

④ $\angle A = 30°$, $\angle C = 50°$, $\overline{AB} = 9$ cm

: $\angle B = 180° - (30° + 50°) = 100°$

한 변의 길이와 그 양 끝 각의 크기가 주어진 경우이다.

⑤ $\angle A = 30°$, $\overline{AB} = 9$ cm, $\overline{AC} = 4$ cm

: 두 변의 길이와 그 끼인각의 크기가 주어진 경우이다.

따라서 더 필요한 조건이 아닌 것은 ③이다.

●삼각형이 하나로 정해지기 위한 조건 추가하기

확인문제

17 삼각형의 세 변의 길이가 다음과 같을 때, 삼각형을 만들 수 있으면 ○표, 만들 수 없으면 ×표를 하시오.

(1) 1 cm, 2 cm, 4 cm   (   )

(2) 2 cm, 3 cm, 4 cm   (   )

(3) 3 cm, 3 cm, 5 cm   (   )

(4) 3 cm, 3 cm, 3 cm   (   )

(5) 2 cm, 5 cm, 8 cm   (   )

유형연습 17

다음 중 $\triangle ABC$가 하나로 정해지는 것은?

① $\overline{AB} = 3$ cm, $\overline{BC} = 4$ cm, $\overline{CA} = 7$ cm

② $\overline{AB} = 5$ cm, $\angle B = 60°$, $\overline{BC} = 3$ cm

③ $\overline{BC} = 5$ cm, $\angle B = 55°$, $\overline{CA} = 7$ cm

④ $\overline{AB} = 5$ cm, $\angle A = 65°$, $\angle B = 115°$

⑤ $\angle A = 65°$, $\angle B = 75°$, $\angle C = 40°$

개념 **18**

(1) 삼각형의 합동 조건

① 대응하는 세 변의 길이가 각각 같을 때(SSS 합동)

② 대응하는 두 변의 길이가 각각 같고, 그 끼인각의 크기가 같을 때(SAS 합동)

③ 대응하는 한 변의 길이가 같고, 그 양 끝 각의 크기가 각각 같을 때(ASA 합동)

●**삼각형의 합동 조건**(SSS, SAS, ASA)

예제 **18**

오른쪽 그림에서 $\angle C = \angle F$, $\overline{BC} = \overline{EF}$일 때, $\triangle ABC \equiv \triangle DEF$ 가 되기 위하여 더 필요한 조건으로 옳은 것을 **보기**에서 모두 고르시오.

| 보기 |
ㄱ. $\overline{AB} = \overline{DE}$ ㄴ. $\angle B = \angle E$
ㄷ. $\angle B = \angle D$ ㄹ. $\overline{AC} = \overline{DF}$

풀이 전략

주어진 조건을 하나씩 추가시켜 삼각형의 합동 조건을 만족하는지 확인한다.

풀이

대응하는 한 변의 길이와 대응하는 한 각의 크기가 각각 같다.
ㄴ의 조건 추가: ASA 합동, ㄹ의 조건 추가: SAS 합동
따라서 더 필요한 조건은 ㄴ, ㄹ이다.

●**삼각형의 합동 조건**(SSS, SAS, ASA)

확인문제

18 다음 그림의 $\triangle ABC$와 $\triangle DEF$에 대하여 주어진 조건 중 $\triangle ABC$와 $\triangle DEF$가 합동이면 ○표, 합동이 아니면 ×표를 하시오.

(1) $a = d$, $b = e$, $c = f$ ( )
(2) $a = d$, $b = e$, $\angle A = \angle D$ ( )
(3) $b = e$, $c = f$, $\angle A = \angle D$ ( )
(4) $a = d$, $\angle B = \angle E$, $\angle C = \angle F$ ( )
(5) $\angle A = \angle D$, $\angle B = \angle E$, $\angle C = \angle F$ ( )

유형연습 **18**

오른쪽 그림에서 $\overline{AB} /\!/ \overline{EF}$, $\overline{AC} /\!/ \overline{ED}$, $\overline{BD} = \overline{FC}$이다. $\triangle ABC \equiv \triangle EFD$일 때, 삼각형의 합동 조건으로 옳은 것은?

① 대응하는 세 각의 크기가 같다.
② 대응하는 세 변의 길이가 같다.
③ 대응하는 두 변의 길이와 그 끼인각의 크기가 같다.
④ 대응하는 한 각의 크기와 그 각의 대변의 길이가 같다.
⑤ 대응하는 한 변의 길이와 그 변의 양 끝 각의 크기가 같다.

유형 **19** 삼각형의 합동 조건

개념 **19**

(1) **삼각형의 합동 조건 − SSS 합동**

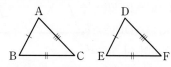

$\overline{AB}=\overline{DE}$, $\overline{BC}=\overline{EF}$, $\overline{AC}=\overline{DF}$이면
$\triangle ABC \equiv \triangle DEF$ (SSS 합동)

(2) **삼각형의 합동 조건 − SAS 합동**

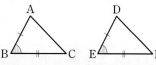

$\overline{AB}=\overline{DE}$, $\angle B=\angle E$, $\overline{BC}=\overline{EF}$이면
$\triangle ABC \equiv \triangle DEF$ (SAS 합동)

(3) **삼각형의 합동 조건 − ASA 합동**

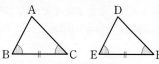

$\overline{BC}=\overline{EF}$, $\angle B=\angle E$, $\angle C=\angle F$이면
$\triangle ABC \equiv \triangle DEF$ (ASA 합동)

● SSS 합동 ● SAS 합동 ● ASA 합동
에 관한 문제 에 관한 문제 에 관한 문제

확인문제

19 오른쪽 그림의
$\triangle ABC$와 $\triangle DEF$
에서 $\overline{AB}=\overline{DE}$,
$\overline{BC}=\overline{EF}$일 때,
다음 중 $\triangle ABC$와 $\triangle DEF$가 합동이 되기 위해 추가
되어야 할 조건이면 ○표, 조건이 아니면 ×표를 하
시오.

(1) $\overline{AC}=\overline{DF}$ (　　) (2) $\angle A=\angle D$ (　　)

(3) $\angle B=\angle E$ (　　) (4) $\angle C=\angle F$ (　　)

예제 **19**

다음 그림에서 $\angle A=\angle D$, $\overline{AB}=\overline{DB}$일 때,
$\triangle ABC \equiv \triangle DBE$임을 설명하시오.

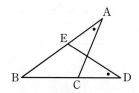

풀이 전략

주어진 조건 외에 크기가 같은 각이나 길이가 같은 선분을 찾
아 삼각형이 합동이 됨을 설명한다.

풀이

주어진 조건에 의해 $\overline{AB}=\overline{DB}$ ······ ㉠

$\angle BAC=\angle BDE$ ······ ㉡

$\angle B$는 공통 ······ ㉢

㉠, ㉡, ㉢에 의해
한 변의 길이와 그 양 끝 각의 크기가 각각 같으므로
$\triangle ABC \equiv \triangle DBE$ (ASA 합동)

● ASA 합동에 관한 문제

유형연습 **19**

다음 그림과 같이 $\overline{AD}$와 $\overline{BC}$가 평행한 사다리꼴
ABCD에서 $\overline{AB}=\overline{DC}$, $\angle ABC=\angle DCB$일 때,
$\triangle DAB \equiv \triangle ADC$임을 설명하시오.

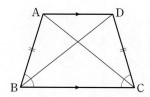

개념 **20**

(1) **정삼각형이 주어진 경우**
  ① 정삼각형의 세 변의 길이는 모두 같다.
  ② 정삼각형의 세 각의 크기는 모두 60°이다.

(2) **정사각형이 주어진 경우**
  ① 정사각형의 네 변의 길이는 모두 같다.
  ② 정사각형의 네 각의 크기는 모두 90°이다.

●삼각형의 합동 조건 응용하기

예제 20

오른쪽 그림의 정사각형 ABCD에서 두 점 E와 F는 각각 $\overline{AD}$와 $\overline{BC}$ 위의 점이고, 점 H는 점 C에서 $\overline{DF}$에 내린 수선의 발이다.

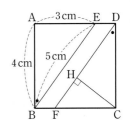

$\overline{AB}=4$ cm, $\overline{AE}=3$ cm, $\overline{BE}=5$ cm이고 ∠ABE=∠CDF일 때, $\overline{CH}$의 길이를 구하시오.

풀이 전략

합동인 두 삼각형을 찾고, 대응하는 변을 짝 지어 문제를 해결한다.

풀이

△BEA와 △DFC에서
$\overline{AB}=\overline{CD}$, ∠BAE=∠DCF=90°, ∠ABE=∠CDF
이므로 △BEA≡△DFC (ASA 합동)
즉, $\overline{CF}=\overline{AE}=3$ cm, $\overline{DF}=\overline{BE}=5$ cm
△DFC의 넓이를 구하면

$$\triangle DFC=\frac{1}{2}\times 3\times 4=\frac{1}{2}\times 5\times \overline{CH}$$

따라서 $\overline{CH}=\frac{12}{5}$ (cm)

●삼각형의 합동 응용하기 (4)(서술형)

확인문제

20 오른쪽 그림의 △ABC가 정삼각형이고 $\overline{AD}=\overline{BE}=\overline{CF}$일 때, 다음 중 옳은 것에는 ○표, 옳지 <u>않은</u> 것에는 ×표를 하시오.

(1) $\overline{DE}=\overline{DF}$ (   )
(2) $\overline{EF}=\overline{BD}$ (   )
(3) $\overline{DF}=\overline{EC}$ (   )
(4) ∠ADF=∠CFE   (   )
(5) ∠BDE=∠FEC   (   )

유형연습 20

오른쪽 그림에서 사각형 ABCD는 한 변의 길이가 10 cm인 정사각형이다. $\overline{BC}$ 위에 적당한 점 E를 잡고 두 점 B, D에서 $\overline{AE}$에 내린 수선의 발을 각각 F, G라 하자. $\overline{AG}=6$ cm, $\overline{DG}=8$ cm일 때, $\overline{GF}$의 길이를 구하시오.

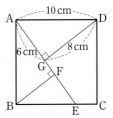

6 평면도형

개념 **01**

(1) **다각형**: 선분으로만 둘러싸
  인 평면도형
  ① 변: 다각형을 이루는 선분
  ② 꼭짓점: 변과 변이 만나는 점

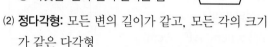

(2) **정다각형**: 모든 변의 길이가 같고, 모든 각의 크기
  가 같은 다각형

정삼각형   정사각형   정오각형

[참고] ① 변의 길이가 모두 같아도 각의 크기가 다르면 정다
      각형이 아니다. **예** 마름모
    ② 각의 크기가 모두 같아도 변의 길이가 다르면 정다
      각형이 아니다. **예** 직사각형

(3) **다각형의 내각과 외각**: 다각형의 한 꼭짓점에서
  (내각의 크기)+(그와 이웃한 한 외각의 크기)=180°

● 다각형과 정다각형   ● 다각형의 내각과 외각

예제 **01**

다음 중 옳지 <u>않은</u> 것을 모두 고르면? (정답 2개)
① 2개의 선분으로 이루어진 다각형도 있다.
② 변의 개수가 가장 적은 다각형은 삼각형이다.
③ 모든 변의 길이가 같으면 정다각형이다.
④ 정다각형은 모든 변의 길이가 같다.
⑤ 다각형에서 변의 개수와 꼭짓점의 개수는 같다.

풀이 전략
모든 변의 길이가 같다고 해서 정다각형인 것은 아니지만 정
다각형은 모든 변의 길이가 같다.

풀이
① 다각형은 최소 3개 이상의 선분으로 이루어져 있다.
③ 모든 변의 길이와 모든 각의 크기가 같으면 정다각형이다.
따라서 옳지 않은 것은 ①, ③이다.

● 다각형과 정다각형

확인문제

01 다음 중 옳은 것에는 ○표, 옳지 <u>않은</u> 것에는 ×표를
  하시오.
  (1) 세 내각의 크기가 같은 삼각형은 정삼각형이다.
                                    (   )
  (2) 네 내각의 크기가 같은 사각형은 정사각형이다.
                                    (   )
  (3) 네 변의 길이가 같은 사각형은 정사각형이다.
                                    (   )
  (4) 정사각형은 모든 내각의 크기가 같다.   (   )
  (5) 다각형의 한 꼭짓점에서의 내각과 한 외각의 크
    기의 합은 360°이다.   (   )

유형연습 **01**

다음 중 정다각형에 대한 설명으로 옳은 것은?
① 정다각형은 모든 내각의 크기가 같다.
② 정다각형의 종류는 5가지뿐이다.
③ 정다각형은 한 내각의 크기와 한 외각의 크기가 같다.
④ 변의 길이가 모두 같으면 정다각형이다.
⑤ 네 변의 길이가 같은 사각형은 정사각형이다.

개념 02

(1) **대각선:** 다각형에서 이웃하지 않는 두 꼭짓점을 연결한 선분

(2) **n각형의 한 꼭짓점에서 그을 수 있는 대각선의 개수**는 $n-3$

(3) **n각형의 대각선의 개수**는 $\dfrac{n(n-3)}{2}$

> **예** 오각형의 대각선의 개수는
> $$\frac{5\times(5-3)}{2}=5$$

● 다각형의 대각선의 총 개수

예제 02

오른쪽 그림과 같은 원탁에 6명이 앉아 있다. 양쪽 옆에 앉아 있는 사람을 제외한 모든 사람과 한 번씩 악수한다고 할 때, 악수는 모두 몇 번 하게 되는지 구하시오.

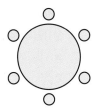

풀이 전략

양쪽 옆에 앉아 있는 사람을 제외한 모든 사람과 한 번씩 악수를 하는 횟수는 사람 수가 꼭짓점의 개수와 같은 다각형에서 그 대각선의 개수와 같다.

풀이

원탁에 앉아 있는 6명이 양쪽 옆에 앉아 있는 사람을 제외한 모든 사람과 한 번씩 악수를 하는 상황은 육각형에서 대각선을 그리는 것과 같은 상황이다. 즉, 악수를 모두 몇 번 하게 되는지 구하기 위해서는 육각형의 대각선의 개수를 구하면 된다.
따라서 육각형의 대각선의 개수는
$$\frac{6\times(6-3)}{2}=9$$

● 악수하는 문제

6 평면도형

확인문제

02 다음 다각형의 한 꼭짓점에서 그을 수 있는 대각선의 개수를 구하시오.
  (1) 사각형
  (2) 구각형
  (3) 십이각형

03 다음 다각형의 대각선의 개수를 구하시오.
  (1) 사각형
  (2) 구각형
  (3) 십이각형

유형연습 02

한 꼭짓점에서 그을 수 있는 대각선의 개수가 오각형의 대각선의 개수와 같은 다각형을 구하시오.

유형 **03** 삼각형의 성질

개념 **03**

(1) **삼각형의 세 내각의 크기의 합**

  ① 삼각형의 세 내각의 크기의 합은 180°이다.

  ② △ABC에서 ∠A+∠B+∠C=180°

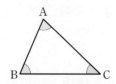

(2) **삼각형의 내각과 외각 사이의 관계**

  ① 삼각형의 한 외각의 크기는 그와 이웃하지 않는
    두 내각의 크기의 합과 같다.

  ② 다음 그림과 같은 △ABC에서

    ∠ACD=∠CAB+∠ABC

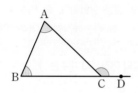

◉삼각형의 내각과 외각

예제 **03**

오른쪽 그림의 △ABC에서 점
D는 ∠B의 이등분선과
∠C의 외각의 이등분선의 교
점이다. ∠A=40°일 때,
∠x의 크기를 구하시오.

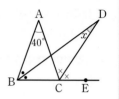

풀이 전략

삼각형의 한 외각의 크기는 그와 이웃하지 않는 두 내각의 크
기의 합과 같다.

풀이

△ABC에서

40°+2・=2×, 20°+・=×

×−・=20°

△DBC에서 ∠DCE=∠DBC+∠x이므로

×=・+∠x

∴ ∠x=×−・=20°

◉삼각형의 외각의 성질 활용(한 내각과 한 외각의 이등
분선)

확인문제

04 다음 그림에서 ∠x의 크기를 구하시오.

(1)
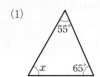

(2)

(3)
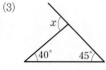

(4)

유형연습 **03**

다음 그림에서 ∠BAC=∠CAD일 때, ∠y−∠x의 크
기를 구하시오.

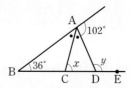

개념 04

(1) 오른쪽 그림과 같은
△ABC에서 $\overline{AB}=\overline{AC}$이면
∠C=∠B=∠a
➡ ∠A의 외각의 크기는
2∠a이다.

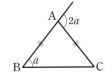

(2) 오른쪽 그림에서
$\overline{AB}=\overline{AC}=\overline{CD}$이면
∠x=∠DBC+∠BDC
=∠a+2∠a=3∠a

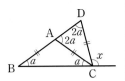

⊙ 삼각형의 외각의 성질 활용(이등변삼각형)

예제 04

다음 그림에서 $\overline{AB}=\overline{AC}=\overline{CD}=\overline{DE}$이고
∠B=21°일 때, ∠EDF의 크기를 구하시오.

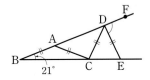

풀이 전략

이등변삼각형의 꼭지각의 외각의 크기는 두 밑각의 크기의 합과 같다.

풀이

△ABC는 이등변삼각형이므로
∠ACB=∠ABC=21°
∠CAD=21°+21°=42°
마찬가지로 △CAD는 이등변삼각형이므로
∠CDA=∠CAD=42°
∠DCE=21°+42°=63°
마찬가지로 △DCE는 이등변삼각형이므로
∠DEC=∠DCE=63°
△DBE에서
∠EDF=21°+63°=84°

⊙ 삼각형의 외각의 성질 활용(이등변삼각형)

확인문제

05 오른쪽 그림에서
$\overline{AB}=\overline{AC}=\overline{CD}$이고
∠B=35°일 때, 다음의
각의 크기를 구하시오.

(1) ∠ACB
(2) ∠CAD
(3) ∠CDA
(4) ∠DCE

유형연습 04

다음 그림에서 $\overline{AC}=\overline{BC}=\overline{BD}$이고,
∠DBE=114°일 때, ∠x의 크기를 구하시오.

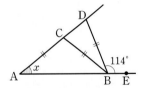

6
평면도형

유형 **05** 다각형의 내각과 외각

개념 **05**

(1) n각형의 내각의 크기의 합

다각형	사각형	오각형	육각형	n각형
삼각형의 개수	2	3	4	$n-2$
내각의 크기의 합	$360°$	$540°$	$720°$	$180° \times (n-2)$

(2) 다각형의 한 꼭짓점에서 내각과 한 외각의 크기의 합은 $180°$이다.

(3) 다각형의 외각의 크기의 합은 항상 $360°$이다.

● **다각형의 내각의 크기의 합**

● **다각형의 외각의 크기의 합**

예제 **05**

다음 그림에서 $\angle x$의 크기를 구하시오.

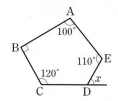

풀이 전략

다각형의 한 꼭짓점에서 내각과 한 외각의 크기의 합은 $180°$이다.

풀이

오각형 ABCDE의 내각의 크기의 합은
$180° \times (5-2) = 540°$이므로
$\angle EDC = 540° - (100° + 90° + 120° + 110°)$
$= 540° - 420° = 120°$
따라서 $\angle x = 180° - 120° = 60°$

● **다각형의 내각의 크기 구하기**

확인문제

06 다음 다각형의 내각의 크기의 합을 구하시오.

(1) 오각형   (2) 팔각형

(3) 십각형

07 내각의 크기의 합이 다음과 같은 다각형을 구하시오.

(1) $720°$ (2) $1260°$

08 다음 다각형의 외각의 크기의 합을 구하시오.

(1) 사각형   (2) 칠각형

유형연습 **05**

다음 그림에서 $\angle x$의 크기를 구하시오.

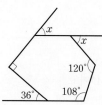

개념 06

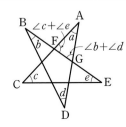

(1) 주어진 각을 내각 또는 외각으로 갖는 삼각형을 찾아 각의 크기를 구한다.

(2) △FCE에서 ∠AFG$=\angle c+\angle e$

△BDG에서 ∠AGF$=\angle b+\angle d$

△AFG에서

$\angle a+\angle b+\angle c+\angle d+\angle e=180°$

● 별 모양의 각 해결하기

확인문제

09 오른쪽 그림에서 다음 각의 크기를 $\angle a$, $\angle b$, $\angle c$, $\angle d$, $\angle e$를 이용하여 나타내시오.

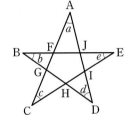

(1) ∠AFJ

(2) ∠BGF

(3) ∠CHG

(4) ∠DIH

(5) ∠EJI

예제 06

오른쪽 그림에서 $\angle a+\angle b+\angle c+\angle d+\angle e+\angle f+\angle g$의 크기를 내각의 크기의 합으로 하는 다각형의 대각선의 총 개수를 구하시오.

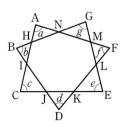

풀이 전략

삼각형의 한 외각의 크기는 그와 이웃하지 않는 두 내각의 크기의 합으로 다각형의 내각을 채워 다각형의 내각의 크기의 합을 구한다.

풀이

▢ACEM에서 $\angle a+\angle c+\angle e+\angle AME=360°$

$\angle AME=360°-(\angle a+\angle c+\angle e)$

▢NBDF에서 $\angle b+\angle d+\angle f+\angle BNF=360°$

$\angle BNF=360°-(\angle b+\angle d+\angle f)$

△GNM에서

$(180°-\angle AME)+(180°-\angle BNF)+\angle g=180°$

$(\angle a+\angle c+\angle e-180°)+(\angle b+\angle d+\angle f-180°)$

$+\angle g=180°$

$\angle a+\angle b+\angle c+\angle d+\angle e+\angle f+\angle g=540°$

내각의 크기의 합이 540°인 다각형의 변의 개수를 n이라 하면 $180°\times(n-2)=540°$, $n-2=3$ ∴ $n=5$

따라서 오각형의 대각선의 총 개수는

$\dfrac{5\times(5-3)}{2}=5$이다.

● 별 모양의 각 해결하기(서술형)

유형연습 06

다음 그림에서 $\angle x+\angle y+\angle z$의 크기를 구하시오.

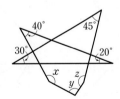

유형 **07** 복잡한 도형에서의 각의 크기

개념 **07**

(1) 오른쪽 그림과 같이 보조선을 그으면 맞꼭지각의 크기가 같으므로

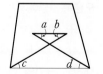

➡ $\angle a + \angle b = \angle c + \angle d$

(2) 복잡한 도형에서 각의 크기를 구할 때는 다음과 같은 성질을 이용한다.
  ① 삼각형의 내각의 크기의 합은 180°이다.
  ② 삼각형의 한 외각의 크기는 그와 이웃하지 않는 두 내각의 크기의 합과 같다.
  ③ n각형의 내각의 크기의 합은 $180° \times (n-2)$이다.

예제 **07**

다음 그림에서 $\angle CGD$의 크기를 구하시오.

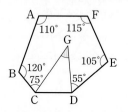

풀이 전략

육각형의 내각의 크기의 합은 720°이다.

풀이

육각형 ABCDEF의 내각의 크기의 합은
$180° \times (6-2) = 720°$이다.
$110° + 120° + (75° + \angle GCD) + (\angle GDC + 55°) + 105° + 115° = 720°$

$580° + \angle GCD + \angle GDC = 720°$
$\therefore \angle GCD + \angle GDC = 140°$
따라서 $\angle CGD = 180° - (\angle GCD + \angle GDC)$
$\qquad\qquad = 180° - 140° = 40°$

● 다각형의 내각의 크기의 합 이용하기

확인문제

10 다음 그림에서 $\angle x + \angle y$의 크기를 구하시오.

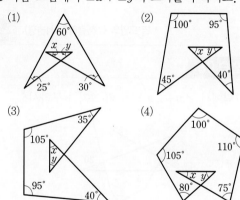

유형연습 07

오른쪽 그림은 여러 개의 선분을 교차하도록 그려서 만든 도형이다. 이 그림에서 $\angle a + \angle b$의 크기를 구하시오.

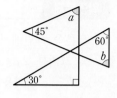

● 다각형의 내각과 외각의 크기의 합의 활용 문제

개념 08

(1) **정다각형의 한 내각의 크기**

① n각형의 내각의 크기의 합은

$180° \times (n-2)$

② 정n각형의 한 내각의 크기는

$\dfrac{180° \times (n-2)}{n}$

(2) **정다각형의 한 외각의 크기**

① 다각형의 외각의 크기의 합은 항상 360°

② 정n각형의 한 외각의 크기는 $\dfrac{360°}{n}$

● 정다각형의 한 내각의 크기

● 정다각형의 한 외각의 크기

예제 08

한 외각의 크기가 24°인 정다각형의 한 꼭짓점에서 그을 수 있는 대각선은 몇 개인지 구하시오.

풀이 전략

정n각형의 한 외각의 크기는 $\dfrac{360°}{n}$이다.

풀이

주어진 정다각형을 정n각형이라 하면

$\dfrac{360°}{n}=24°$에서 $n=15$

따라서 정십오각형의 한 꼭짓점에서 그을 수 있는 대각선은 $15-3=12$(개)이다.

● 정다각형의 한 외각의 크기

확인문제

11 다음 정다각형의 한 내각의 크기와 한 외각의 크기를 차례로 구하시오.

(1) 정오각형

(2) 정팔각형

12 한 내각의 크기가 다음과 같은 정다각형을 구하시오.

(1) 140°

(2) 150°

13 한 외각의 크기가 다음과 같은 정다각형을 구하시오.

(1) 30°

(2) 36°

유형연습 08

다음 그림과 같이 정오각형 ABCDE의 내부에 삼각형 MCD가 정삼각형이 되도록 점 M을 잡을 때, ∠MBE의 크기를 구하시오.

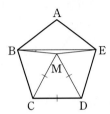

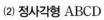

유형 **09** 정다각형의 내각과 외각의 크기의 활용

개념 **09**

(1) **정삼각형** ABC

① $\angle A = \angle B = \angle C = 60°$

② $\overline{AB} = \overline{BC} = \overline{CA}$

(2) **정사각형** ABCD

① $\angle A = \angle B = \angle C = \angle D = 90°$

② $\overline{AB} = \overline{BC} = \overline{CD} = \overline{DA}$

(3) 정n각형에서 각의 크기를 구할 때

한 내각의 크기는 $\dfrac{180° \times (n-2)}{n}$임을 이용한다.

예제 **09**

한 내각의 크기와 한 외각의 크기의 비가 $9:1$인 정다각형의 꼭짓점을 a개, 대각선을 b개라고 할 때, $a+b$의 값을 구하시오.

풀이 전략

정n각형의 한 외각의 크기는 $\dfrac{360°}{n}$이다.

풀이

주어진 정다각형의 한 외각의 크기는

$$180° \times \frac{1}{9+1} = 18°$$

정다각형의 변의 개수가 n이면

$$\frac{360°}{n} = 18°\text{에서 } n=20$$

즉, 정이십각형이므로 $a=20$

$$b = \frac{20 \times (20-3)}{2} = 170$$

따라서 $a+b = 20+170 = 190$

● 정다각형에서 내각과 외각의 크기의 비가 주어진 경우

확인문제

14 다음은 한 변의 길이가 같은 두 정다각형을 각각 붙여놓은 것이다. 주어진 각의 크기를 구하시오.

(1)

① $\angle a = ($ $)$

② $\angle b = ($ $)$

③ $\angle x = ($ $)$

(2)

① $\angle a = ($ $)$

② $\angle b = ($ $)$

③ $\angle x = ($ $)$

유형연습 **09**

오른쪽 그림과 같은 정오각형에서 $\angle x$의 크기는?

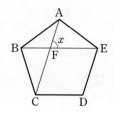

① $60°$ ② $64°$

③ $68°$ ④ $72°$

⑤ $76°$

● 정다각형에서 내각과 외각의 크기의 활용(대각선 활용)

개념 **10**

(1) **원과 부채꼴**

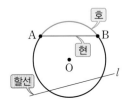

(2) **부채꼴의 성질(1):** 한 원에서 두 부채꼴의 중심각의 크기가 같으면 호의 길이, 부채꼴의 넓이, 현의 길이가 각각 같다.

(3) **부채꼴의 성질(2):** 한 원에서 부채꼴의 중심각의 크기와 호의 길이, 부채꼴의 넓이는 정비례한다. 하지만 현의 길이는 중심각의 크기에 정비례하지 않는다.

◉ 원(호, 현, 활꼴, 부채꼴, 중심각)

◉ 부채꼴의 성질

확인문제

15 다음 중 옳은 것에는 ○표, 옳지 <u>않은</u> 것에는 ×표를 하시오.

　(1) 호와 현으로 이루어진 도형을 부채꼴이라 한다.
　　　　　　　　　　　　　　　　　　　　　（　　）

　(2) 한 원에서 호의 길이와 부채꼴의 넓이는 중심각의 크기에 정비례한다.　　　　　　　　（　　）

　(3) 한 원에서 가장 긴 현은 반지름이다.　（　　）

　(4) 부채꼴이면서 동시에 활꼴인 도형은 반원이다.
　　　　　　　　　　　　　　　　　　　　　（　　）

　(5) 한 원에서 중심각의 크기가 같으면 현의 길이도 항상 같다.　　　　　　　　　　　　　（　　）

예제 **10**

오른쪽 그림의 원 O에서 $\angle AOB = \angle COD = \angle DOE$이다. 다음 중 옳지 <u>않은</u> 것을 모두 고르면? (정답 2개)

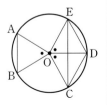

① $\overset{\frown}{AB} = \dfrac{1}{2}\overset{\frown}{CE}$　② $\overline{AB} = \overline{CD}$

③ $\overline{CE} = 2\overline{AB}$

④ (부채꼴 COE의 넓이)$= 2 \times$ (부채꼴 AOB의 넓이)

⑤ (△COE의 넓이)$= 2 \times$ (△AOB의 넓이)

풀이 전략

한 원에서 부채꼴의 중심각의 크기와 호의 길이, 부채꼴의 넓이는 정비례하지만 현의 길이는 정비례하지 않는다.

풀이

③ 부채꼴의 중심각의 크기와 현의 길이는 정비례하지 않으므로 $\overline{CE} \neq 2\overline{AB}$

⑤ $2 \times$ (△AOB의 넓이)$=$ (사각형 EOCD의 넓이)
　　　　　　　　　　　$\neq$ (△COE의 넓이)

따라서 옳지 않은 것은 ③, ⑤이다.

◉ 부채꼴의 성질 ○×문제

유형연습 10

오른쪽 그림의 원 O에 대한 설명 중 옳지 <u>않은</u> 것은?

① $\overline{AE}$는 현이다.

② 원 O에서 가장 긴 현은 $\overline{BD}$이다.

③ $\overset{\frown}{BC}$의 중심각은 $\angle BOC$이다.

④ $\overset{\frown}{AE}$와 $\overline{AE}$로 둘러싸인 도형은 부채꼴이다.

⑤ $\overset{\frown}{CD}$와 두 반지름 OC, OD로 둘러싸인 도형은 부채꼴이다.

유형 ⑪ 부채꼴의 성질의 활용

개념 **11**

한 원에서 호의 길이는 중심각의 크기에 정비례하므로

$\overset{\frown}{AB}:\overset{\frown}{BC}:\overset{\frown}{CA}=a:b:c$이면

$\angle AOB:\angle BOC:\angle COA=a:b:c$

(1) $\angle AOB=360^\circ\times\dfrac{a}{a+b+c}$

(2) $\angle BOC=360^\circ\times\dfrac{b}{a+b+c}$

(3) $\angle COA=360^\circ\times\dfrac{c}{a+b+c}$

예제 **11**

오른쪽 그림의 원 O에서
$\overset{\frown}{AB}:\overset{\frown}{BC}:\overset{\frown}{CA}=2:3:4$일 때,
$\angle AOC$의 크기는?

① 152° ② 154°
③ 156° ④ 158°
⑤ 160°

풀이 전략

한 원에서 호의 길이는 중심각의 크기에 정비례한다.

풀이

한 원에서 중심각의 크기와 호의 길이는 정비례하므로

$\angle AOC=360^\circ\times\dfrac{4}{2+3+4}$

$=360^\circ\times\dfrac{4}{9}=160^\circ$

따라서 $\angle AOC$의 크기는 ⑤이다.

● 호의 길이의 비가 주어졌을 때 중심각의 크기 구하기

확인문제

16 다음 중 한 원에 대한 설명으로 옳은 것에는 ○표, 옳지 않은 것에는 ×표를 하시오.

(1) 같은 크기의 중심각에 대한 호의 길이는 같다.

( )

(2) 호의 길이는 중심각의 크기에 정비례한다.

( )

(3) 현의 길이는 중심각의 크기에 정비례한다.

( )

(4) 넓이가 같은 부채꼴의 중심각의 크기는 같다.

( )

(5) 호의 길이가 같은 부채꼴의 중심각의 크기는 같다.

( )

유형연습 11

오른쪽 그림의 원 O에서 $\overline{AB}$는 지름이고, $\overline{AC}/\!/\overline{OD}$이다.
$\angle BOD=40^\circ$, $\overset{\frown}{AC}=30$ cm일 때, $\overset{\frown}{BD}$의 길이를 구하시오.

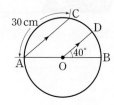

● 호의 길이 구하기(부채꼴이 주어지지 않은 경우)

개념 12

(1) (원주율) $=\dfrac{(\text{원의 둘레의 길이})}{(\text{원의 지름의 길이})}=\pi$

(2) 반지름의 길이가 r인 원의 둘레의 길이를 l, 넓이를 S라 하면

① $l=2\pi r$

② $S=\pi r^2$

● 원의 둘레의 길이와 넓이

예제 12

오른쪽 그림과 같이 지름의 길이가 10 cm인 원에서 색칠한 부분의 둘레의 길이와 넓이를 구하시오.

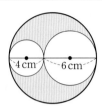

풀이 전략

반지름의 길이가 r인 원의 둘레의 길이는 $2\pi r$, 원의 넓이는 πr^2이다.

풀이

(1) (색칠한 부분의 둘레의 길이)

$=2\pi\times5+2\pi\times2+2\pi\times3$

$=10\pi+4\pi+6\pi=20\pi$ (cm)

(2) (색칠한 부분의 넓이)

$=\pi\times5^2-\pi\times2^2-\pi\times3^2$

$=25\pi-4\pi-9\pi=12\pi$ (cm^2)

● 원의 둘레의 길이와 넓이 응용하기

확인문제

17 다음 그림의 원 O의 둘레의 길이와 넓이를 구하시오.

(1) ① (원의 둘레의 길이) = (   )

② (원의 넓이) = (   )

(2) ① (원의 둘레의 길이) = (   )

② (원의 넓이) = (   )

유형연습 12

오른쪽 그림에서 작은 네 개의 원들은 서로 합동이고, 네 원의 중심은 모두 큰 원의 지름 위에 있다. 이때 큰 원의 넓이는 작은 네 개의 원들의 넓이의 합의 몇 배인지 구하시오.

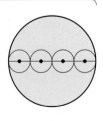

6 평면도형

6 평면도형

유형 13 부채꼴의 호의 길이와 넓이

개념 13

반지름의 길이가 r, 중심각의 크기가 $x°$인 부채꼴의 호의 길이를 l, 넓이를 S라고 하면

(1) $l = 2\pi r \times \dfrac{x}{360}$

(2) $S = \pi r^2 \times \dfrac{x}{360}$

(3) $S = \dfrac{1}{2}rl$

 ● 부채꼴의 호의 길이

 ● 부채꼴의 넓이

 ● 부채꼴의 넓이와 호의 길이 사이의 관계

예제 13

오른쪽 그림과 같은 부채꼴의 넓이를 구하시오.

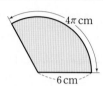

풀이 전략

부채꼴의 중심각의 크기가 주어지지 않아도 반지름의 길이와 호의 길이를 알면 부채꼴의 넓이를 구할 수 있다.

풀이

$$(\text{부채꼴의 넓이}) = \dfrac{1}{2} \times 6 \times 4\pi$$
$$= 12\pi \ (\text{cm}^2)$$

 ● 부채꼴의 넓이와 호의 길이 사이의 관계

확인문제

18 다음 그림과 같은 부채꼴의 호의 길이와 넓이를 구하시오.

(1)

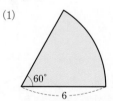

① (호의 길이) = (   )

② (넓이) = (   )

(2)

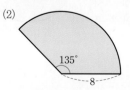

① (호의 길이) = (   )

② (넓이) = (   )

유형연습 13

다음 그림과 같이 반지름의 길이가 각각 6 cm, 9 cm인 두 원 O와 O′에서 색칠한 두 부채꼴의 넓이가 같을 때, $\angle x$의 크기를 구하시오.

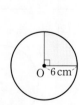 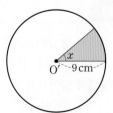

개념 14

그림에서 색칠한 부분의 둘레의 길이는

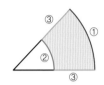

➡ ①+②+③×2

예제 14

오른쪽 그림에서 색칠한 부분의 둘레의 길이를 구하시오.

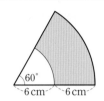

풀이 전략

색칠한 부분의 둘레의 길이는 각 부분의 길이를 나누어 구한다.

풀이

오른쪽 그림에서 각 부분의 길이를 구하면

①: $2\pi \times 6 \times \dfrac{60}{360} = 2\pi$ (cm)

②: $2\pi \times 12 \times \dfrac{60}{360} = 4\pi$ (cm)

③: $6+6=12$ (cm)

따라서 색칠한 부분의 둘레의 길이는

$2\pi + 4\pi + 12 = 6\pi + 12$ (cm)

● 색칠한 부분의 둘레의 길이

확인문제

19 다음 그림에서 색칠한 부분의 둘레의 길이를 구하시오.

(1)

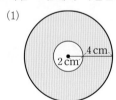

(2)

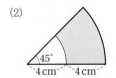

(3)

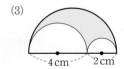

유형연습 14

다음 그림은 $\overline{AB}$를 지름으로 하는 반원 O를 점 A를 중심으로 30°만큼 회전시킨 것이다. 반원 O의 지름의 길이가 6 cm일 때, 색칠한 부분의 둘레의 길이를 구하시오.

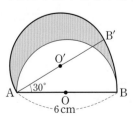

● 색칠한 부분의 둘레의 길이2

6 평면도형

유형 **15** 색칠한 부분의 넓이

개념 **15**

(1) **색칠한 부분의 넓이**(1)

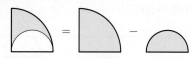

➡ 전체의 넓이에서 색칠하지 않은 부분의 넓이
를 뺀다.

(2) **색칠한 부분의 넓이**(2)

➡ 넓이를 구할 수 있는 도형으로 나누어 넓이를
구한다.

(3) **색칠한 부분의 넓이**(3)

➡ 도형의 일부분을 이동한다.

예제 **15**

오른쪽 그림에서 색칠한 부분
의 넓이를 구하시오.

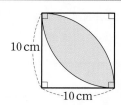

풀이 전략

사분원의 넓이에서 직각이등변삼각형의 넓이를 뺀 부분의 넓
이를 먼저 구한다.

풀이

색칠한 부분의 넓이는 빗금친 부
분의 넓이의 2배이고 빗금친 부
분의 넓이는 반지름의 길이가
10 cm인 사분원의 넓이에서 한
변의 길이가 10 cm인 직각이등
변삼각형의 넓이를 뺀 것이다. 즉,

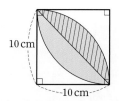

$$\left\{\left(\pi \times 10^2 \times \frac{1}{4}\right) - \left(\frac{1}{2} \times 10 \times 10\right)\right\} \times 2$$
$$= (25\pi - 50) \times 2 = 50\pi - 100 \ (\text{cm}^2)$$

●색칠한 부분의 넓이

확인문제

20 다음 그림에서 색칠한 부분의 넓이를 구하시오.

(1) 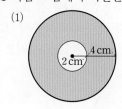 (2)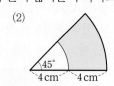

(3)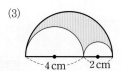

유형연습 **15**

오른쪽 그림에서 한 직선 위의
점 A, B, C에 대하여
$\overline{AB}$, $\overline{AC}$, $\overline{BC}$는 각각
원 O, O′, O″의 지름이다.
$\overline{AC}:\overline{BC}=3:2$이고
$\overline{AB}=20$ cm일 때, 다음 물음에 답하시오.

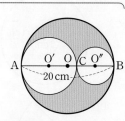

(1) 원 O, O′, O″의 반지름의 길이를 각각 구하시오.
(2) 색칠한 부분의 둘레의 길이를 구하시오.
(3) 색칠한 부분의 넓이를 구하시오.

●색칠한 부분의 둘레와 넓이 구하기(서술형)

개념 16

끈의 매듭의 길이는 무시하고 세 원을 묶은 끈의 길이는

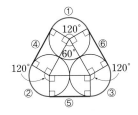

①+②+③+④+⑤+⑥이고
①+②+③은 원의 둘레의 길이와 같다.
또 ④=⑤=⑥이므로
(세 원을 묶은 끈의 길이)
=(원의 둘레의 길이)+④×3

예제 16

다음 그림과 같이 밑면의 반지름의 길이가 5 cm인 원기둥 4개를 묶으려고 한다. 이때 필요한 끈의 최소 길이를 구하시오. (단, 매듭의 길이는 생각하지 않는다.)

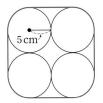

풀이 전략

끈의 길이는 직선 구간의 길이와 곡선 구간의 길이로 나누어서 구한다.

풀이

끈의 길이는 직선 구간과 곡선 구간으로 나누어서 생각한다.
① 직선 구간의 길이: $10 \times 4 = 40$ (cm)
② 곡선 구간의 길이: $2\pi \times 5 = 10\pi$ (cm)
따라서 필요한 끈의 최소 길이는
$(10\pi + 40)$ cm

● 묶은 끈의 길이

확인문제

21 오른쪽 그림과 같이 밑면의 반지름의 길이가 3 cm인 원기둥 3개를 끈으로 묶으려고 한다. 다음 물음에 답하시오. (단, 매듭의 길이는 생각하지 않는다.)

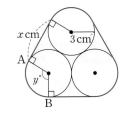

(1) x의 값을 구하시오.
(2) y의 값을 구하시오.
(3) 호 AB의 길이를 구하시오.
(4) 끈의 최소 길이를 구하시오.

유형연습 16

다음 그림과 같이 $\overline{AB}=3$ cm, $\overline{BC}=4$ cm인 직사각형 ABCD의 꼭짓점 D에 길이가 6 cm인 끈이 묶여 있다. 이때 점 P가 움직일 수 있는 영역의 넓이를 구하시오.

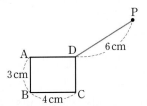

● 끈에 묶인 점이 이동하며 만든 면적의 넓이(서술형)

6
평면도형

개념 **17**

(1) **원이 지나간 자리의 넓이**

① 원이 지나간 자리를 그려 본다.

② 부채꼴 부분과 직사각형 부분으로 나누어 계산한다.

(2) 그림과 같이 원이 삼각형의 둘레를 따라 지나간 자리의 넓이는

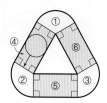

①+②+③+④+⑤+⑥

=(원의 넓이)+④+⑤+⑥

=(원의 넓이)

  +(원의 지름)×(삼각형의 둘레의 길이)

확인문제

22 오른쪽 그림은 반지름의 길이가 1 cm인 원이 한 변의 길이가 5 cm인 정삼각형의 변을 따라 한 바퀴 돌았을 때, 지나간 자리를 나타낸 것이다. 다음을 구하시오.

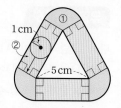

(1) 부채꼴 ①의 반지름의 길이

(2) 부채꼴 ①의 중심각의 크기

(3) 부채꼴 ①의 넓이

(4) 직사각형 ②의 서로 다른 두 변의 길이

(5) 직사각형 ②의 넓이

(6) 원이 지나간 자리의 넓이

예제 **17**

오른쪽 그림과 같이 반지름의 길이가 2 cm인 원이 가로, 세로의 길이가 각각 20 cm, 8 cm인

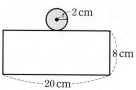

직사각형의 변을 따라 한 바퀴 돌 때, 원이 지나간 자리의 넓이를 구하시오.

풀이 전략

원이 지나간 자리의 넓이는 직사각형 부분의 넓이와 부채꼴 부분의 넓이로 나누어서 구한다.

풀이

원이 지나간 자리는 그림과 같이 직사각형 부분과 부채꼴 부분의 모양이 생긴다.

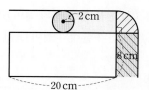

(직사각형 부분의 넓이)

$=(4×8)×2+(20×4)×2=64+160=224$ (cm^2)

(부채꼴 부분의 넓이)$=\pi×4^2=16\pi$ (cm^2)

따라서 원이 지나간 자리의 넓이는 $(224+16\pi)$ cm^2

● 원이 지나간 자리의 넓이

유형연습 **17**

오른쪽 그림과 같이 반지름의 길이가 2 cm인 원이 한 변의 길이가 8 cm인 정오각형의 둘레를 따라 한 바퀴 돌 때, 원이 지나간 자리의 넓이를 구하시오.

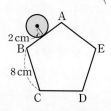

● 원이 지나간 자리의 넓이 구하기(서술형)

개념 18

(1) 도형이 회전할 때, 꼭짓점이 움직인 거리는 부채꼴의 호의 길이이다.

(2) 그림과 같이 한 변의 길이가 x인 정삼각형 ABC를 점 A가 점 A′에 오도록 회전시켰을 때, 점 A가 움직인 거리는

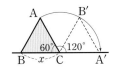

➡ $\widehat{AA'} = 2\pi x \times \dfrac{120}{360} = \dfrac{2}{3}\pi x$

예제 18

오른쪽 그림과 같이 가로, 세로의 길이가 각각 4 cm, 3 cm이

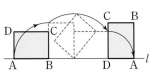

고, 대각선의 길이가 5 cm인 직사각형을 직선 l 위에서 변을 맞대어 돌렸을 때, 꼭짓점 A가 움직인 거리를 구하시오.

풀이 전략

꼭짓점 A가 움직인 거리는 부채꼴의 호의 길이의 합으로 구한다.

풀이

꼭짓점 A가 움직인 모양은 그림의 ①~③과 같이 부채꼴의 호이다.

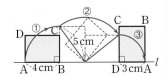

①의 길이: $2\pi \times 4 \times \dfrac{90}{360} = 2\pi$ (cm)

②의 길이: $2\pi \times 5 \times \dfrac{90}{360} = \dfrac{5}{2}\pi$ (cm)

③의 길이: $2\pi \times 3 \times \dfrac{90}{360} = \dfrac{3}{2}\pi$ (cm)

따라서 꼭짓점 A가 움직인 거리는 $2\pi + \dfrac{5}{2}\pi + \dfrac{3}{2}\pi = 6\pi$ (cm)

● 도형이 회전하며 점이 움직인 거리

확인문제

23 다음 그림은 직각삼각형 모양의 삼각자 ABC를 점 B를 중심으로 점 C가 변 AB의 연장선 위의 점 D에 오도록 회전한 것이다. 변 AB의 길이가 6 cm, ∠CAB의 크기가 30°일 때, 다음 물음에 답하시오.

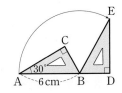

(1) ∠CBA의 크기를 구하시오.

(2) ∠EBD의 크기를 구하시오.

(3) ∠ABE의 크기를 구하시오.

(4) 점 A가 움직인 거리를 구하시오.

유형연습 18

오른쪽 그림과 같이 가로, 세로, 대각선의 길이가 각각 12 cm, 5 cm,

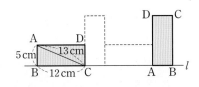

13 cm인 직사각형 ABCD를 직선 l 위에서 회전시켰다. 이때 점 B가 움직인 거리를 구하시오.

7 입체도형

유형 01 다면체

개념 01

(1) **다면체**: 다각형인 면으로만 둘러싸인 입체도형

사면체　　　오면체　　　육면체

(2) **각기둥, 각뿔, 각뿔대**

　　　n각기둥　　　　　n각뿔　　　　　n각뿔대

●다면체의 종류

확인문제

01 다음 중 다면체인 것에는 ○표, 다면체가 <u>아닌</u> 것에는 ×표를 하시오.

(1) 사각기둥 (　　) 　(2) 육각형 (　　)

(3) 직육면체 (　　) 　(4) 원뿔 (　　)

(5) 구 (　　) 　(6) 삼각뿔대 (　　)

(7) 원뿔대 (　　) 　(8) 사각뿔 (　　)

예제 01

다음 조건을 모두 만족시키는 다면체의 꼭짓점을 a개, 모서리를 b개, 면을 c개라고 할 때, $a+b+c$의 값을 구하시오.

> (가) 밑면이 2개이고 서로 평행하다.
> (나) 밑면의 모양은 칠각형이다.
> (다) 옆면의 모양은 직사각형이다.

풀이 전략

다면체의 종류는 밑면의 모양과 옆면의 모양에 따라 구분할 수 있다.

풀이

(가)의 조건을 만족시키는 다면체는 각기둥 또는 각뿔대이다.
(다)의 조건을 만족시키는 다면체는 각기둥이다.
따라서 각기둥 중에서 (나)의 조건인 밑면의 모양이 칠각형인 다면체는 칠각기둥이다. 즉, $a=14$, $b=21$, $c=9$
$\therefore a+b+c=14+21+9=44$

●조건을 이용하여 다면체 종류 찾기

유형연습 01

다음 **보기**의 입체도형에 대한 설명으로 옳지 <u>않은</u> 것은?

— |보기| —
ㄱ. 십각기둥　　　ㄴ. 사각뿔　　　ㄷ. 사면체
ㄹ. 오각뿔대　　　ㅁ. 직육면체

① 면의 개수가 12인 다면체는 ㄱ이다.
② 모든 면이 삼각형 모양인 다면체는 ㄷ이다.
③ 모든 면이 사각형 모양인 다면체는 ㄴ, ㅁ이다.
④ 각 꼭짓점에 모인 면이 3개인 다면체는 ㄱ, ㄷ, ㄹ, ㅁ이다.
⑤ 옆면이 직사각형이 아닌 사다리꼴 모양으로 이루어진 다면체는 ㄹ이다.

개념 02

(1) 정다면체
① 각 면이 모두 합동인 정다각형이다.
② 각 꼭짓점에 모인 면의 개수가 같다.

(2) 정다면체의 종류

정사면체	정육면체	정팔면체	정십이면체	정이십면체

(3) 각 정다면체의 특징

정다면체	정사면체	정육면체	정팔면체	정십이면체	정이십면체
겨냥도					
면의 모양	정삼각형	정사각형	정삼각형	정오각형	정삼각형
한 꼭짓점에 모인 면의 개수	3	3	4	3	5

● 정다면체

예제 02

다음 조건을 모두 만족시키는 정다면체를 구하시오.

> (가) 각 면은 정삼각형이다.
> (나) 한 꼭짓점에 모인 면이 3개이다.

풀이 전략
정다면체의 종류는 5가지뿐이고 면의 모양과 한 꼭짓점에 모인 면의 개수로 구별할 수 있다.

풀이
(가)의 조건을 만족시키는 정다면체는 정사면체, 정팔면체, 정이십면체이고 이 중에서 한 꼭짓점에 모인 면이 3개인 정다면체는 정사면체이다.
따라서 구하는 정다면체는 정사면체이다.

● 조건에 맞는 정다면체 찾기

확인문제

02 정다면체에 대한 다음 설명 중 옳은 것에는 ○표, 옳지 않은 것에는 ×표를 하시오.
(1) 면의 모양은 세 가지뿐이다. ( )
(2) 정팔면체의 면의 개수는 8이다. ( )
(3) 정육면체의 한 면의 모양은 정사각형이다. ( )
(4) 한 꼭짓점에 모인 면의 개수가 6인 정다면체가 있다. ( )
(5) 각 면이 정삼각형 모양인 정다면체는 정사면체, 정팔면체, 정십이면체이다. ( )

유형연습 02

다음 중 정다면체에 대한 설명으로 옳은 것을 모두 고르면? (정답 2개)
① 정다면체의 각 면은 모두 합동이다.
② 정사면체의 각 면은 정사각형이다.
③ 정십이면체의 각 면은 정오각형이다.
④ 한 꼭짓점에 모인 면의 개수가 5이면 정십이면체이다.
⑤ 면의 모양이 정팔각형인 정다면체가 있다.

7 입체도형

개념 **03**

(1) **다면체의 면, 모서리, 꼭짓점의 개수**

	n각기둥	n각뿔	n각뿔대
면의 개수	$n+2$	$n+1$	$n+2$
모서리의 개수	$3n$	$2n$	$3n$
꼭짓점의 개수	$2n$	$n+1$	$2n$

(2) **정다면체의 면, 꼭짓점, 모서리의 개수**

정다면체	정사면체	정육면체	정팔면체	정십이면체	정이십면체
겨냥도					
면의 개수	4	6	8	12	20
꼭짓점의 개수	4	8	6	20	12
모서리의 개수	6	12	12	30	30

● 정다면체의 면, 꼭짓점, 모서리의 개수

예제 **03**

정십이면체의 한 꼭짓점에 모인 면을 a개, 정십이면체의 면을 b개, 꼭짓점을 c개라고 할 때, $a+b+c$의 값을 구하시오.

풀이 전략

정다면체의 겨냥도를 그려본다.

풀이

정십이면체에서
$a=3$, $b=12$, $c=20$
따라서
$a+b+c=3+12+20=35$

● 정다면체의 면, 꼭짓점, 모서리의 개수

확인문제

03 다음 다면체의 면의 개수를 구하시오.
  (1) 직육면체 (   )   (2) 육각기둥 (   )
  (3) 오각뿔 (   )   (4) 육각뿔대 (   )

04 다음 다면체의 모서리의 개수를 구하시오.
  (1) 직육면체 (   )   (2) 육각기둥 (   )
  (3) 오각뿔 (   )   (4) 육각뿔대 (   )

05 다음 다면체의 꼭짓점의 개수를 구하시오.
  (1) 직육면체 (   )   (2) 육각기둥 (   )
  (3) 오각뿔 (   )   (4) 육각뿔대 (   )

유형연습 03

다면체 중에서 면의 개수가 가장 적은 다면체는 x면체이고, 그 다면체의 한 면의 모양은 y각형, 꼭짓점은 z개라고 할 때, $x+y+z$의 값을 구하시오.

개념 **04**

(1) 정다면체의 겨냥도와 전개도

정다면체	정사면체	정육면체	정팔면체	정십이면체	정이십면체
겨냥도					
전개도					

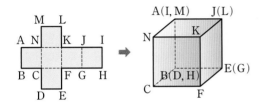

(2) 정육면체의 전개도와 겨냥도의 꼭짓점

● 정다면체의 전개도(겹치는 꼭짓점)

확인문제

06 다음 그림과 같은 전개도로 만들어지는 정다면체에 대한 설명 중 옳은 것에는 ○표, 옳지 <u>않은</u> 것에는 ×표를 하시오.

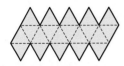

(1) 면의 개수는 20이다.　　　　　　　　(　　)
(2) 면의 모양은 정삼각형이다.　　　　　(　　)
(3) 꼭짓점의 개수는 22이다.　　　　　　(　　)
(4) 모서리의 개수는 41이다.　　　　　　(　　)
(5) 한 꼭짓점에 모이는 면의 개수는 5이다. (　　)

예제 **04**

다음 그림과 같은 정다면체의 전개도에서 서로 평행한 두 면에 적힌 수의 합이 모두 같다고 할 때, A, B, C의 값을 각각 구하시오.

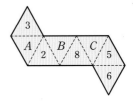

풀이 전략

주어진 정다면체의 전개도를 이용하여 겨냥도를 그려본다.

풀이

주어진 정다면체의 전개도로 정다면체를 만들면 A가 적힌 면과 8이 적힌 면이 평행하고, B가 적힌 면과 5가 적힌 면이 평행하고 C가 적힌 면과 2가 적힌 면이 평행하다.
또 3이 적힌 면과 6이 적힌 면이 평행하므로 두 면에 적힌 수의 합은 $3+6=9$
따라서 $A+8=9$, $B+5=9$, $C+2=9$이므로
$A=1$, $B=4$, $C=7$

● 정다면체의 전개도 이해(서술형)

유형연습 **04**

다음 그림과 같은 전개도로 만들어지는 정다면체에서 $\overline{BE}$와 꼬인 위치에 있는 모서리를 구하시오.

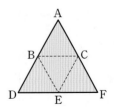

유형 05 정다면체를 이용하여 만든 입체도형

개념 05

(1) **정육면체의 각 면의 한가운데 점을 연결하여 만든 입체도형**

(2) 정다면체의 각 면의 한가운데 점을 연결하여 만든 입체도형은 각 면이 모두 합동이고 각 꼭짓점에 모인 면의 개수가 같은 정다면체이다.

(3) 정다면체의 각 면의 한가운데 점을 연결하여 만든 입체도형에서 바깥쪽 정다면체의 면의 개수와 안쪽 정다면체의 꼭짓점의 개수는 같다.

● 정다면체의 각 면의 한가운데 점을 연결하여 만든 입체도형

예제 05

다음 그림은 정육면체의 각 면의 한가운데 점을 연결하여 만든 입체도형이다. 만들어진 입체도형의 꼭짓점의 개수를 a개, 모서리의 개수를 b개라 할 때, $a+b$의 값을 구하시오.

풀이 전략

정다면체의 각 면의 한가운데 점을 연결하여 만든 입체도형에서 바깥쪽 정다면체의 면의 개수와 안쪽 정다면체의 꼭짓점의 개수는 같다.

풀이

정육면체의 각 면의 한가운데 점을 연결하여 만든 입체도형은 정팔면체이다.
정팔면체의 꼭짓점의 개수는 6개, 모서리의 개수는 12개이므로 $a=6$, $b=12$
따라서 $a+b=6+12=18$

● 정다면체의 각 면의 한가운데 점을 연결하여 만든 입체도형(서술형)

확인문제

07 다음 정다면체의 각 면의 한가운데 있는 점을 연결하여 만든 입체도형을 쓰시오.
   (1) 정사면체   (   )
   (2) 정육면체   (   )
   (3) 정팔면체   (   )
   (4) 정십이면체 (   )
   (5) 정이십면체 (   )

유형연습 05

정육면체를 각 꼭짓점으로부터 이웃한 꼭짓점까지의 거리의 $\frac{1}{3}$지점을 지나는 평면으로 잘랐을 때 생기는 단면은 정삼각형이다. 이와 같은 방법으로 모든 꼭짓점을 자를 때 만들어지는 다면체의 면의 개수를 x, 꼭짓점의 개수를 y, 모서리의 개수를 z라 하자. $x+y+z$의 값을 구하시오.

개념 06

(1) **회전체**: 평면도형을 한 직선을 축으로 하여 1회전 시킬 때 생기는 입체도형

회전축 *l*
옆면
모선
밑면

(2) **회전체의 종류**

①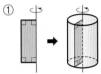
직사각형 원기둥

②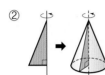
직각삼각형 원뿔

③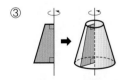
두 각이 직각 원뿔대
인 사다리꼴

④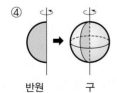
반원 구

● 회전체의 종류

확인문제

08 다음 중 회전체인 것은 ○표, 회전체가 <u>아닌</u> 것은 × 표를 하시오.

(1) 구   (   )   (2) 오각뿔   (   )
(3) 사각기둥 (   )   (4) 원뿔   (   )
(5) 원기둥   (   )   (6) 삼각뿔대 (   )
(7) 원뿔대   (   )   (8) 원   (   )

예제 06

다음 중 평면도형과 그 평면도형을 직선 *l*을 회전축으로 하여 1회전 시킬 때 생기는 입체도형을 <u>잘못</u> 나타낸 것은?

①
②
③

④
⑤

풀이 전략

회전축을 포함하는 평면으로 자를 때 생기는 단면을 생각해 본다.

풀이

③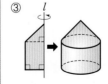

● 회전체의 종류

유형연습 06

주어진 평면도형과 그 평면도형을 직선 *l*을 회전축으로 하여 1회전 시킬 때 생기는 입체도형을 바르게 연결한 것은?

㉠   ㉡   ㉢

ⓐ   ⓑ   ⓒ

① ㉠-ⓐ, ㉡-ⓑ, ㉢-ⓒ   ② ㉠-ⓐ, ㉡-ⓒ, ㉢-ⓑ
③ ㉠-ⓑ, ㉡-ⓐ, ㉢-ⓒ   ④ ㉠-ⓑ, ㉡-ⓒ, ㉢-ⓐ
⑤ ㉠-ⓒ, ㉡-ⓐ, ㉢-ⓑ

7 입체도형

유형 **07** 회전체의 단면

개념 **07**

(1) 회전체를 회전축에 수직인 평면으로 자를 때 생기는 단면의 모양: 원

(2) 회전체를 회전축을 포함하는 평면으로 자를 때 생기는 단면의 모양: 선대칭도형

직사각형　　이등변삼각형　　사다리꼴　　원

● 회전체를 자른 단면

예제 **07**

오른쪽 그림과 같은 회전체를 자른 단면에 대하여 다음 물음에 답하시오.

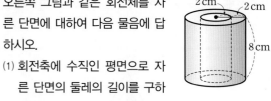

(1) 회전축에 수직인 평면으로 자른 단면의 둘레의 길이를 구하시오.

(2) 회전축을 포함하는 평면으로 자른 단면의 둘레의 길이를 구하시오.

풀이 전략

회전축에 수직인 평면으로 자른 단면과 회전축을 포함하는 평면으로 자른 단면의 모양을 확인한다.

풀이

(1) 회전축에 수직인 평면으로 자른 단면은 그림과 같다.
이 도형의 둘레의 길이를 구하면
$$2\pi \times 4 + 2\pi \times 2 = 8\pi + 4\pi$$
$$= 12\pi \ (\text{cm})$$

(2) 회전축을 포함하는 평면으로 자른 단면은 그림과 같다.
이 도형의 둘레의 길이를 구하면
$$\{(8+2) \times 2\} \times 2 = 20 \times 2$$
$$= 40 \ (\text{cm})$$

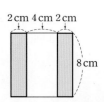

● 회전체의 단면의 둘레의 길이

확인문제

09 다음 회전체를 회전축을 포함하는 평면으로 자를 때 생기는 단면의 모양을 쓰시오.

(1) 원기둥　　　(　　　)

(2) 원뿔　　　　(　　　)

(3) 원뿔대　　　(　　　)

(4) 구　　　　　(　　　)

(5) 반구　　　　(　　　)

유형연습 07

오른쪽 그림과 같은 사각형 ABCD를 직선 l을 회전축으로 하여 1회전 시켰을 때 생기는 회전체를 회전축이 포함되게 잘랐을 때 생기는 단면의 넓이를 구하시오.

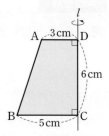

개념 **08**

(1) **원기둥, 원뿔, 원뿔대의 전개도**

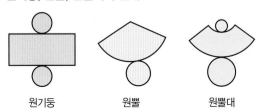

| 원기둥 | 원뿔 | 원뿔대 |

① 원기둥의 전개도에서 옆면인 직사각형의 가로의 길이와 밑면인 원의 둘레의 길이는 같다.

② 원뿔의 전개도에서 부채꼴의 호의 길이는 밑면인 원의 둘레의 길이와 같다.

③ 원뿔대의 전개도에서 옆면을 이루는 도형은 부채꼴의 일부분이다.

(2) 구는 전개도를 그릴 수 없다.

● 회전체의 전개도

확인문제

10 다음 그림은 어느 입체도형과 그 전개도이다. 물음에 답하시오.

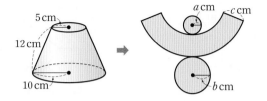

(1) 입체도형의 이름을 말하시오.

(2) a의 값을 구하시오.

(3) b의 값을 구하시오.

(4) c의 값을 구하시오.

(5) 이 입체도형을 회전축을 포함하는 평면으로 자를 때 생기는 단면의 모양을 말하시오.

예제 **08**

오른쪽 그림과 같이 원뿔의 밑면인 원 위의 한 점 A에서 실로 이 원뿔을 한 바퀴 팽팽하게 감을 때, 다음 중 실이 지나는 경로를 전개도 위에 바르게 나타낸 것은?

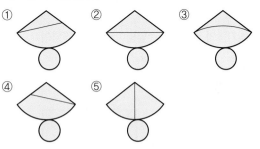

풀이 전략

원뿔의 겉면을 따라가는 최소의 길이는 전개도에서 선분이다.

풀이

실을 팽팽하게 감을 때 실이 지나는 경로가 되는 것은 ②이다.

● 회전체의 전개도(옆면을 감아 올라가는 선의 길이)

유형연습 **08**

오른쪽 그림은 회전체의 전개도이다. 이 전개도로 만들어지는 회전체에 대한 설명으로 옳지 <u>않은</u> 것은?

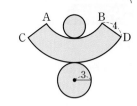

① 회전체는 원뿔대이다.

② $\widehat{AB}$의 길이는 반지름의 길이가 4인 원의 둘레의 길이와 같다.

③ $\widehat{CD}$의 길이는 6π이다.

④ 회전축을 포함하는 평면으로 자른 단면은 사다리꼴이다.

⑤ 회전축에 수직인 평면으로 자른 단면은 원이다.

7 입체도형

유형 09 기둥의 겉넓이

개념09

(1) (**각기둥의 겉넓이**)=(**밑넓이**)×2+(**옆넓이**)

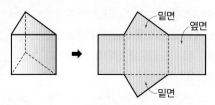

(2) (**원기둥의 겉넓이**)=(**밑넓이**)×2+(**옆넓이**)

$$=2\pi r^2+2\pi rh$$

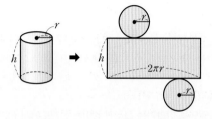

● 각기둥의 겉넓이

● 원기둥의 겉넓이

예제09

오른쪽 그림과 같은 입체도형의 겉넓이는?

① $330\pi \text{ cm}^2$

② $332\pi \text{ cm}^2$

③ $334\pi \text{ cm}^2$

④ $336\pi \text{ cm}^2$

⑤ $338\pi \text{ cm}^2$

풀이 전략

주어진 입체도형의 옆면은 바깥쪽과 안쪽의 면 2개이다.

풀이

$(\text{밑넓이})=\pi\times 8^2-\pi\times 4^2=64\pi-16\pi=48\pi \ (\text{cm}^2)$

$(\text{옆넓이})=(2\pi\times 8)\times 10+(2\pi\times 4)\times 10$

$\qquad\quad =160\pi+80\pi=240\pi \ (\text{cm}^2)$

$(\text{겉넓이})=48\pi\times 2+240\pi=336\pi \ (\text{cm}^2)$

따라서 주어진 입체도형의 겉넓이는 ④이다.

● 구멍이 뚫린 기둥의 겉넓이

확인문제

11 오른쪽 그림의 삼각기둥에 대하여 물음에 답하시오.

(1) 밑넓이를 구하시오.

(2) 옆넓이를 구하시오.

(3) 겉넓이를 구하시오.

12 오른쪽 그림의 원기둥에 대하여 물음에 답하시오.

(1) 밑넓이를 구하시오.

(2) 옆넓이를 구하시오.

(3) 겉넓이를 구하시오.

유형연습 09

오른쪽 그림과 같은 입체도형의 겉넓이는?

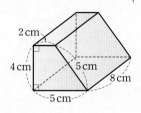

① 154 cm^2

② 156 cm^2

③ 158 cm^2

④ 160 cm^2

⑤ 162 cm^2

개념 10

(1) (**각뿔의 겉넓이**)＝(**밑넓이**)＋(**옆넓이**)

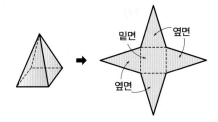

밑면
옆면
옆면

(2) (**원뿔의 겉넓이**)＝(**밑넓이**)＋(**옆넓이**)
$$=\pi r^2 + \pi r l$$

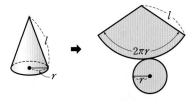

l
l
r
$2\pi r$
r

 각뿔의 겉넓이

 원뿔의 겉넓이

예제 10

오른쪽 그림과 같은 원뿔의 겉넓이는?

① 16π cm^2

② 18π cm^2

③ 20π cm^2

④ 22π cm^2

⑤ 24π cm^2

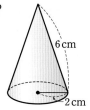

6 cm

2 cm

풀이 전략

원뿔의 전개도는 원과 부채꼴로 이루어져 있다.

풀이

(밑넓이)$=\pi \times 2^2 = 4\pi$ (cm^2)

(옆넓이)$=\dfrac{1}{2} \times 6 \times (2\pi \times 2) = 12\pi$ (cm^2)

(겉넓이)$=4\pi + 12\pi = 16\pi$ (cm^2)

따라서 원뿔의 겉넓이는 ①이다.

 원뿔의 겉넓이

확인문제

13 다음 원뿔에 대하여 물음에 답하시오.

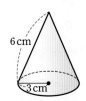

6 cm

3 cm

(1) 밑넓이를 구하시오.

(2) 옆면인 부채꼴의 호의 길이를 구하시오.

(3) 옆넓이를 구하시오.

(4) 겉넓이를 구하시오.

유형연습 10

오른쪽 그림은 한 변의 길이가 7 cm인 정사각형을 밑면으로 하고 옆면이 모두 합동인 사각뿔이다. 이 사각뿔의 겉넓이가 133 cm^{2}일 때, x의 값은?

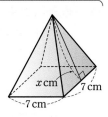

x cm
7 cm
7 cm

① 5 　　② 6 　　③ 7

④ 8 　　⑤ 9

개념 **11**

(1) 반지름의 길이가 r인 구의 겉넓이
➡ $4\pi r^2$

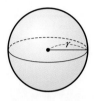

(2) 반지름의 길이가 r인 반구의 겉넓이
➡ $4\pi r^2 \times \dfrac{1}{2} + \pi r^2$

예제 **11**

지름의 길이가 7 cm인 야구공의 겉면은 다음 그림과 같이 똑같이 생긴 두 개의 조각으로 이루어져 있다. 이때 한 조각의 넓이를 구하시오.

풀이 전략

야구공의 모양은 구이므로 야구공의 겉면의 넓이는 구의 겉넓이와 같다.

풀이

주어진 야구공의 겉면의 두 개의 조각의 넓이는 야구공의 모양인 구의 겉넓이와 같다.

따라서 한 조각의 넓이는 반지름의 길이가 $\dfrac{7}{2}$ cm인 구의 겉넓이의 $\dfrac{1}{2}$이다. 즉,

(한 조각의 넓이)
$= 4\pi \times \left(\dfrac{7}{2}\right)^2 \times \dfrac{1}{2} = \dfrac{49}{2}\pi \ (\text{cm}^2)$

● 구의 겉넓이

확인문제

14 다음 구의 겉넓이를 구하시오.

(1)
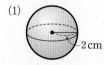
2 cm

(2)
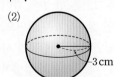
3 cm

(3)
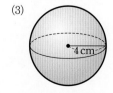
4 cm

(4)
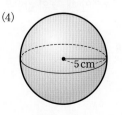
5 cm

유형연습 **11**

다음 그림은 반지름의 길이가 8 cm인 구의 $\dfrac{1}{4}$을 잘라 낸 것이다. 이 입체도형의 겉넓이를 구하시오.

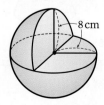
8 cm

개념 12

(1) (**각뿔대의 겉넓이**)
= (**두 밑넓이의 합**) + (**옆면인 사다리꼴의 넓이의 합**)

(2) (**원뿔대의 겉넓이**)
= (**두 밑넓이의 합**) + (**옆넓이**)
= $(\pi r^2 + \pi r'^2) + \{\pi r'(l+l') - \pi r l\}$

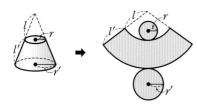

[**참고**] 원뿔대의 옆넓이는 두 부채꼴의 넓이의 차로 구한다.

예제 12

오른쪽 그림과 같은 원뿔대의 겉넓이를 구하시오.

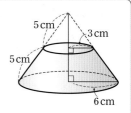

(**풀이 전략**)
원뿔대의 옆넓이는 두 부채꼴의 넓이의 차로 구한다.

(**풀이**)
원뿔대의 전개도는 오른쪽 그림과 같다.

(두 밑넓이의 합) $= \pi \times 3^2 + \pi \times 6^2$
$\qquad\qquad = 45\pi \, (\mathrm{cm}^2)$

(옆넓이)
$= \dfrac{1}{2} \times 10 \times (2\pi \times 6) - \dfrac{1}{2} \times 5 \times (2\pi \times 3)$
$= 60\pi - 15\pi = 45\pi \, (\mathrm{cm}^2)$

∴ (겉넓이) $= 45\pi + 45\pi = 90\pi \, (\mathrm{cm}^2)$

● 뿔대의 겉넓이

확인문제

15 오른쪽 그림의 회전체를 보고 물음에 답하시오.

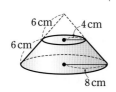

(1) 회전체의 이름을 말하시오.
(2) 두 밑넓이의 합을 구하시오.
(3) 옆넓이를 구하시오.
(4) 겉넓이를 구하시오.

유형연습 12

오른쪽 그림은 밑면이 정사각형인 사각뿔대이다. 이 사각뿔대의 겉넓이는?

① $120 \, \mathrm{cm}^2$
② $125 \, \mathrm{cm}^2$
③ $130 \, \mathrm{cm}^2$
④ $135 \, \mathrm{cm}^2$
⑤ $140 \, \mathrm{cm}^2$

유형 **13** 다양한 입체도형의 겉넓이

개념 **13**

(1) (**밑면이 부채꼴인 기둥의 겉넓이**)

   = (부채꼴의 넓이) × 2

   + (부채꼴의 둘레의 길이) × (높이)

$$=\left(\pi r^2 \times \frac{x}{360}\right) \times 2 + \left(2\pi r \times \frac{x}{360} + 2r\right) \times h$$

(2) (**일부분을 잘라 내고 남은 각기둥 또는 원기둥의 겉넓이**)

   = (두 밑넓이의 합) + (옆넓이)

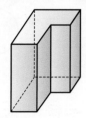 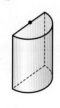

확인문제

16 오른쪽 그림은 밑면이 반지름의 길이가 5 cm인 반원이고 높이가 12 cm인 기둥 모양의 입체도형이다. 다음 물음에 답하시오.

(1) 밑넓이를 구하시오.

(2) 전개도를 그렸을 때 생기는 옆면 전체의 직사각형의 세로의 길이가 12 cm일 때, 가로의 길이를 구하시오.

(3) 옆넓이를 구하시오.

(4) 겉넓이를 구하시오.

예제 **13**

다음 입체도형의 겉넓이를 구하시오.

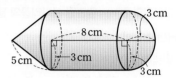

풀이 전략

주어진 입체도형은 원뿔, 원기둥, 반구가 합쳐진 입체도형이다.

풀이

주어진 입체도형의 겉넓이는 원뿔의 옆넓이인 부채꼴의 넓이, 원기둥의 옆넓이인 직사각형의 넓이, 구의 겉넓이의 $\frac{1}{2}$을 합한 것과 같다.

(원뿔 모양의 옆넓이) $= \frac{1}{2} \times 5 \times (2\pi \times 3) = 15\pi \ (\mathrm{cm}^2)$

(원기둥 모양의 옆넓이) $= (2\pi \times 3) \times 8 = 48\pi \ (\mathrm{cm}^2)$

(반구 모양의 겉넓이) $= \frac{1}{2} \times 4\pi \times 3^2 = 18\pi \ (\mathrm{cm}^2)$

$\therefore$ (입체도형의 겉넓이) $= 15\pi + 48\pi + 18\pi = 81\pi \ (\mathrm{cm}^2)$

● **다양한 입체도형의 겉넓이**

유형연습 **13**

오른쪽 그림은 직육면체에서 작은 직육면체를 잘라 낸 입체도형이다. 이 입체도형의 겉넓이는?

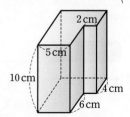

① 452 cm²

② 456 cm²

③ 460 cm²

④ 464 cm²

⑤ 468 cm²

● **일부분을 잘라 낸 기둥의 겉넓이**

개념 14

(1) (**기둥의 부피**) = (**밑넓이**) × (**높이**)

　① 각기둥의 밑넓이를 S, 높이를 h라 하면
　　(각기둥의 부피) = Sh

　② 원기둥의 밑면의 반지름의 길이를 r, 높이를 h라
　　하면
　　(원기둥의 부피) = $\pi r^2 h$

(2) (**밑면이 부채꼴인 기둥의 부피**)
　= (**부채꼴의 넓이**) × (**높이**)
　= $\left(\pi r^2 \times \dfrac{x}{360} \right) \times h$

(3) (**구멍이 뚫린 기둥의 부피**)
　= (**바깥쪽 기둥의 부피**) − (**안쪽 기둥의 부피**)

예제 14

오른쪽 그림과 같은 입체도형의 부피는?

① 60π cm^3
② 70π cm^3
③ 80π cm^3
④ 90π cm^3
⑤ 100π cm^3

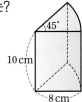

풀이 전략

기둥의 부피는 (밑넓이) × (높이)이다.

풀이

(부피) = (부채꼴의 넓이) × (높이)
　　　 = $\left(\pi \times 8^2 \times \dfrac{45}{360} \right) \times 10$
　　　 = 80π (cm^3)

따라서 입체도형의 부피는 ③이다.

● 밑면이 부채꼴인 기둥의 부피

확인문제

17 오른쪽 그림의 입체도형에 대하여 물음에 답하시오.

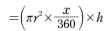

　(1) 바깥쪽 원기둥의 밑넓이를 구하시오.
　(2) 바깥쪽 원기둥의 부피를 구하시오.
　(3) 안쪽 원기둥의 밑넓이를 구하시오.
　(4) 안쪽 원기둥의 부피를 구하시오.
　(5) 주어진 입체도형의 부피를 구하시오.

유형연습 14

오른쪽 그림의 입체도형은 원기둥의 일부를 잘라 낸 것이다. 이 입체도형의 부피를 구하시오.

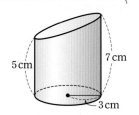

● 일부분을 잘라 낸 기둥의 부피(2)

유형 **15** 뿔의 부피

개념 15

(1) 각뿔의 밑넓이를 S, 높이를 h라
   하면
   (각뿔의 부피)
   $= \dfrac{1}{3} \times$ (밑넓이) $\times$ (높이)
   $= \dfrac{1}{3} Sh$

(2) 원뿔의 밑면의 반지름의 길이를 r,
   높이를 h라 하면
   (원뿔의 부피)
   $= \dfrac{1}{3} \times$ (밑넓이) $\times$ (높이)
   $= \dfrac{1}{3} \pi r^2 h$

예제 15

다음 뿔의 부피를 구하시오.

(1) 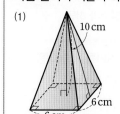   (2)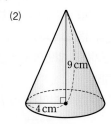

풀이 전략

뿔의 부피는 $\dfrac{1}{3} \times$ (밑넓이) $\times$ (높이)이다.

풀이

(1) (부피) $= \dfrac{1}{3} \times 6^2 \times 10 = 120 \ (\text{cm}^3)$

(2) (부피) $= \dfrac{1}{3} \times \pi \times 4^2 \times 9 = 48\pi \ (\text{cm}^3)$

● 뿔의 부피

확인문제

18 다음 입체도형의 부피를 구하시오.

(1) 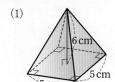   (2)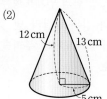

(3)   (4)

유형연습 15

다음 그림의 입체도형은 직육면체의 일부를 잘라 낸 것
이다. 이 입체도형의 부피를 구하시오.

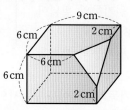

● 각기둥에서 잘라 낸 각뿔의 부피

개념 **16**

(1) **반지름의 길이가 r인 구의 부피**

➡ $\dfrac{4}{3}\pi r^3$

(2) **반지름의 길이가 r인 반구의 부피**

➡ $\dfrac{4}{3}\pi r^3 \times \dfrac{1}{2}$

예제 **16**

다음 입체도형의 부피를 구하시오.

(1)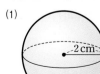
2 cm

(2)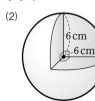
6 cm
6 cm

【풀이 전략】

반지름의 길이가 r인 구의 부피는 $\dfrac{4}{3}\pi r^3$이다.

【풀이】

(1) (부피)$= \dfrac{4}{3}\pi \times 2^3 = \dfrac{32}{3}\pi$ (cm³)

(2) (부피)$= \left(\dfrac{4}{3}\pi \times 6^3\right) \times \dfrac{7}{8} = 252\pi$ (cm³)

● 구의 부피

확인문제

19 다음 입체도형의 부피를 구하시오.

(1)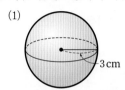
3 cm

(2)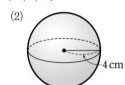
4 cm

(3)
6 cm

(4)
8 cm

유형연습 **16**

다음 입체도형의 부피를 구하시오.

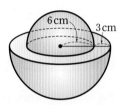
6 cm
3 cm

유형 **17** 뿔대의 부피

개념 17

(1) (**각뿔대의 부피**)
= (**큰 각뿔의 부피**) − (**작은 각뿔의 부피**)

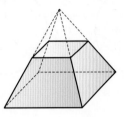

(2) (**원뿔대의 부피**)
= (**큰 원뿔의 부피**) − (**작은 원뿔의 부피**)

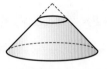

예제 17

다음 그림과 같이 밑면인 원의 반지름의 길이가 8 cm, 높이가 8 cm인 원뿔을 높이의 $\frac{1}{2}$의 위치에서 밑면에 평행한 평면으로 자를 때 생기는 원뿔대의 부피를 구하시오.

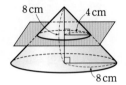

풀이 전략

원뿔대의 부피는 큰 원뿔의 부피에서 작은 원뿔의 부피를 빼서 구할 수 있다.

풀이

(부피) = (큰 원뿔의 부피) − (작은 원뿔의 부피)

$= \frac{1}{3} \times \pi \times 8^2 \times 8 - \frac{1}{3} \times \pi \times 4^2 \times 4$

$= \frac{512}{3}\pi - \frac{64}{3}\pi = \frac{448}{3}\pi \ (\text{cm}^3)$

● 뿔대의 부피

확인문제

20 다음 그림은 밑면인 원의 반지름의 길이가 9 cm이고 높이가 9 cm인 원뿔을 밑면과 평행한 평면으로 잘라 만든 것이다. 물음에 답하시오.

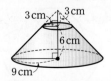

(1) 원래의 큰 원뿔의 부피를 구하시오.
(2) 잘라 낸 작은 원뿔의 부피를 구하시오.
(3) 남아 있는 입체도형의 부피를 구하시오.

유형연습 17

다음 그림과 같이 밑면이 직사각형이고, 높이가 8 cm인 사각뿔의 높이의 $\frac{1}{2}$의 위치에서 밑면에 평행한 평면으로 자를 때 생기는 사각뿔대의 부피를 구하시오.

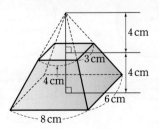

개념 **18**

반지름의 길이가 r, 높이가 h인 각 회전체의 부피

(1) (원기둥의 부피)$=\pi r^2 h$

(2) (원뿔의 부피)$=\dfrac{1}{3}\pi r^2 h$

(3) (구의 부피)$=\dfrac{4}{3}\pi r^3$

예제 **18**

오른쪽 그림과 같은 도형을 직선 l을 축으로 하여 1회전 시켜 만든 회전체의 부피를 구하시오.

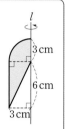

풀이 전략

주어진 도형을 직선 l을 축으로 하여 1회전 시켜 만든 회전체의 모양을 구한 후 부피를 구한다.

풀이

구하는 회전체의 부피는 반구의 부피에 원기둥의 부피를 더한 후 원뿔의 부피를 빼서 구할 수 있다.

(반구의 부피)

$=\dfrac{4}{3}\pi \times 3^3 \times \dfrac{1}{2}=18\pi \ (\mathrm{cm}^3)$

(원기둥의 부피)

$=\pi \times 3^2 \times 6=54\pi \ (\mathrm{cm}^3)$

(원뿔의 부피)$=\dfrac{1}{3}\times \pi \times 3^2 \times 6=18\pi \ (\mathrm{cm}^3)$

∴ (회전체의 부피)$=18\pi+54\pi-18\pi=54\pi \ (\mathrm{cm}^3)$

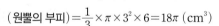

◦평면을 회전한 입체도형의 부피

확인문제

21 다음 입체도형을 보고 물음에 답하시오.

(1) 주어진 입체도형은 어떤 도형으로 이루어져 있는지 말하시오.

(2) (1)에서 말한 입체도형의 부피를 각각 구하시오.

(3) 전체 입체도형의 부피를 구하시오.

유형연습 **18**

오른쪽 그림과 같은 평면도형을 직선 l을 축으로 하여 1회전 시킬 때 생기는 입체도형의 부피를 구하시오.

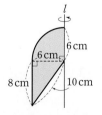

◦평면을 회전한 입체도형의 부피(서술형)

7 입체도형

7 입체도형

유형 19 입체도형의 부피의 활용

개념 19

삼각뿔의 부피   삼각기둥의 부피

(1) 기울어진 물의 모양이 어떤 입체도형인지 구분해 내는 것이 중요하다.

(2) 어떻게 기울이냐에 따라 위 그림과 같이 삼각뿔이 될 수도 있고 삼각기둥이 될 수도 있다.

예제 19

다음 그림과 같이 반지름의 길이가 10 cm인 속이 꽉 찬 쇠구슬을 녹여서 반지름의 길이가 2 cm인 쇠구슬을 만들려고 한다. 반지름의 길이가 2 cm인 쇠구슬을 몇 개 만들 수 있는지 구하시오.

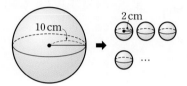

풀이 전략

큰 쇠구슬과 작은 쇠구슬의 부피를 각각 구하여 비교한다.

풀이

반지름의 길이가 10 cm인 쇠구슬을 녹여서 반지름의 길이가 2 cm인 쇠구슬 x개를 만들었을 때 반지름의 길이가 2 cm인 쇠구슬 x개의 부피와 반지름의 길이가 10 cm인 쇠구슬 1개의 부피는 같다. 즉,

$$\frac{4}{3}\pi \times 10^3 = \frac{4}{3}\pi \times 2^3 \times x \quad \therefore x = 125$$

따라서 쇠구슬 125개를 만들 수 있다.

● 입체도형의 부피의 활용(쇠를 녹이는 문제)

확인문제

22 반지름의 길이가 3 cm인 구의 부피를 구하시오.

23 반지름의 길이가 12 cm인 구의 부피를 구하시오.

24 **23**은 **22**의 몇 배인지 구하시오.

유형연습 19

다음 그림과 같은 두 직육면체 모양의 그릇에 들어 있는 물의 양이 서로 같을 때, x의 값을 구하시오.

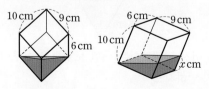

● 입체도형의 부피의 활용(물을 기울이는 문제)

개념 20

다음 그림과 같이 원기둥에 꼭 맞는 구와 원뿔이 있을 때

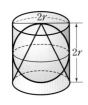

(1) (**원뿔의 부피**) $= \dfrac{2}{3}\pi r^3$

(2) (**구의 부피**) $= \dfrac{4}{3}\pi r^3$

(3) (**원기둥의 부피**) $= \pi r^2 \times 2r = 2\pi r^3$

➡ (**원뿔의 부피**) : (**구의 부피**) : (**원기둥의 부피**)
    $= 1 : 2 : 3$

● 원뿔, 구, 원기둥의 부피의 관계

예제 20

오른쪽 그림과 같이 지름의 길이가 6 cm인 공 3개가 원기둥 모양의 통에 꼭 맞게 들어 있다. 이 통 속의 빈 공간의 부피를 구하시오.

풀이 전략
원기둥과 구의 부피를 비교한다.

풀이
구가 원기둥에 꼭 맞게 들어갈 때 구의 부피와 원기둥의 부피의 비는 2 : 3이므로 빈 공간의 부피는 공 3개가 꼭 맞게 들어간 원기둥의 부피의 $\dfrac{1}{3}$이다.

따라서 구하는 통 속의 빈 공간의 부피는
$\dfrac{1}{3} \times \pi \times 3^2 \times 18 = 54\pi \ (\text{cm}^3)$

● 원뿔, 구, 원기둥의 부피의 관계

확인문제

25 오른쪽 그림과 같이 원기둥에 꼭 맞는 구와 원뿔이 있다. 구의 반지름의 길이가 3 cm일 때, 다음 물음에 답하시오.

(1) 원뿔의 부피를 구하시오.
(2) 구의 부피를 구하시오.
(3) 원기둥의 부피를 구하시오.
(4) (원뿔의 부피) : (구의 부피) : (원기둥의 부피)를 가장 간단한 정수의 비로 나타내시오.

유형연습 20

오른쪽 그림과 같이 한 모서리의 길이가 10 cm인 정육면체에 꼭 맞는 구와 사각뿔이 있다. 이때 정육면체, 구, 사각뿔의 부피의 비는?

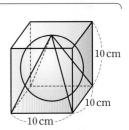

① $3 : \pi : 1$ ② $3 : \pi : 2$ ③ $6 : \pi : 1$

④ $6 : \pi : 2$ ⑤ $6 : \pi : 3$

8 자료의 정리와 해석

개념 01

(1) **변량**: 나이, 성적, 키 등의 자료를 수량으로 나타낸 것

(2) **줄기와 잎 그림**: 줄기와 잎을 이용하여 자료를 나타낸 그림

(3) **줄기와 잎 그림의 작성 순서**

❶ 각 변량을 줄기와 잎으로 구분하고 줄기를 작은 수부터 순서대로 세로로 나열한다.

❷ 줄기의 오른쪽에 세로줄을 긋는다.

❸ 각 줄기에 해당하는 잎을 세로줄의 오른쪽에 가로로 나열한다. 이때 중복된 변량은 중복된 횟수만큼 나열한다.

❹ 줄기 a와 잎 b에 대하여 그림의 오른쪽 위에 $a|b$의 뜻을 설명한다.

예제 01

오른쪽은 어느 학급 학생 20명의 제기차기 횟수를 조사하여 나타낸 줄기와 잎 그림이다. 제기차기 횟수가 20회 이상인 학생은 전체의 몇 %인지 구하시오.

제기차기 횟수 (0|2는 2회)

줄기	잎
0	2 2 3 5 6 7 7
1	0 2 4 5 6 6 7 8 8
2	1 2 3 6

풀이 전략

전체 학생 수는 각 줄기에 해당하는 잎의 개수의 총합이다.

풀이

제기차기 횟수가 20회 이상인 학생은 줄기가 2인 잎의 개수인 4명이고 전체 학생 수는 20명이므로

제기차기 횟수가 20회 이상인 학생은 $\dfrac{4}{20} \times 100 = 20$ (%)

● 줄기와 잎 그림 이해(서술형)

확인문제

01 아래는 정은이네 반 전체 학생들의 수학 성적을 조사하여 줄기와 잎 그림으로 나타낸 것이다. 다음 중 옳은 것에는 ○표, 옳지 않은 것에는 ×표를 하시오.

수학 성적 (6|0은 60점)

줄기	잎
6	0 4 4 8
7	2 2 5 6 6
8	0 0 4 4 5 8 8
9	0 2 5 6

(1) 잎이 가장 많은 줄기는 8이다. ( )

(2) 정은이네 반 전체 학생 수는 20이다. ( )

(3) 수학 성적이 70점 미만인 학생은 4명이다. ( )

(4) 수학 성적이 88점인 학생은 3명이다. ( )

(5) 수학 성적이 가장 좋은 학생의 점수는 96점이다. ( )

유형연습 01

오른쪽은 어느 해 우리나라에서 상영된 한국 영화 흥행 작품 10편과 외국 영화 흥행 작품 10편의 관객 수를 조사하여 나타낸 줄기와 잎 그림이다. 물음에 답하시오.

관객 수 (1|7은 170만 명)

잎(한국 영화)	줄기	잎(외국 영화)
	1	7 8
9 8 6 4	2	5 8
1	3	1 6
8 7	4	4
3	5	0 1
	6	
5 4	7	8

(1) 한국 영화와 외국 영화 각각에 대하여 흥행 상위 5번째 영화의 관객 수의 차를 구하시오.

(2) 700만 명 이상의 관객이 관람한 영화는 전체의 몇 %인가?

① 5 % ② 10 % ③ 15 % ④ 20 % ⑤ 25 %

● 줄기와 잎 그림(두 집단의 비교)

개념 **02**

(1) **계급:** 변량을 일정한 간격으로 나눈 구간

(2) **계급의 크기:** 구간의 너비, 즉 계급의 양 끝 값의 차

(3) **도수:** 각 계급에 속하는 변량의 개수

(4) **도수분포표:** 주어진 자료를 몇 개의 계급으로 나누고 각 계급에 속하는 도수를 조사하여 나타낸 표

(5) **도수분포표의 작성 순서**

❶ 변량 중 가장 작은 변량과 가장 큰 변량을 찾는다.

❷ ❶의 두 변량이 포함되는 구간을 일정한 간격으로 나누어 계급을 정한다.

❸ 각 계급에 속하는 변량의 개수를 세어 계급의 도수를 구한다.

예제 **02**

오른쪽은 어느 학급의 학생들이 지난 주말 동안 보낸 문자 메시지의 개수를 조사하여 나타낸 도수분포표이다. A의 값이 B의 값의 4배일 때, $A-B$의 값을 구하시오.

문자 메시지 개수(개)	학생 수(명)
$0^{이상}\sim4^{미만}$	3
4 ～8	7
8 ～12	10
12 ～16	A
16 ～20	B
합계	30

풀이 전략

A, B의 값을 먼저 구한다.

풀이

A의 값이 B의 값의 4배이므로 $A=4B$

전체 학생은 30명이므로 $3+7+10+4B+B=30$ ∴ $B=2$

즉, $A=8$, $B=2$이므로 $A-B=8-2=6$

◆도수분포표 해석(3)(서술형)

확인문제

02 오른쪽 도수분포표에 대한 설명으로 옳은 것에는 ○표, 옳지 <u>않은</u> 것에는 ×표를 하시오.

시간(시간)	도수(명)
$0^{이상}\sim 5^{미만}$	4
5 ～10	5
10 ～15	9
15 ～20	11
20 ～25	7
25 ～30	4
합계	40

(1) 가장 작은 변량은 0시간이다. ( )

(2) 계급의 개수는 7이다. ( )

(3) 계급의 크기는 5시간이다. ( )

(4) 도수가 가장 큰 계급은 15시간 이상 20시간 미만이다. ( )

(5) 20시간 이상 25시간 미만인 계급의 도수는 7이다. ( )

유형연습 **02**

오른쪽은 서현이네 반 학생 30명의 통학 시간을 조사하여 나타낸 것이다. 물음에 답하시오.

학생들의 통학 시간 (단위: 분)

35	44	14	27	5	15
27	35	28	18	20	42
25	10	42	6	33	8
18	24	43	25	28	20
17	38	23	30	13	27

(1) 도수분포표를 완성하시오.

(2) 도수가 가장 큰 계급을 구하시오.

(3) 통학 시간이 33분인 학생이 속하는 계급의 도수를 구하시오.

통학 시간(분)	학생 수(명)
$0^{이상}\sim10^{미만}$	3
10 ～20	7
20 ～30	
30 ～40	
40 ～50	
합계	

◆도수분포표

유형 **03** 도수분포표의 해석

개념 **03**

(1) **도수분포표에서 한 계급의 도수가 주어지지 않은 경우**: 도수의 총합에서 나머지 도수의 합을 빼서 그 계급의 도수를 구한다.

(2) **두 계급의 도수가 주어지지 않은 경우**: 주어진 조건과 도수의 총합을 이용하여 두 계급의 도수를 차례로 구한다.

확인문제

03 다음은 은철이네 반 학생들의 100 m 달리기 기록을 조사하여 나타낸 도수분포표이다. 물음에 답하시오.

기록(초)	도수(명)
$13^{이상} \sim 14^{미만}$	1
$14 \sim 15$	4
$15 \sim 16$	
$16 \sim 17$	8
$17 \sim 18$	6
$18 \sim 19$	3
합계	30

(1) 계급의 개수를 구하시오.

(2) 계급의 크기를 구하시오.

(3) 15초 이상 16초 미만인 계급의 도수를 구하시오.

(4) 18초 이상 19초 미만인 계급의 도수를 구하시오.

(5) 기록이 14초인 학생이 속하는 계급의 도수를 구하시오.

예제 **03**

오른쪽은 유럽 20개국의 어느 해 1인당 이산화탄소 배출량을 조사하여 나타낸 도수분포표이다. 다음 물음에 답하시오.

이산화탄소 배출량(톤)	도수 (개국)
$0^{이상} \sim 5^{미만}$	3
$5 \sim 10$	10
$10 \sim 15$	A
$15 \sim 20$	2
$20 \sim 25$	1
합계	20

(1) A의 값을 구하시오.

(2) 1인당 이산화탄소 배출량이 5.8톤인 나라가 속한 계급의 도수를 구하시오.

(3) 1인당 이산화탄소 배출량이 10톤 이상인 나라는 전체의 몇 %인지 구하시오.

풀이 전략

도수의 총합에서 나머지 도수의 합을 빼서 A의 값을 구한다.

풀이

(1) $3+10+A+2+1=20$ $\therefore A=4$

(2) 1인당 이산화탄소 배출량이 5.8톤인 나라가 속한 계급은 5톤 이상 10톤 미만이고 그 계급의 도수는 10이다.

(3) 1인당 이산화탄소 배출량이 10톤 이상인 나라는
$4+2+1=7$(개국)이므로 $\dfrac{7}{20} \times 100 = 35$ (%)

● 도수분포표 해석하기

유형연습 03

오른쪽은 어느 학급의 학생들이 방학 동안 읽은 책의 독서량을 조사하여 나타낸 도수분포표이다. 독서량이 8권 이상인 학생이 전체의 25 %일 때, A, B의 값을 각각 구하시오.

독서량(권)	학생 수(명)
$2^{이상} \sim 4^{미만}$	2
$4 \sim 6$	7
$6 \sim 8$	A
$8 \sim 10$	B
$10 \sim 12$	4
합계	40

● 도수분포표 해석(1) (서술형)

개념 04

(1) **히스토그램**: 도수분포표의 각 계급의 양 끝 값을 가로축에, 도수를 세로축에 적고 각 계급의 크기를 가로로, 도수를 세로로 하는 직사각형으로 나타낸 그래프

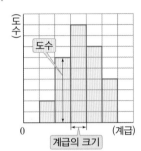

(2) 히스토그램을 그릴 때는 계급의 크기가 모두 같으므로 직사각형의 가로의 길이를 모두 같게 그리고, 계급이 연속되어 있으므로 직사각형은 서로 붙여 그린다.

확인문제

04 다음은 소현이네 반 학생들의 키를 조사하여 나타낸 도수분포표이다. 이것을 히스토그램으로 나타내시오.

키(cm)	도수(명)
145^{이상}~150^{미만}	3
150 ~155	4
155 ~160	6
160 ~165	9
165 ~170	2
170 ~175	1
합계	25

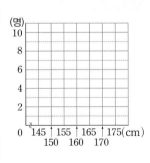

예제 04

오른쪽은 서진이네 반 학생들의 몸무게를 조사하여 나타낸 히스토그램이다. 다음 **보기**에서 옳은 것을 모두 고르시오.

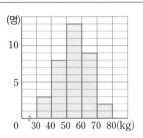

| 보기 |

ㄱ. 계급은 5개이다.
ㄴ. 서진이네 반 학생은 40명이다.
ㄷ. 계급의 크기는 10 kg이다.
ㄹ. 몸무게가 60 kg인 학생이 속하는 계급의 도수는 13명이다.

풀이 전략

히스토그램의 가로는 계급을, 세로는 도수를 나타낸다.

풀이

ㄴ. 서진이네 반 학생은 $3+8+13+9+2=35$(명)이다.
ㄹ. 몸무게가 60 kg인 학생이 속하는 계급의 도수는 9이다.
따라서 옳은 것은 ㄱ, ㄷ이다.

🔴 히스토그램

유형연습 04

오른쪽은 어느 학급의 학생 40명이 지난 일주일 동안 영어 공부를 한 시간을 조사하여 나타낸 히스토그램인데 일부가 찢어졌다. 공부한 시간이 10시간 이상인 학생이 전체의 25 %일 때, 8시간 이상 10시간 미만으로 공부한 학생 수를 구하시오.

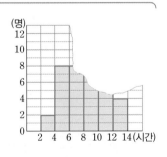

🔴 찢어진 히스토그램(서술형)

8 자료의 정리와 해석

유형 05 도수분포다각형

개념 05

(1) **도수분포다각형**: 히스토그램에서 각 직사각형의 윗변의 중앙에 점을 찍고, 히스토그램의 양 끝에 도수가 0인 계급이 있는 것으로 생각하여 그 중앙에 점을 찍어 찍은 점들을 선분으로 연결한다.

(2) **찢어진 도수분포다각형**

① 도수의 총합이 주어진 경우: 도수의 총합을 이용하여 찢어진 부분의 도수를 구한다.

② 도수의 총합이 주어지지 않은 경우: 도수의 총합을 미지수로 놓고 주어진 조건을 이용하여 미지수를 구한 후 도수의 총합을 이용하여 찢어진 부분의 도수를 구한다.

확인문제

05 아래는 지민이네 반 학생들의 1분 동안의 줄넘기 횟수를 조사하여 나타낸 것이다. 다음 중 옳은 것에는 ○표, 옳지 않은 것에는 ×표를 하시오.

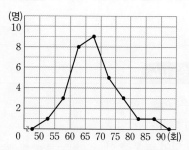

(1) 위 그래프의 이름은 도수분포다각형이다. (   )

(2) 계급의 개수는 9이다. (   )

(3) 도수가 가장 큰 계급은 65회 이상 70회 미만이다.
(   )

(4) 1분당 줄넘기 횟수가 가장 많은 학생은 90회이다.
(   )

(5) 1분당 줄넘기 횟수가 60회 미만인 학생은 4명이다.
(   )

예제 05

오른쪽은 은석이네 반 학생들의 수학 점수를 조사하여 나타낸 도수분포다각형이다. 다음 보기에서 옳은 것을 모두 고르시오.

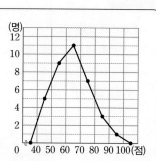

┤ 보기 ├
ㄱ. 계급의 크기는 5점이다.
ㄴ. 전체 학생은 36명이다.
ㄷ. 50점 미만인 학생은 6명이다.
ㄹ. 계급은 6개이다.

풀이 전략
도수분포다각형에서 가로는 계급을, 세로는 도수를 나타낸다.

풀이
ㄱ. 계급의 크기는 $50-40=10$(점)이다.
ㄷ. 50점 미만인 학생은 5명이다.
따라서 옳은 것은 ㄴ, ㄹ이다.

● 도수분포다각형

유형연습 05

오른쪽은 어느 학교 학생 80명이 한 달 동안 읽은 책의 수를 조사하여 나타낸 도수분포다각형이다. 이 그래프의 세로축이 찢어져 한 눈금의 크기를 알 수 없을 때, 책을 8권 이상 읽은 학생은 몇 명인지 구하시오.

● 찢어진 도수분포다각형

개념 06

찢어진 도수분포다각형에서

(1) **도수의 총합이 주어진 경우:** 도수의 총합을 이용하여 찢어진 부분의 도수를 구한다.

(2) **도수의 총합이 주어지지 않은 경우**
 ❶ 도수의 총합을 x로 놓는다.
 ❷ 주어진 조건을 이용하여 x의 값을 구한다.
 ❸ 도수의 총합을 이용하여 찢어진 부분의 도수를 구한다.

확인문제

06 오른쪽은 민호네 반 학생 25명의 몸무게를 조사하여 나타낸 도수분포다각형인데 일부가 보이지 않는다. 다음 중 옳은 것에는 ○표, 옳지 <u>않은</u> 것에는 ×표를 하시오.

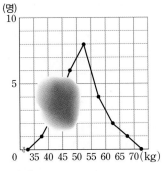

(1) 계급의 개수는 7이다. ( )
(2) 계급의 크기는 2.5 kg이다. ( )
(3) 몸무게가 40 kg 이상 45 kg 미만인 학생 수는 3이다. ( )
(4) 몸무게가 55 kg 이상인 학생은 전체의 25 %이다. ( )

예제 06

오른쪽은 어느 버스 정류장에서 40명의 사람들이 버스를 기다린 시간을 조사하여 나타낸 도수분포다각형인데 일부가 찢어졌다. 기다린 시간이 15분 이상 20분 미만인 사람 수와 20분 이상 25분 미만인 사람 수의 비가 3 : 2일 때, 기다린 시간이 20분 이상인 사람은 전체의 몇 %인지 구하시오.

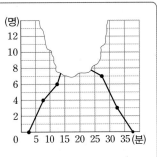

풀이 전략

도수를 모르는 계급이 2개 이상일 때는 전체 도수 조건과 문제에 주어진 다른 조건을 사용하여 각 계급의 도수를 구한다.

풀이

기다린 시간이 15분 이상 20분 미만인 사람 수와 20분 이상 25분 미만인 사람 수를 차례로 $3x$, $2x$라 하면
$4+6+3x+2x+7+3=40$, $5x=20$ ∴ $x=4$
기다린 시간이 20분 이상인 사람은 $8+7+3=18$ (명)이므로
전체의 $\dfrac{18}{40} \times 100 = 45$ (%)

● 찢어진 도수분포다각형 해석(1)(서술형)

유형연습 06

오른쪽은 어느 학급 학생들의 사회 성적을 조사하여 나타낸 도수분포다각형인데 일부가 찢어졌다. 사회 성적이 70점 미만인 학생이 전체의 35 %일 때, 50점 이상 60점 미만인 학생 수를 구하시오.

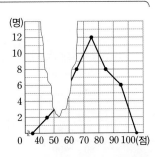

● 찢어진 도수분포다각형 해석(2)(서술형)

유형 **07** 상대도수

개념 07

(1) **상대도수**: 전체 도수에 대한 각 계급의 도수의 비율

➡ (어떤 계급의 상대도수)$=\dfrac{(\text{그 계급의 도수})}{(\text{도수의 총합})}$

(2) **상대도수의 성질**

① 상대도수의 총합은 항상 1이다.

② 각 계급의 상대도수는 그 계급의 도수에 정비례한다.

③ 도수의 총합이 다른 두 자료의 분포 상태를 비교할 때 편리하다.

● 상대도수

● 상대도수의 성질

확인문제

07 다음은 정민이네 반 학생들의 수학 성적을 조사하여 나타낸 상대도수의 분포표이다. 빈칸에 알맞은 수를 넣어 상대도수의 분포표를 완성하시오.

수학 성적(점)	학생 수(명)	상대도수
$40^{이상} \sim 50^{미만}$	3	
50 ~60	6	
60 ~70	12	
70 ~80	16	
80 ~90	9	
90 ~100	4	
합계	50	

예제 07

다음은 민정이네 반 학생들이 1년 동안 읽은 책의 수를 조사하여 나타낸 표이다. $A \sim E$에 들어갈 값을 각각 구하시오.

책의 수(권)	학생 수(명)	상대도수
$0^{이상} \sim 5^{미만}$	2	0.05
5 ~10	12	A
10 ~15	16	B
15 ~20	C	0.1
20 ~25	D	0.15
합계	E	1

풀이 전략

도수와 상대도수가 같이 나온 계급을 이용하여 도수의 총합을 먼저 구한다.

풀이

책의 수가 0권 이상 5권 미만인 계급의 상대도수를 이용하면

$\dfrac{2}{E}=0.05$에서 $E=\dfrac{2}{0.05}=40$

$A=\dfrac{12}{40}=0.3$, $B=\dfrac{16}{40}=0.4$

$\dfrac{C}{40}=0.1$에서 $C=0.1\times40=4$

$\dfrac{D}{40}=0.15$에서 $D=0.15\times40=6$

$\therefore A=0.3,\ B=0.4,\ C=4,\ D=6,\ E=40$

● 상대도수의 성질

유형연습 07

다음은 어느 반 학생들의 지난해 읽은 독서량을 조사하여 나타낸 상대도수의 분포표의 일부분이다. 물음에 답하시오.

독서량(권)	학생 수(명)	상대도수
$0^{이상} \sim 10^{미만}$	6	0.15
10 ~20	A	0.2

(1) 전체 학생 수를 구하시오.

(2) A의 값을 구하시오.

개념 **08**

(1) **상대도수의 분포표**: 각 계급의 상대도수를 나타낸 표

(2) **상대도수의 분포표에서 상대도수 구하기**

① $(계급의 \; 상대도수) = \dfrac{(계급의 \; 도수)}{(도수의 \; 총합)}$

② $(백분율) = (상대도수) \times 100 \, (\%)$

③ 도수의 총합, 계급의 도수, 상대도수 중 어느 두 가지가 주어지면 나머지 한 가지를 구할 수 있다.

확인문제

08 다음은 마을 도서관을 이용하는 회원 200명의 한 달 동안 도서관 사용 시간을 조사하여 표로 나타낸 것이다. 상대도수를 이용하여 각 계급의 도수를 구하시오.

사용 시간(시간)	도수(명)	상대도수
$1^{이상} \sim 3^{미만}$		0.05
3 ~ 5		0.25
5 ~ 7		0.35
7 ~ 9		0.2
9 ~ 11		0.1
11 ~ 13		0.05
합계	200	1

예제 **08**

오른쪽은 어느 중학교 1학년 학생들의 국어 성적을 조사하여 나타낸 상대도수의 분포표이다. 이 표에서 A, B의 최대공약수가 8일 때, 국어 성적이 90점 이상인 학생 수를 구하시오.

국어 성적(점)	학생 수(명)	상대도수
$50^{이상} \sim 60^{미만}$	A	$\dfrac{1}{6}$
60 ~ 70	B	$\dfrac{1}{4}$
70 ~ 80		$\dfrac{1}{3}$
80 ~ 90		$\dfrac{1}{6}$
90 ~ 100		$\dfrac{1}{12}$
합계		

풀이 전략

상대도수는 도수에 정비례한다.

풀이

상대도수는 도수에 정비례하므로 $A:B = \dfrac{1}{6} : \dfrac{1}{4} = 2:3$

$A = 2x$, $B = 3x$라 하면 나머지 각 계급의 도수는 차례로 $4x$, $2x$, x이다. 한편 A, B의 최대공약수가 8이고 2, 3이 서로소이므로 $x = 8$이다.

따라서 국어 성적이 90점 이상인 학생 수는 8이다.

● 상대도수의 분포표 해석(서술형)

유형연습 **08**

오른쪽 상대도수의 분포표에서 일부가 찢어져 보이지 않는다. 80점 이상 85점 미만인 계급의 상대도수를 구하시오.

점수(점)	학생 수(명)	상대도수
$75^{이상} \sim 80^{미만}$	8	0.2
80 ~ 85	10	
85 ~ 90		

● 찢어진 상대도수의 분포표

8 자료의 정리와 해석

유형 **09** 상대도수의 분포를 나타낸 그래프

개념 09

(1) **상대도수의 분포를 나타낸 그래프**: 각 계급의 양 끝 값을 가로축에, 상대도수를 세로축에 표시하여 상대도수의 분포표를 히스토그램이나 도수분포다각형과 같은 방법으로 나타낸 그래프

(2) **상대도수의 분포를 그래프로 나타내는 방법**

❶ 가로축에는 각 계급의 양 끝 값을 차례로 써넣는다.

❷ 세로축에는 상대도수를 써넣는다.

❸ 히스토그램이나 도수분포다각형을 그릴 때와 같은 방법으로 그린다.

확인문제

09 오른쪽은 어느 과수원에서 수확한 배의 무게를 조사하여 나타낸 상대도수의 분포표이다. 이 표를 도수분포다각형 모양의 그래프로 나타내시오.

배의 무게(g)	상대도수
200^{이상}~250^{미만}	0.02
250 ~300	0.2
300 ~350	0.32
350 ~400	0.28
400 ~450	0.12
450 ~500	0.06
합계	1

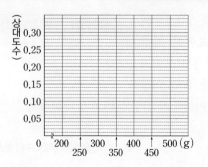

예제 09

오른쪽은 어느 중학교 연극부 학생 40명이 1년 동안 연극을 관람한 횟수를 조사하여 상대도수의 분포를 그래프로 나타낸 것이다. 물음에 답하시오.

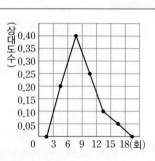

(1) 도수가 가장 큰 계급의 상대도수를 구하시오.

(2) 연극 관람 횟수가 12회 미만인 학생 수를 구하시오.

풀이 전략

각 계급의 상대도수는 그 계급의 도수에 정비례한다.

풀이

(1) 각 계급의 상대도수는 그 계급의 도수에 정비례하므로 도수가 가장 큰 계급의 상대도수는 연극 관람 횟수가 6회 이상 9회 미만인 계급의 상대도수인 0.4이다.

(2) 연극 관람 횟수가 12회 미만인 계급의 상대도수의 합은
0.2+0.4+0.25=0.85
따라서 구하는 학생 수는 40×0.85=34

유형연습 09

오른쪽은 진우네 동아리 학생들의 하루 수면 시간에 대한 상대도수의 분포를 나타낸 그래프인데 일부가 찢어져 보이지 않는다. 수면 시간이 7시간 이상 8시간 미만인 계급의 도수가 14명일 때, 수면 시간이 6시간 이상 7시간 미만인 계급의 학생 수를 구하시오.

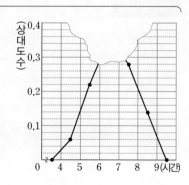

● 찢어진 상대도수의 그래프

개념 10

(1) **전체 도수가 다른 두 집단의 분포 상태**
  ① 전체 도수가 다른 두 집단은 전체 도수가 다르므로 각 계급의 도수를 비교하는 것은 의미가 없다.
  ② 전체 도수가 다른 두 집단의 분포 상태는 상대도수를 이용하여 비교하는 것이 유용하다.
(2) 전체 도수가 다른 두 집단을 비교할 때 상대도수의 분포를 나타낸 그래프를 이용하면 편리하다.

확인문제

10 다음은 A 중학교 학생 300명과 B 중학교 학생 200명의 일 년 동안의 동아리 활동 시간을 조사하여 상대도수의 분포를 나타낸 그래프이다. 물음에 답하시오.

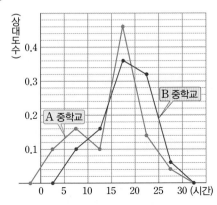

(1) A 중학교 학생들 중 동아리 활동 시간이 15시간 이상 20시간 미만인 학생은 전체의 몇 %인지 구하시오.
(2) B 중학교 학생들 중 동아리 활동 시간이 20시간 이상 25시간 미만인 학생은 전체의 몇 %인지 구하시오.
(3) A 중학교 학생들 중 동아리 활동 시간이 20시간 이상인 학생 수를 구하시오.
(4) B 중학교 학생들 중 동아리 활동 시간이 20시간 이상인 학생 수를 구하시오.

예제 10

오른쪽은 A 중학교 학생 250명, B 중학교 학생 150명의 한 학기 동안의 봉사활동 시간을 조사하여 상대도수의 분포를 나타낸 그래프이다. 봉사활동 시간이 8시간 이상 10시간 미만인 학생 수는 어느 학교가 몇 명 더 많은지 구하시오.

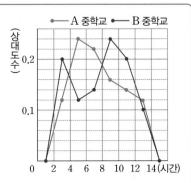

풀이 전략

도수의 총합과 각 계급의 상대도수를 이용하여 각 계급의 도수를 구한다.

풀이

봉사활동 시간이 8시간 이상 10시간 미만인 학생 수는
A 중학교가 $250 \times 0.16 = 40$(명),
B 중학교가 $150 \times 0.24 = 36$(명)
으로 A 중학교가 B 중학교보다 4명 더 많다.

유형연습 10

오른쪽은 A, B 두 학교 학생들의 일주일 동안의 TV 시청 시간에 대한 상대도수의 분포를 나타낸 그래프인데 일부에 얼룩이 졌다. A, B 두 학교의 학생 수가 각각 400명, 500명일 때, TV 시청 시간이 6시간 이상 10시간 미만인 학생 수의 차를 구하시오.

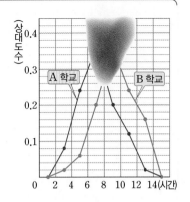

● **전체 도수가 다른 두 집단의 상대도수 그래프(서술형)**

8 자료의 정리와 해석

MEMO

예비 중학생을 위한 기본 수학 개념서

30일 수학 상 하

30일 수학 상 하 |2책|

- 수학의 맥을 짚는 중학 수학 입문서
- 수학 **영역별 핵심 개념**을 연결하여 **단계적으로 학습**
- 영역별 연습 문항으로 **부족한 영역 집중 마스터**

"중학교 수학, 더 이상의 걱정은 없다!"

사뿐

중학 사회
중학 역사

사회를 한 권으로
가뿐하게!

중학 사회

①-1

②-1

①-2

②-2

중학 역사

①-1

②-1

①-2

②-2

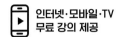

정답과
풀이

EBS 중학 강의 다운로드 **1위·**스트리밍 **1위**
1,300개 강의에서 선별한 중학 1학년 핵심 유형

진짜
수학의 답을
찾아서!

[QR 코드로 연결하는 유형별 강의]

수학의 답

중학 수학 1

수학의 답

정답과 풀이

중학 수학 1

1 소인수분해　　　　본문 6~25쪽

확인문제

01 (1) 4　(2) 3　(3) 3　(4) 5

02 소수: 2, 7, 47, 59, 61, 합성수: 9, 15, 27, 91

03 (1) ×　(2) ○　(3) ○　(4) ×

04 (1) 3　(2) 5　(3) 3　(4) 21

05 (1)

×	1	3	3^2
1	1	3	9
7	7	21	63

63의 약수: 1, 3, 7, 9, 21, 63

(2)

×	1	2	2^2	2^3
1	1	2	4	8
3	3	6	12	24
3^2	9	18	36	72

72의 약수: 1, 2, 3, 4, 6, 8, 9, 12, 18, 24, 36, 72

06 (1) 6　(2) 6　(3) 12　(4) 24

07 (1) 11　(2) 3　(3) 1　(4) 1

08 (1) ○　(2) ×　(3) ×　(4) ○

09 ㄷ, ㅁ

10 (1) 2, 5　(2) 2^3, 2, 5　(3) 2, 3^2, 2, 3^3

11 (1) $a=2$, $b=1$　(2) $a=2$, $b=2$　(3) $a=1$, $b=3$

12 12 cm　　　**13** (1) 5 m　(2) 8 m　(3) 11 m

14 (1) 2　(2) 3　(3) 1　(4) 3　(5) 4

15 60, 90, 120, 40, 60, 80, 60

16 2, 2, 2, 35, 37

17

$$\left.\begin{array}{l} A \div 2 = a \cdots \boxed{1} \\ A \div 3 = b \cdots \boxed{2} \\ A \div 5 = c \cdots \boxed{4} \end{array}\right\} \Rightarrow (A + \boxed{1})\text{은 2, 3, 5로 나누어떨어진다.}$$

즉, $(A + \boxed{1})$은 2, 3, 5의 $\boxed{\text{최소공배수}}$이다.

$A + \boxed{1} = \boxed{30}$이므로 $A = \boxed{29}$

18 (1) 3　(2) 7　(3) 24

19 15, 20, 26, 13, 60, 13

20 (1) ○　(2) ×　(3) ×　(4) ○

유형연습

01 8　　**02** 82　　**03** 15　　**04** 56

05 1, 3^2, 5^2, $3^2 \times 5^2$　　**06** 7개　　**07** 4

08 ㄴ, ㄷ, ㅁ　　**09** 1, 2, 4, 5, 10, 20

10 ③　　**11** 6　　**12** 24000원　　**13** 36그루

14 9, 18　　**15** A: 4바퀴, B: 5바퀴

16 96　　**17** 33모둠　　**18** 60　　**19** $\dfrac{140}{3}$

20 ④

01

$32 = 2^5 = 2^a$이므로

$a = 5$

$\dfrac{1}{125} = \dfrac{1}{5^3} = \dfrac{1}{5^b}$이므로

$b = 3$

따라서

$a + b = 5 + 3 = 8$

답 8

02

약수가 2개인 수는 소수이므로 20 이상 60 이하의 자연수 중에서 가장 큰 소수는 59, 가장 작은 소수는 23이다.

즉, $a = 59$, $b = 23$

따라서

$a + b = 59 + 23 = 82$

답 82

03

$504 = 2^3 \times 3^2 \times 7$이므로

$x^a \times y^2 \times z = 2^3 \times 3^2 \times 7$

즉, $x = 2$, $y = 3$, $z = 7$, $a = 3$

따라서

$x + y + z + a = 2 + 3 + 7 + 3 = 15$

답 15

04

$1400=2^3 \times 5^2 \times 7$이므로

$\dfrac{2^3 \times 5^2 \times 7}{a} = \dfrac{2^2 \times 2 \times 5^2 \times 7}{a}$이 어떤 자연수의 제곱이 되기

위해 a가 될 수 있는 자연수는

14, 14×2^2, 14×5^2, $14 \times 2^2 \times 5^2$이다.

따라서 두 번째로 작은 자연수 a의 값은 56이다.

답 56

05

$450=2 \times 3^2 \times 5^2$에서

제곱이 되는 경우만 뽑아서 약수를 만든다.

2는 지수가 짝수가 아니므로 제곱인 수를 만들 수 없다.

따라서 450의 약수 중 어떤 자연수의 제곱이 되는 수는

1, 3^2, 5^2, $3^2 \times 5^2$이다.

[참고] 1은 1^2이므로 무조건 제곱인 수이다.

답 1, 3^2, 5^2, $3^2 \times 5^2$

06

약수가 3개인 자연수는 소수의 제곱이므로

$2^2=4$, $3^2=9$, $5^2=25$, $7^2=49$,

$11^2=121$, $13^2=169$, $17^2=289$

따라서 약수가 3개인 수는 7개이다.

[참고] a가 소수일 때, a^2의 약수 ➡ 1, a, a^2

답 7개

07

$3^n \times 28 = 3^n \times 2^2 \times 7$이므로

$3^n \times 28$의 약수의 개수는

$(n+1) \times (2+1) \times (1+1)=30$

$(n+1) \times 3 \times 2=30$, $n+1=5$

따라서 $n=4$

답 4

08

$39=3 \times 13$과 $2^2 \times A$가 서로소이려면 A는 3과 13을 소인수로 갖지 않아야 한다.

ㄱ. $12=2^2 \times 3$은 3을 소인수로 갖는다.

ㄹ. $26=2 \times 13$은 13을 소인수로 갖는다.

ㅂ. $52=2^2 \times 13$은 13을 소인수로 갖는다.

따라서 A가 될 수 있는 수는 ㄴ, ㄷ, ㅁ이다.

답 ㄴ, ㄷ, ㅁ

09

$$
\begin{array}{l}
2^2 \quad\ \times 5 \qquad\quad \times 11 \\
2^2 \quad\ \times 5^2 \times 7 \\
\underline{2^3 \times 3 \times 5^3} \\
2^2 \quad\ \times 5
\end{array}
$$

최대공약수는 $2^2 \times 5=20$이므로 공약수는 20의 약수이다.

따라서 공약수는 1, 2, 4, 5, 10, 20이다.

답 1, 2, 4, 5, 10, 20

10

$2 \times 3^2 \times 7$, $2^2 \times 3 \times 7^2$의 최소공배수는

$2^2 \times 3^2 \times 7^2$

이므로 두 수의 공배수는

$2^2 \times 3^2 \times 7^2$의 배수이다.

따라서 두 수의 공배수가 아닌 것은 ③이다.

답 ③

11

$2^a \times 3 \times 5^2$, $2^3 \times 5^b$, $2^2 \times 3^c \times 5^2$의

최대공약수가 $20=2^2 \times 5$이므로

$5^b=5$, 즉 $b=1$

또 최소공배수가 $1200=2^4 \times 3 \times 5^2$이므로

$2^a=2^4$, $3^c=3$, 즉 $a=4$, $c=1$

따라서

$a+b+c=4+1+1=6$

답 6

12

가능한 한 큰 정육면체 모양의 비누를 만들려면 한 모서리의 길이는 72, 54, 36의 최대공약수이어야 한다.

$$\begin{array}{r} 72 = 2^3 \times 3^2 \\ 54 = 2 \ \times 3^3 \\ 36 = 2^2 \times 3^2 \\ \hline 2 \ \times 3^2 = 18 \end{array}$$

에서 최대공약수는 18이므로

정육면체 모양의 비누의 한 모서리의 길이는 18 cm이다.

이때 만들어지는 정육면체 모양의 비누의 개수는

가로: $72 \div 18 = 4$(개)

세로: $54 \div 18 = 3$(개)

높이: $36 \div 18 = 2$(개)

이므로 총 개수는

$4 \times 3 \times 2 = 24$(개)

따라서 전체 포장비용은

$24 \times 1000 = 24000$(원)

답 24000원

13

나무를 최소로 심으려면 나무 사이의 간격이 최대가 되어야 하므로 나무 사이의 간격은 132와 84의 최대공약수이어야 한다.

$$\begin{array}{r} 132 = 2^2 \times 3 \ \ \ \times 11 \\ 84 = 2^2 \times 3 \times 7 \\ \hline 2^2 \times 3 = 12 \end{array}$$

에서 최대공약수는 12이므로

나무 사이의 최대 간격은 12 m이다.

이때

가로: $132 \div 12 = 11$(그루)

세로: $84 \div 12 = 7$(그루)

이므로 총 나무 수는

$(11+7) \times 2 = 36$(그루)

따라서 나무는 최소 36그루 심을 수 있다.

답 36그루

14

젤리, 사탕, 초콜릿을 똑같이 나누어 줄 때 7개씩 남았으므로

젤리는 $97-7 = 90$(개),

사탕은 $115-7 = 108$(개),

초콜릿은 $79-7 = 72$(개)

이면 학생들에게 똑같이 나누어 줄 수 있다. 즉, 학생 수는 90, 108, 72의 공약수이다.

$$\begin{array}{r} 90 = 2 \ \times 3^2 \times 5 \\ 108 = 2^2 \times 3^3 \\ 72 = 2^3 \times 3^2 \\ \hline 2 \ \times 3^2 = 18 \end{array}$$

에서 최대공약수는 18이므로

학생 수는 18의 약수이고, 18의 약수 중 7보다 큰 것은 9, 18이다.

따라서 가능한 학생 수는 9, 18이다.

답 9, 18

15

두 톱니바퀴가 처음으로 다시 같은 톱니에서 맞물릴 때까지 돌아간 톱니의 개수는 60과 48의 최소공배수이므로

$$\begin{array}{r} 60 = 2^2 \times 3 \times 5 \\ 48 = 2^4 \times 3 \\ \hline 2^4 \times 3 \times 5 = 240 \end{array}$$

에서 돌아간 톱니의 개수는 240이다.

따라서 두 톱니바퀴가 처음으로 다시 같은 톱니에서 맞물리는 것은

A: $240 \div 60 = 4$(바퀴), B: $240 \div 48 = 5$(바퀴)

회전한 후이다.

답 A: 4바퀴, B: 5바퀴

16

8, 12, 16의 어느 수로 나누어도 나머지가 4인 자연수를 A라 하면 $(A-4)$는 8, 12, 16의 공배수이다.

$$\begin{array}{r} 8 = 2^3 \\ 12 = 2^2 \times 3 \\ 16 = 2^4 \\ \hline 2^4 \times 3 = 48 \end{array}$$

에서 8, 12, 16의 최소공배수는 48이므로

$(A-4)$는 48, 96, 144, $\cdots$

이고 300에 가장 가까운 수는

$a=48\times6+4$

$\quad=288+4=292$

또 200에 가장 가까운 수는

$b=48\times4+4$

$\quad=192+4=196$

따라서

$a-b=292-196=96$

탑 96

17

구하는 학생 수를 □라 하면

$$\left.\begin{array}{l}□\div4=a\ \cdots\ 1 \\ □\div6=b\ \cdots\ 3 \\ □\div8=c\ \cdots\ 5\end{array}\right\} \Rightarrow (□+3)은\ 4,\ 6,\ 8로\ 나누어떨어$$
진다. $(a, b, c$는 자연수$)$

즉, $(□+3)$은 4, 6, 8의 공배수이다.

$$\begin{array}{l}4=2^2 \\ 6=2\times3 \\ \underline{8=2^3} \\ 2^3\times3=24\end{array}$$

에서 4, 6, 8의 최소공배수는 24이므로

$(□+3)$은 24의 배수이다.

□가 150 이상 180 이하가 되기 위해서는

$□+3=24\times7=168$

$\therefore □=165$

이때 한 모둠을 5명으로 하면

$165\div5=33$ (모둠)

따라서 전체 33모둠이다.

탑 33모둠

18

$\dfrac{52}{a}$와 $\dfrac{56}{a}$이 자연수이므로 a는 52, 56의 공약수이다.

$$\begin{array}{l}52=2^2\quad\times13 \\ \underline{56=2^3\times7} \\ 2^2=4\end{array}$$

에서 52와 56의 최대공약수는 4이다.

즉, a는 4의 약수이고, $\dfrac{b}{a}$가 가장 작은 자연수가 되어야 하므로 $a=4$

$\dfrac{52}{4}<\dfrac{56}{4}<\dfrac{b}{4}$에서 $13<14<\dfrac{b}{4}$이므로

$\dfrac{b}{4}=15$

따라서 $b=60$

탑 60

19

구하는 기약분수를 $\dfrac{a}{b}$라 하면

a는 5, 7, 4의 최소공배수이므로

$a=5\times7\times4=140$

또 b는 12, 36, 15의 최대공약수이므로

$$\begin{array}{l}12=2^2\times3 \\ 36=2^2\times3^2 \\ \underline{15=\qquad3\times5} \\ \qquad3\end{array}$$

에서 $b=3$

따라서 구하는 기약분수는 $\dfrac{140}{3}$

탑 $\dfrac{140}{3}$

20

$$18\overline{)A\quad72}$$

$$\overset{★}{\underset{서로소}{\underline{\qquad}}}\quad 4$$

$A=18\times★$에서 ★은 4와 서로소이므로

★이 될 수 있는 수는

1, 3, 5, 7, $\cdots$

이때 A는 200 이하의 자연수이므로

$18\times1=18$, $18\times3=54$, $18\times5=90$,

$18\times7=126$, $18\times9=162$, $18\times11=198$

따라서 가능한 A의 값은 6개이다.

탑 ④

2 정수와 유리수
본문 26~47쪽

확인문제

01 (1) × (2) ○ (3) × (4) ×

02

03 (1) 4 (2) $\frac{3}{2}$ (3) 0

04 (1) $+5, -5$ (2) 0 (3) $-\frac{2}{7}$ (4) -1.5

05 (1) > (2) > (3) < (4) >

06 (1) $-4, -\frac{1}{2}, +\frac{3}{5}, +2$

(2) $-3, -\frac{7}{3}, +0.2, +\frac{3}{4}$

07 (1) $x \geq -1$ (2) $0 \leq x \leq \frac{3}{5}$

(3) $-2 < x < 3$ (4) $-5 \leq x < \frac{1}{2}$

08 (1) 3, 5, 7 (2) 2, 3, 5, 6, 7

09 (1) $-, -, 5$ (2) $-, -, 3$ (3) $+, +, 3$

10 (1) $+, +, 2$ (2) $+, -, 16$ (3) $+, +, 2, +, 3$

11 (1) -2 (2) 1 (3) -10 (4) 0 (5) $\frac{5}{2}$

12 (1) 3 (2) -6 (3) -15 (4) 18 (5) 12

13 (1) 두 수: $-2, +4$, 곱: -8

(2) 두 수: $-8, +5$, 곱: -40

(3) 두 수: $-5, +9$, 곱: -45

14 (1) 9 (2) -25 (3) 1 (4) 0

15 (1) 6, 6, 3, 5 (2) 100, 100, 1313 (3) 1, 100, 1683

16 (1) $\frac{2}{3}$ (2) $\frac{1}{2}$ (3) -1 (4) $-\frac{10}{23}$

17 (1) -6 (2) $-\frac{1}{4}$ (3) $\frac{3}{2}$ (4) -2

18 (1) < (2) < (3) > (4) <

19 (1) $\square=2, x=8$ (2) $\square=-2, x=-5$

(3) $\square=\frac{1}{2}, x=-\frac{1}{3}$

20 (1) A: -2

(2) B: -2, C: 1

(3) A: $-\frac{1}{2}$, C: $\frac{9}{2}$

21 (1) 6점 (2) 1점 (3) 8점

22 (1) 3 (2) $\frac{1}{6}$ (3) -2 (4) -10

유형연습

01 ②, ④ **02** $a=-1, b=3$ **03** ④

04 $a=-6, b=6$ **05** a: 5개, b: 4개

06 ④ **07** 7 **08** 6 **09** $\frac{7}{10}$

10 $-\frac{17}{6}$ **11** 3 **12** $\frac{1}{33}$ **13** 32

14 ③ **15** -2.8 **16** $-\frac{3}{4}$ **17** $\frac{1}{3}$

18 ④ **19** $-\frac{7}{16}$ **20** B: $\frac{1}{9}$, D: $\frac{11}{9}$

21 14칸 **22** 3

01

① 모든 정수는 유리수이므로 0은 유리수이다.

③ 1과 2 사이에는 다른 정수가 없다.

⑤ $-\frac{1}{2}, -\frac{4}{5}$ 등은 음의 유리수이지만 음의 정수는 아니다.

따라서 옳은 것은 ②, ④이다.

답 ②, ④

02

$-\frac{5}{4}=-1\frac{1}{4}$이므로 수직선 위에 $-\frac{5}{4}$를 나타내면 가장 가까운 정수 a는 -1이다.

$\frac{8}{3}=+2\frac{2}{3}$이므로 수직선 위에 $\frac{8}{3}$을 나타내면 가장 가까운 정수 b는 3이다.

따라서 $a=-1, b=3$

답 $a=-1, b=3$

03

절댓값이 5인 수는 $+5$와 -5이다.

이때 a는 양의 정수이므로 $a=+5$

절댓값이 4인 수는 $+4$와 -4이다.

이때 b는 음의 정수이므로 $b=-4$

$$\begin{array}{c}\longleftarrow\!\!\!\!\!\!\!\underset{-5\ \underset{\textstyle\smile}{-4}\ -3\ -2\ -1\quad 0\ +1\ +2\ +3\ +4\ \underset{\textstyle\smile}{+5}}{}\!\!\!\!\!\!\!\longrightarrow\end{array}$$

따라서 a와 b 사이에 있는 정수는

$-3,\ -2,\ -1,\ 0,\ 1,\ 2,\ 3,\ 4$의 8개이다.

답 ④

04

조건 (나)에서 두 수 a, b에 대응하는 두 점 사이의 거리가 12

이고, 조건 (가)에서 두 수의 절댓값이 같으므로

원점에서 각 점에 이르는 거리는

$$12\times\frac{1}{2}=6$$

그런데 (가)에서 $b>a$이므로

$a=-6,\ b=6$

답 $a=-6,\ b=6$

05

$|a|<3$이고 a는 정수이므로

$|a|$는 $0,\ 1,\ 2$

이때 a는 $-2,\ -1,\ 0,\ 1,\ 2$의 5개이다.

또 $1\le|b|<3$이고 b는 정수이므로

$|b|$는 $1,\ 2$

이때 b는 $-2,\ -1,\ 1,\ 2$의 4개이다.

답 a: 5개, b: 4개

06

① 가장 큰 수는 $+3$이다.

② 가장 작은 수는 $-2\dfrac{1}{3}$이다.

③ 0.3보다 큰 수는 $+3$, $+\dfrac{3}{2}$, 1.2의 3개이다.

⑤ 두 번째로 큰 수는 $+\dfrac{3}{2}$이다.

따라서 옳은 것은 ④이다.

답 ④

07

$\dfrac{21}{5}=4\dfrac{1}{5}$이므로 $\dfrac{21}{5}$보다 작은 자연수는

$1,\ 2,\ 3,\ 4$의 4개이다.

즉, $a=4$

또 -3보다 작지 않은 음의 정수는 -3보다 크거나 같은 음의 정수이므로 $-3,\ -2,\ -1$의 3개이다.

즉, $b=3$

따라서

$a+b=4+3=7$

답 7

08

$-\dfrac{1}{2}<\dfrac{\square}{10}<\dfrac{4}{5}$, 즉 $-\dfrac{5}{10}<\dfrac{\square}{10}<\dfrac{8}{10}$에서 분모가 10인 기약분수는

$$-\frac{3}{10},\ -\frac{1}{10},\ \frac{1}{10},\ \frac{3}{10},\ \frac{7}{10}$$

이므로

$a=5$

또 $-\dfrac{5}{10}<\dfrac{\square}{10}<\dfrac{8}{10}$에서 $\square=0$인 경우에만 정수이고,

$-5<\square<8$의 나머지 정수에 대해서는 $\dfrac{\square}{10}$가 정수가 아닌

유리수가 되므로

$b=11$

따라서

$b-a=11-5=6$

답 6

09

-1과 마주 보는 면에 있는 수는 $+1$,

$-\dfrac{1}{5}$과 마주 보는 면에 있는 수는 $+\dfrac{1}{5}$,

$\dfrac{1}{2}$과 마주 보는 면에 있는 수는 $-\dfrac{1}{2}$이므로

$$1+\frac{1}{5}+\left(-\frac{1}{2}\right)=\frac{6}{5}+\left(-\frac{1}{2}\right)$$
$$=\frac{12}{10}+\left(-\frac{5}{10}\right)$$
$$=\frac{7}{10}$$

답 $\frac{7}{10}$

10

$$\frac{1}{2}-\frac{1}{3}-\frac{5}{2}+\frac{5}{6}-\frac{4}{3}$$
$$=\frac{1}{2}+\left(-\frac{1}{3}\right)+\left(-\frac{5}{2}\right)+\left(+\frac{5}{6}\right)+\left(-\frac{4}{3}\right)$$
$$=\frac{1}{2}+\left(-\frac{5}{2}\right)+\left(-\frac{1}{3}\right)+\left(-\frac{4}{3}\right)+\left(+\frac{5}{6}\right)$$
$$=\left\{\frac{1}{2}+\left(-\frac{5}{2}\right)\right\}+\left\{\left(-\frac{1}{3}\right)+\left(-\frac{4}{3}\right)\right\}+\left(+\frac{5}{6}\right)$$
$$=(-2)+\left(-\frac{5}{3}\right)+\left(+\frac{5}{6}\right)$$
$$=(-2)+\left\{\left(-\frac{5}{3}\right)+\left(+\frac{5}{6}\right)\right\}$$
$$=(-2)+\left(-\frac{5}{6}\right)$$
$$=-\frac{17}{6}$$

답 $-\frac{17}{6}$

11

$-\frac{2}{3}$ 보다 $\frac{3}{2}$ 만큼 작은 수는

$$-\frac{2}{3}-\frac{3}{2}=-\frac{4}{6}-\frac{9}{6}$$
$$=-\frac{13}{6}=-2.1\times\times\cdots$$

또 -7 보다 8만큼 큰 수는

$-7+8=1$

이므로 두 수 사이에 있는 정수는 $-2, -1, 0$

따라서 정수의 개수는 3이다.

답 3

12

$$\frac{3}{5}\times\left(-\frac{5}{7}\right)\times\frac{7}{9}\times\left(-\frac{9}{11}\right)\times\cdots\times\frac{95}{97}\times\left(-\frac{97}{99}\right)$$

에서 음수의 개수는 24이므로 계산 결과는 양수이다. 또한 각각 앞의 수의 분모와 뒤의 수의 분자가 서로 약분되므로

$$\frac{3}{5}\times\left(-\frac{5}{7}\right)\times\frac{7}{9}\times\left(-\frac{9}{11}\right)\times\cdots\times\frac{95}{97}\times\left(-\frac{97}{99}\right)$$
$$=\frac{3}{99}=\frac{1}{33}$$

답 $\frac{1}{33}$

13

(i) 세 수의 곱이 가장 큰 수

$(+)\times(+)\times(+)$

➡ $2\times\frac{1}{3}\times4=\frac{8}{3}$

$(-)\times(-)\times(+)$

➡ $\left(-\frac{2}{3}\right)\times(-3)\times4=8$

(ii) 세 수의 곱이 가장 작은 수

$(-)\times(+)\times(+)$

➡ $(-3)\times2\times4=-24$

(i), (ii)에서 세 수의 곱이 가장 큰 수와 가장 작은 수의 차는

$8-(-24)=32$

답 32

14

$a<0$ 이므로 $a=-1$ 로 놓으면

① $a^2=(-1)^2=+1$

② $-a^3=-(-1)^3=-(-1)=+1$

③ $-(-a)=-(+1)=-1$

④ $-2\times a=-2\times(-1)=+2$

⑤ $(-a)\times(-a)=(+1)\times(+1)=+1$

따라서 음수인 것은 ③이다.

답 ③

15

$3.52\times(-1.8)+3.52\times2.5-0.7\times7.52$
$=3.52\times(-1.8+2.5)-0.7\times7.52$
$=3.52\times0.7-0.7\times7.52$

$=0.7\times(3.52-7.52)$

$=0.7\times(-4)$

$=-2.8$

冒 -2.8

16

A와 마주 보는 면에 있는 수는 $-\dfrac{4}{5}$이고,

$-\dfrac{4}{5}$의 역수는 $-\dfrac{5}{4}$이므로

$A=-\dfrac{5}{4}$

B와 마주 보는 면에 있는 수는 -3이고,

-3의 역수는 $-\dfrac{1}{3}$이므로

$B=-\dfrac{1}{3}$

C와 마주 보는 면에 있는 수는 1.2이고, $1.2=\dfrac{6}{5}$이므로

$\dfrac{6}{5}$의 역수는 $\dfrac{5}{6}$이다.

즉, $C=\dfrac{5}{6}$

따라서

$A+B+C=-\dfrac{5}{4}+\left(-\dfrac{1}{3}\right)+\dfrac{5}{6}$

$\qquad\qquad=-\dfrac{15}{12}-\dfrac{4}{12}+\dfrac{10}{12}$

$\qquad\qquad=-\dfrac{9}{12}$

$\qquad\qquad=-\dfrac{3}{4}$

冒 $-\dfrac{3}{4}$

17

$5-\left\{2\times\left(-\dfrac{15}{4}\right)\div\left(-\dfrac{9}{2}\right)+6\times\dfrac{1}{2}\right\}$

$=5-\left\{2\times\left(-\dfrac{15}{4}\right)\times\left(-\dfrac{2}{9}\right)+6\times\dfrac{1}{2}\right\}$

$=5-\left\{+\left(2\times\dfrac{15}{4}\times\dfrac{2}{9}\right)+6\times\dfrac{1}{2}\right\}$

$=5-\left(\dfrac{5}{3}+3\right)$

$=5-\dfrac{14}{3}$

$=\dfrac{1}{3}$

冒 $\dfrac{1}{3}$

18

(i) $a\times b<0$인 경우

a	b
$+$	$-$
$-$	$+$

에서 $a>b$이므로 $a:(+)$, $b:(-)$

(ii) $b\div c<0$인 경우

b	c
$-$	$+$
$+$	$-$

(i), (ii)에서

$a:(+)$, $b:(-)$, $c:(+)$

따라서 $a>0$, $b<0$, $c>0$이므로 ④이다.

冒 ④

19

①	②
$a+\left(-\dfrac{3}{4}\right)=-\dfrac{1}{6}$	$a\times\left(-\dfrac{3}{4}\right)$

$a+\left(-\dfrac{3}{4}\right)=-\dfrac{1}{6}$이므로

$a=-\dfrac{1}{6}-\left(-\dfrac{3}{4}\right)$

$\ =-\dfrac{1}{6}+\dfrac{3}{4}=\dfrac{7}{12}$

즉, $a=\dfrac{7}{12}$

$a\times\left(-\dfrac{3}{4}\right)=\dfrac{7}{12}\times\left(-\dfrac{3}{4}\right)$

$\qquad\qquad=-\left(\dfrac{7}{12}\times\dfrac{3}{4}\right)$

$\qquad\qquad=-\dfrac{7}{16}$

따라서 바르게 계산한 값은 $-\dfrac{7}{16}$이다.

冒 $-\dfrac{7}{16}$

20

① (두 점 A, C 사이의 거리)

$$=\frac{2}{3}-\left(-\frac{4}{9}\right)$$

$$=\frac{2}{3}+\frac{4}{9}$$

$$=\frac{6}{9}+\frac{4}{9}$$

$$=\frac{10}{9}$$

② (두 점 A, B 사이의 거리)

$$=\frac{10}{9}\times\frac{1}{2}$$

$$=\frac{5}{9}$$

③ 점 B가 나타내는 수

$-\frac{4}{9}$에서 오른쪽으로 $\frac{5}{9}$만큼 이동한 위치에 있다.

즉, $-\frac{4}{9}+\frac{5}{9}=\frac{1}{9}$

④ 점 D가 나타내는 수

점 D는 $\frac{2}{3}$에서 오른쪽으로 $\frac{5}{9}$만큼 이동한 위치에 있다.

즉, $\frac{2}{3}+\frac{5}{9}=\frac{6}{9}+\frac{5}{9}=\frac{11}{9}$

따라서 두 점 B, D가 나타내는 수는 각각 $\frac{1}{9}$, $\frac{11}{9}$이다.

답 B: $\frac{1}{9}$, D: $\frac{11}{9}$

21

	이김($+3$)	짐(-4)
은빈	4번	2번
하나	2번	4번

은빈: $4\times(+3)+2\times(-4)=+4$

하나: $2\times(+3)+4\times(-4)=-10$

따라서 두 사람은 14칸 떨어져 있다.

답 14칸

22

$$\square\times\frac{5}{3}\times\frac{1}{25}\times(-3)=-\frac{3}{5}$$

$$\square\times\frac{1}{15}\times(-3)=-\frac{3}{5}$$

$$\square\times\left(-\frac{1}{5}\right)=-\frac{3}{5}$$

따라서 $\square=3$

답 3

쉽게 배우는 중학 AI

4차 산업혁명의 핵심인 인공지능!
중학 교과와 AI를 융합한 인공지능 입문서

확인문제

01 (1) $3ab$ (2) $-(a+b)$ (3) $\dfrac{7-a}{b}$ (4) $-\dfrac{xy^2}{2}$

02 (1) $(2a+2b)$ cm   (2) $6x$ cm

     (3) $\dfrac{1}{2}ah$ cm^2 (4) x^3 cm^3

03 (1) $2a$ km   (2) $\dfrac{9a}{20}$ 시간

04 (1) 3, 2   (2) 3, 9   (3) 3, -5

05 (1) 1   (2) 1   (3) -1 (4) 2

06 ㄱ, ㄴ, ㅂ

07 (1) $6x$ (2) $4x$ (3) $4a+12$ (4) $3x-2$

08 (1) $3a$와 $2a$, -1과 5

     (2) x와 $-3x$, 1과 5

     (3) $2a$와 $-a$, $2b$와 $-5b$

     (4) $-6x$와 $4x$, $-8y$와 $3y$

09 (1) $\dfrac{3}{4}x$ (2) $\dfrac{y}{6}$ (3) $-\dfrac{x}{12}$

10 (1) 6   (2) -1 (3) 5   (4) 3

11 (1) 5   (2) $2x-1$ (3) $3x-4$

12 (1) $x-y$ (2) $-3x+5y$ (3) $3x+4y$ (4) $-2x+4y$

13 (1) $x+1$ (2) $x+1$ (3) $2x+4$ (4) $2x+4$ (5) $3x+5$

14 (1) ×   (2) ○   (3) ○   (4) ×   (5) ○

15 ㄱ, ㄹ   **16** ③   **17** ㄱ, ㄹ

18 10, 10, $-3x$, -10, 2, -6, -3

19 10, 10, 10, 5, 30, 2, -10

20 (1) 3, -2, -1 (2) 3, 9, 6, -3

21 (1) -2, -1, 0, 1   (2) 2, 3   (3) -2, -1

22 (1) $3x=12$ (2) $2(2x-3)=18$ (3) $\dfrac{5}{2}x=25$

23 (1) $x-2$, x, $x+2$ (2) 72   (3) $3x$ (4) 24   (5) 22

24 (1) $x-0.1x=9000$

     (2) $50000+500x=70000$

     (3) $x+0.2x=6000$

25 (1) $20+x$

     (2) $10x+4$

     (3) $300+10x+5$

     (4) $10x+(x+2)=11x+2$

26

	올라갈 때	내려올 때
거리	(1) x km	(2) x km
속력	시속 4 km	시속 6 km
시간	(3) $\dfrac{x}{4}$ 시간	(4) $\dfrac{x}{6}$ 시간

x, x, 5

27

	시속 3 km	시속 4 km
거리	x km	(1) $(3-x)$ km
시간	(2) $\dfrac{x}{3}$ 시간	(3) $\dfrac{3-x}{4}$ 시간

x, $3-x$, 20

28 (1) 1200   (2) $70x$ (3) $50x$ (4) $120x$ (5) 10   (6) 10

29 (1) $0.03x=9$ (2) $x-0.05x=114$

     (3) $x+0.1x=33$

30 (1) $\dfrac{1}{5}$ (2) $\dfrac{1}{8}$ (3) $\left(\dfrac{1}{5}+\dfrac{1}{8}\right)x$

31

	올해	x년 후
어머니	44	$44+x$
세준	16	$16+x$

, x, x

32 (1) $7x+3$ (2) $5x+4$ (3) $8(x-3)+5=8x-19$

유형연습

01 ④   **02** $2a+3b$

03 형: $120x$ m, 동생: $80(10+x)$ m

04 ③   **05** 5   **06** ⑤   **07** -18

08 ②   **09** $2x-27$ **10** 0   **11** $10a+8$

12 $2x+8$ **13** (1) $11x-9$ (2) $17x-15$

14 ⑤   **15** (1) $3x+b+3$ (2) 2   (3) -4

16 ③   **17** $a=2$, $b\neq2$ **18** 2

19 $x=-3$ **20** 3   **21** ④   **22** ④

23 12   **24** ②   **25** 45   **26** 600 m

27 $\dfrac{5}{3}$ km   **28** 50 m

29 남학생 수: 44명, 여학생 수: 19명   **30** 16분

31 8살   **32** 67명

01

① $a \div b \div 2 = a \times \dfrac{1}{b} \times \dfrac{1}{2}$

$\qquad\qquad\qquad = \dfrac{a}{2b}$

② $a \div b \times c = a \times \dfrac{1}{b} \times c$

$\qquad\qquad\qquad = \dfrac{ac}{b}$

③ $a \div \dfrac{1}{b} \div \dfrac{1}{c} = a \times b \times c$

$\qquad\qquad\qquad = abc$

④ $a \div (b \div c) = a \div \left(b \times \dfrac{1}{c} \right)$

$\qquad\qquad\qquad = a \div \dfrac{b}{c}$

$\qquad\qquad\qquad = a \times \dfrac{c}{b}$

$\qquad\qquad\qquad = \dfrac{ac}{b}$

⑤ $5 - 2 \times a = 5 - 2a$

따라서 옳은 것은 ④이다.

답 ④

02

오른쪽 그림과 같이 사각형을 두 개의 삼
각형으로 나누면 사각형의 넓이는

$\dfrac{1}{2} \times a \times 4 + \dfrac{1}{2} \times b \times 6$

$= 2a + 3b$

답 $2a + 3b$

03

형과 동생이 만날 때까지 형은 분속 120 m로 x분을 걸었고,
동생은 분속 80 m로 $(10 + x)$분을 걸었다.
따라서 형이 걸은 거리는 $120x$ m, 동생이 걸은 거리는
$80(10 + x)$ m이다.

답 형: $120x$ m, 동생: $80(10 + x)$ m

[참고] (거리)$=$(속력)$\times$(시간)

04

① $a - 1 = 3 - 1 = 2$

② $\dfrac{9}{a} = \dfrac{9}{3} = 3$

③ $2a + 1 = 2 \times 3 + 1 = 7$

④ $2 - 3a = 2 - 3 \times 3 = 2 - 9 = -7$

⑤ $-5 + 3a = -5 + 3 \times 3 = 4$

따라서 식의 값이 가장 큰 것은 ③이다.

답 ③

05

① $x^2 = \left(\dfrac{1}{2} \right)^2 = \dfrac{1}{4}$

② $-\dfrac{2}{y} = -2 \div y$

$\qquad\quad = -2 \div \left(-\dfrac{1}{3} \right)$

$\qquad\quad = -2 \times (-3)$

$\qquad\quad = +6$

③ $-10xz = -10 \times \dfrac{1}{2} \times \dfrac{1}{4}$

$\qquad\qquad = -\dfrac{5}{4}$

따라서

$x^2 - \dfrac{2}{y} - 10xz = \dfrac{1}{4} + 6 - \dfrac{5}{4}$

$\qquad\qquad\qquad = 6 - 1 = 5$

답 5

06

① $5x + 1$의 항은 $5x$, 1의 2개이다.

② $-2x + 2$의 상수항은 2이다.

③ $x^2 - 2x + 1$의 차수는 2이다.

④ $\dfrac{1}{x} + 2$는 일차식이 아니다.

따라서 옳은 것은 ⑤이다.

답 ⑤

07

$\left(5x - \dfrac{1}{2} \right) \div \left(-\dfrac{1}{4} \right)$

$$= \left(5x - \frac{1}{2}\right) \times (-4)$$
$$= 5x \times (-4) - \frac{1}{2} \times (-4)$$
$$= -20x + 2$$

따라서 $a = -20$, $b = 2$이므로

$$a + b = -20 + 2 = -18$$

답 -18

08

$-4(2x - 3) = -8x + 12$

이고

$(3x - 21) \div (-3) = -x + 7$

이므로

$(-8x + 12) + (-x + 7) = -9x + 19$

따라서 두 일차식의 합은 ②이다.

답 ②

09

$$24\left(\frac{x-3}{2} - \frac{x-1}{3}\right) - \frac{10x-5}{5}$$
$$= 24 \times \frac{x-3}{2} - 24 \times \frac{x-1}{3} - (2x-1)$$
$$= 12(x-3) - 8(x-1) - (2x-1)$$
$$= 12x - 36 - 8x + 8 - 2x + 1$$
$$= 2x - 27$$

답 $2x - 27$

10

$$10x - y - \{3x + 5y - (2x - 3y)\}$$
$$= 10x - y - (3x + 5y - 2x + 3y)$$
$$= 10x - y - (x + 8y)$$
$$= 10x - y - x - 8y$$
$$= 9x - 9y$$

따라서 $a = 9$, $b = -9$이므로

$$a + b = 9 + (-9) = 0$$

답 0

11

(큰 직사각형의 넓이)$= 6(2a + 1)$
$$= 12a + 6$$

(작은 직사각형의 넓이)$= 2(a - 1)$
$$= 2a - 2$$

이므로 색칠한 부분의 넓이는

(큰 직사각형의 넓이) $-$ (작은 직사각형의 넓이)

$$= 12a + 6 - (2a - 2)$$
$$= 12a + 6 - 2a + 2$$
$$= 10a + 8$$

답 $10a + 8$

12

어떤 일차식을 A라 하면

$$A - 3(2x + 1) = -4x + 5$$
$$\therefore A = -4x + 5 + 3(2x + 1)$$
$$= -4x + 5 + 6x + 3$$
$$= 2x + 8$$

따라서 구하는 일차식은 $2x + 8$이다.

답 $2x + 8$

13

(1) 어떤 식을 A라 하면
$$A + \{-3(2x - 2)\} = 5x - 3$$
이므로
$$A = 5x - 3 - \{-3(2x - 2)\}$$
$$= 5x - 3 - (-6x + 6)$$
$$= 5x - 3 + 6x - 6$$
$$= 11x - 9$$

(2) $A = 11x - 9$이므로
$$11x - 9 - \{-3(2x - 2)\}$$
$$= 11x - 9 - (-6x + 6)$$
$$= 11x - 9 + 6x - 6$$
$$= 17x - 15$$

답 (1) $11x - 9$ (2) $17x - 15$

14

각 식에 $x=3$을 대입하면

① $3\times3-5=2\times3$, $4=6$(거짓)

② $2(3-1)=3-4$, $4=-1$(거짓)

③ $9=3\times3+1$, $9=10$(거짓)

④ $2\times3=3+4$, $6=7$(거짓)

⑤ $3\times3-9=0$, $0=0$(참)

따라서 $x=3$이 해가 되는 방정식은 ⑤이다.

답 ⑤

15

(1) 주어진 등식의 우변을 정리하면

$3(x+2)+b-3$

$=3x+6+b-3$

$=3x+b+3$

(2), (3) 주어진 등식은 항등식이므로

$(a+1)x-1=3x+b+3$에서

$a+1=3$

$\therefore a=2$

$-1=b+3$

$\therefore b=-4$

답 (1) $3x+b+3$ (2) 2 (3) -4

16

ㄱ. $ac=bc$에서 $c\neq0$이라는 조건이 없으므로

$a=b$라고 할 수 없다.

ㄹ. $a-2=b+2$이면

$a-2+2=b+2+2$에서

$a=b+4$이다.

ㅂ. $a=2b$이면 $a+1=2b+1$이다.

따라서 옳은 것은 ③ ㄴ, ㄷ, ㅁ이다.

답 ③

17

$2x(x+1)=ax^2+bx+3$의 우변의 모든 항을 좌변으로 이

항하여 정리하면

$2x^2+2x-ax^2-bx-3=0$

$(2-a)x^2+(2-b)x-3=0$

일차방정식이 되기 위해서는 x^2의 계수가 0이어야 하므로

$2-a=0$ $\therefore a=2$

x의 계수가 0이 아니어야 하므로

$2-b\neq0$ $\therefore b\neq2$

답 $a=2$, $b\neq2$

18

$2x+5=-(x+1)$에서

$2x+5=-x-1$

$3x=-6$

$\therefore x=-2$

즉, $a=-2$

또 $3x+2=2(x+1)+4$에서

$3x+2=2x+6$

$\therefore x=4$

즉, $b=4$

따라서

$a+b=-2+4=2$

답 2

19

$0.2(3x-1)=\dfrac{1}{3}(2x-3)+1$의 양변에 30을 곱하면

$6(3x-1)=10(2x-3)+30$

$18x-6=20x-30+30$

$18x-20x=6$

$-2x=6$

$\therefore x=-3$

답 $x=-3$

20

$0.1(2+x)-4(1-0.2x)=-0.2$의 양변에 10을 곱하면

$(2+x)-40(1-0.2x)=-2$

$2+x-40+8x=-2$

$9x=-2+38$

$9x=36$

$\therefore x=4$

$\dfrac{x}{2}+\dfrac{2x-a}{3}=\dfrac{1}{6}$의 해는 $x=1$이므로

$\dfrac{x}{2}+\dfrac{2x-a}{3}=\dfrac{1}{6}$에 $x=1$을 대입하면

$\dfrac{1}{2}+\dfrac{2-a}{3}=\dfrac{1}{6}$

양변에 6을 곱하면

$3+2(2-a)=1$

$3+4-2a=1$

$-2a=-6$

따라서 $a=3$

답 3

21

$3(x+4)=-x+a-6$에서

$3x+12=-x+a-6$

$3x+x=a-18$

$4x=a-18$

$\therefore x=\dfrac{a-18}{4}$

$x=\dfrac{a-18}{4}=-\dfrac{18-a}{4}$가 음의 정수가 되려면

$\dfrac{18-a}{4}$가 자연수이면 되므로 $18-a$가 4의 배수이면 된다.

$18-a=4$이면 $a=14$

$18-a=8$이면 $a=10$

$18-a=12$이면 $a=6$

$18-a=16$이면 $a=2$

$18-a=20$이면 $a=-2$(자연수가 아니다.)

따라서 자연수 a는 2, 6, 10, 14의 4개이다.

답 ④

22

처음 직사각형의 넓이는

$12\times10=120\,(\mathrm{cm}^2)$

가로의 길이를 $x\,\mathrm{cm}$만큼 늘이고, 세로의 길이를 $3\,\mathrm{cm}$만큼 줄이면 가로의 길이는 $(12+x)\,\mathrm{cm}$, 세로의 길이는

$10-3=7\,(\mathrm{cm})$가 되므로

$(12+x)\times7=120-8$

$7(12+x)=112$

$84+7x=112$

$7x=28$

$\therefore x=4$

답 ④

23

연속하는 세 자연수를 $x-1$, x, $x+1$이라 하면

$6\times($가장 큰 수$)=($나머지 두 수의 합$)+51$

$6(x+1)=(x-1)+x+51$

$6x+6=2x+50$

$4x=44$

$\therefore x=11$

따라서 가장 큰 수는 12이다.

답 12

24

처음 사 온 사과 한 상자의 가격을 x원이라고 할 때

$30\times\dfrac{3}{5}=18$ (상자)는 30 %의 이익을 붙여서 팔았으므로

그 이익은 $18\times x\times\dfrac{30}{100}($ 원$)$

또 $30\times\dfrac{2}{5}=12$ (상자)는 10 %의 이익을 붙여서 팔았으므로

그 이익은 $12\times x\times\dfrac{10}{100}($ 원$)$

이때 전체 이익이 33000원이므로

$18\times x\times\dfrac{30}{100}+12\times x\times\dfrac{10}{100}=33000$

$18x\times3+12x=330000$

$54x+12x=330000$

$66x=330000$

$\therefore x=5000$

따라서 처음 사 온 사과 한 상자의 가격은 5000원이다.

답 ②

25

십의 자리의 숫자를 x라 하면

일의 자리의 숫자는 $(x+1)$이다.

$\boxed{x}$ $\boxed{x+1}$ $\rightarrow 10x+(x+1)$

십　　일

각 자리 숫자의 합 $\rightarrow x+(x+1)=2x+1$

즉, $10x+(x+1)=5(2x+1)$

$11x-10x=5-1$

$\therefore x=4$

따라서 구하는 자연수는 45이다.

답 45

26

집에서 공원까지의 거리를 x m라 하면

	형	동생
거리	x m	x m
속력	매분 60 m	매분 120 m
시간	$\dfrac{x}{60}$분	$\dfrac{x}{120}$분

$\dfrac{x}{120}+5=\dfrac{x}{60}$에서 $x+600=2x$

$\therefore x=600$

따라서 집에서 공원까지의 거리는 600 m이다.

답 600 m

27

집에서 약속 장소까지의 거리를 x km라 하면

	도보	자전거
거리	x km	x km
속력	시속 3 km	시속 12 km
시간	5분 후 도착	20분 전 도착

약속 시간은 서로 같으므로

$\dfrac{x}{3}-\dfrac{5}{60}=\dfrac{x}{12}+\dfrac{20}{60}$

$20x-5=5x+20$

$15x=25$

$\therefore x=\dfrac{5}{3}$

따라서 집에서 약속 장소까지의 거리는 $\dfrac{5}{3}$ km이다.

답 $\dfrac{5}{3}$ km

28

열차의 길이를 x m라고 하면

(다리에서의 속력)＝(터널에서의 속력)이므로

$\dfrac{1200+x}{60}=\dfrac{700+x}{36}$의 양변에 180을 곱하면

$3(1200+x)=5(700+x)$

$3600+3x=3500+5x$

$2x=100$

$\therefore x=50$

따라서 열차의 길이는 50 m이다.

답 50 m

29

작년의 남학생 수를 x명이라고 하면

	남학생 수	여학생 수	전체
작년	x	$60-x$	60
증감량	$+\dfrac{10}{100}x$	$-\dfrac{5}{100}(60-x)$	$60\times\dfrac{5}{100}=3$

$+\dfrac{10}{100}x-\dfrac{5}{100}(60-x)=3$

$10x-5(60-x)=300$

$10x-300+5x=300$

$15x=600$

$\therefore x=40$

즉, 작년 남학생 수는 40명, 작년 여학생 수는 20명이다.

따라서 올해 남학생 수는

$40+40\times\dfrac{10}{100}=44$(명),

올해 여학생 수는

$$20 - 20 \times \frac{5}{100} = 19(\text{명})\text{이다.}$$

답 남학생 수: 44명, 여학생 수: 19명

30

A 호스 → 1분에 $\frac{1}{20}$ 만큼 채운다.

B 호스 → 1분에 $\frac{1}{30}$ 만큼 채운다.

A, B 호스로 함께 채운 시간을 x분이라고 하면

$$\frac{1}{20}x + \frac{1}{30}x + \frac{1}{20} \times 10 = 1$$

$$3x + 2x + 30 = 60$$

$$5x = 30$$

$$\therefore x = 6$$

따라서 물을 가득 채우는 데 걸린 시간은 16분이다.

답 16분

[참고] 두 호스 6분 + A 호스 10분 = 16분

31

현재 세윤이의 나이를 x살이라고 하면

	올해 나이	5년 후의 나이
아버지	$x+28$	$(x+28)+5$
세윤	x	$x+5$

$$3(x+5) + 2 = (x+28) + 5$$

$$3x + 17 = x + 33$$

$$3x - x = 33 - 17$$

$$2x = 16$$

$$\therefore x = 8$$

따라서 현재 세윤이는 8살이다.

답 8살

32

텐트의 개수를 x라고 하면

$$5x + 12 = 7(x-2) + 4$$

$$5x + 12 = 7x - 14 + 4$$

$$5x - 7x = -10 - 12$$

$$-2x = -22$$

$$\therefore x = 11$$

즉, 텐트는 11개이고 학생 수는

$$5x + 12 = 5 \times 11 + 12 = 67(\text{명})$$

따라서 학생 수는 67명이다.

답 67명

4 좌표평면과 그래프 본문 80~97쪽

01 (1) $a=3$, $b=1$ (2) $a=3$, $b=-2$

(3) $a=-5$, $b=10$ (4) $a=2$, $b=-9$

02 (1) × (2) ○ (3) ○ (4) × (5) ×

03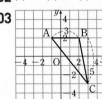

$, \dfrac{15}{2}$

04 (1) $a=-3$ (2) $a=-5$ (3) $a=-7$

05 (1) 제4사분면 (2) 제2사분면

(3) 제3사분면 (4) 제1사분면

06 (개) ㄴ (내) ㄷ (대) ㄱ

07 (1)

x	1	2	3	4	…
y	6	12	18	24	…

(2) $y=6x$

08

(1) 1, 3 (2) 증가

09 (1) 2, 4, 4, 2, 2 (2) 3, -6, -6, 3, -2

(3) -4, 2, 2, -4, $-\dfrac{1}{2}$

10 (1) $y=5x$ (2) $y=1000x$

(3) $y=30x$ (4) $y=6x$

11 (1) $(4, 6)$ (2) 4 (3) 6 (4) 12

12 (1) 4 (2) 1 (3) 8, 4

13 (1)

x	1	2	3	4	…
y	100	50	$\dfrac{100}{3}$	25	…

(2) $y=\dfrac{100}{x}$

14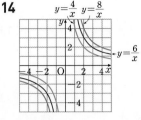

(1) 1, 3 (2) ㄱ, ㄴ, ㄷ

15 (1) 3, 2, 2, 3, 6 (2) -2, 5, 5, -2, -10

16 (1) $y=\dfrac{16}{x}$ (2) $y=\dfrac{100}{x}$ (3) $y=\dfrac{30}{x}$ (4) $y=\dfrac{20}{x}$

17 (1) $b=1$ (2) A$(1, 0)$ (3) C$(0, 6)$

18 (1) $a=8$ (2) $b=2$

01 9 **02** 2 **03** $\dfrac{39}{2}$ **04** $\dfrac{13}{2}$

05 ④ **06** (1) 풀이 참조 (2) 풀이 참조

07 -2 **08** ① **09** $\dfrac{2}{5} \leq a \leq 3$

10 20분 **11** ④ **12** (1) $y=3x$ (2) 8초 후

13 $-\dfrac{5}{2}$ **14** -16 **15** -12 **16** 9줄

17 -35 **18** 14

01

순서쌍 $(2a, 3b)$와 $(-a-3, -b+8)$이 같으므로

$2a=-a-3$에서

$3a=-3$ $\therefore a=-1$

$3b=-b+8$에서

$4b=8$ $\therefore b=2$

즉, $(2a, 3b)=(-2, 6)$이고

$(-a-3, -b+8)=(-2, 6)$

이때 $(-c-1, d-1)=(-2, 6)$이므로

$-c-1=-2$에서 $c=1$

$d-1=6$에서 $d=7$

따라서

$a+b+c+d=-1+2+1+7=9$

02

A$(-2a+3, 3b-2)$가 x축 위의 점이므로 y좌표가 0이다.

즉, $3b-2=0$

$3b=2$ $\quad \therefore b=\dfrac{2}{3}$

또 B$(6-2a, 5b-3)$이 y축 위의 점이므로 x좌표가 0

이다. 즉, $6-2a=0$

$2a=6$ $\quad \therefore a=3$

따라서

$ab=3\times\dfrac{2}{3}=2$

답 2

03

세 점 A, B, C를 좌표평면 위에 나타내면 다음 그림과 같다.

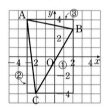

(삼각형 ABC의 넓이)

$=$ (직사각형의 넓이) $-$ ① $-$ ② $-$ ③

$=5\times8-4\times7\times\dfrac{1}{2}-1\times8\times\dfrac{1}{2}-5\times1\times\dfrac{1}{2}$

$=40-14-4-\dfrac{5}{2}$

$=\dfrac{39}{2}$

답 $\dfrac{39}{2}$

04

A$(2a-5, b-2)$는 x축 위의 점이므로 y좌표가 0이다.

즉, $b-2=0$ $\quad \therefore b=2$

B$(a-3, 2b-1)$은 y축 위의 점이므로 x좌표가 0이다.

즉, $a-3=0$ $\quad \therefore a=3$

A$(2a-5, b-2)=$A$(1, 0)$

B$(a-3, 2b-1)=$B$(0, 3)$

C$(a+b, a-b)=$C$(5, 1)$

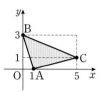

따라서

(삼각형 ABC의 넓이)

$=15-\left(\dfrac{3}{2}+2+5\right)$

$=\dfrac{13}{2}$

답 $\dfrac{13}{2}$

05

점 A는 x축 위의 점이므로

$a-2b=0$, 즉 $a=2b$

점 B는 y축 위의 점이므로

$2b-1=0$, $2b=1$

$\therefore b=\dfrac{1}{2}$

$a=2b$에 $b=\dfrac{1}{2}$을 대입하면

$a=1$

즉, C$\left(1+\dfrac{1}{2}, 1-4\times\dfrac{1}{2}\right)$은 C$\left(\dfrac{3}{2}, -1\right)$이므로

제4사분면 위에 있다.

답 ④

06

답 (1)

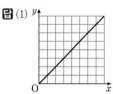

(2)

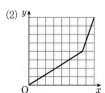

07

y가 x에 정비례하므로 $y=ax$라 하자.

$x=3$일 때 $y=-9$이므로

$-9=3a$　　∴ $a=-3$

따라서 x와 y 사이의 관계식은 $y=-3x$

이때 $y=-3x$에 $y=6$을 대입하면

$6=-3x$

∴ $x=-2$

답 -2

08

$|a|$의 값이 작아질수록 x축에 가까워지므로

절댓값이 $\dfrac{5}{4}$보다 작은 수가 a의 값이 될 수 있다.

따라서 a의 값이 될 수 있는 것은 ①이다.

답 ①

09

두 점 O와 A를 지나는 직선과 두 점 O와 B를 지나는 직선을 그으면 다음 그림과 같다.

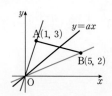

$y=ax$가 점 A$(1, 3)$을 지날 때

$a=3$

$y=ax$가 점 B$(5, 2)$를 지날 때

$2=5a$, $a=\dfrac{2}{5}$

따라서 정비례 관계 $y=ax$의 그래프가 선분 AB와 만나기 위한 a의 값의 범위는

$\dfrac{2}{5} \leq a \leq 3$

답 $\dfrac{2}{5} \leq a \leq 3$

10

집에서 학교까지 거리는 3000 m이고

A는 1분에 300 m를, B는 1분에 100 m를 이동한다.

A의 그래프의 관계식:

$y=ax$에 $x=1$, $y=300$을 대입하면

$y=300x$　　…… ①

B의 그래프의 관계식:

$y=ax$에 $x=1$, $y=100$을 대입하면

$y=100x$　　…… ②

$y=3000$일 때의 x의 값을 각각 구하면

① $3000=300x$, 즉 $x=10$

② $3000=100x$, 즉 $x=30$

이므로 자전거를 타고 등교하면 걸어서 등교할 때보다 20분 빨리 갈 수 있다.

답 20분

11

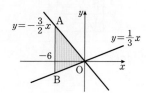

$y=-\dfrac{3}{2}x$에 $x=-6$을 대입하면

$y=-\dfrac{3}{2} \times (-6)=9$

즉, A$(-6, 9)$

$y=\dfrac{1}{3}x$에 $x=-6$을 대입하면

$y=\dfrac{1}{3} \times (-6)=-2$

즉, B$(-6, -2)$

선분 AB의 길이는

$9-(-2)=11$

이고, 원점 O에서 선분 AB까지의 거리는 6이므로

삼각형 ABO의 넓이는

$11 \times 6 \times \dfrac{1}{2}=33$

답 ④

12

(1)

x초	2	4	…
$y\,\mathrm{cm}^2$	6	12	…

1초에 0.5 cm를 움직이므로 2초에 1 cm를 움직인다. 이
때 삼각형 ABP의 넓이는

$1\times12\times\dfrac{1}{2}=6(\mathrm{cm}^2)$

$y=ax$에 $x=2$, $y=6$을 대입하면

$6=2a$, 즉 $a=3$

따라서 관계식은 $y=3x$

(2) 넓이가 24 cm²이므로 $y=24$를 대입하면

$24=3x$, 즉 $x=8$

따라서 넓이가 24 cm²가 되는 것은 8초 후이다.

답 (1) $y=3x$ (2) 8초 후

13

y가 x에 반비례하므로 $y=\dfrac{a}{x}(a\neq0)$라 하자.

$y=\dfrac{a}{x}$에 $x=3$, $y=-5$를 대입하면

$-5=\dfrac{a}{3}$ $\therefore a=-15$

따라서 $y=-\dfrac{15}{x}$에 $x=6$을 대입하면

$y=-\dfrac{15}{6}=-\dfrac{5}{2}$

답 $-\dfrac{5}{2}$

14

$y=\dfrac{48}{x}$에 $x=-6$, $y=a$를 대입하면

$a=\dfrac{48}{-6}=-8$

또 $x=b$, $y=12$를 대입하면

$12=\dfrac{48}{b}$, 즉 $b=4$

$(c,\ a+b)=(c,\ -8+4)=(c,\ -4)$이므로

$y=\dfrac{48}{x}$에 $x=c$, $y=-4$를 대입하면

$-4=\dfrac{48}{c}$, 즉 $c=-12$

따라서

$a+b+c=-8+4+(-12)=-16$

답 -16

15

점 P와 점 Q의 x좌표의 차가 1이므로
점 P의 x좌표를 m, 점 Q의 x좌표를 $m+1$이라 하면 점
P$(m,\ -6)$이고, 점 Q$(m+1,\ -4)$이다.

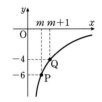

$y=\dfrac{a}{x}$에 $x=m$, $y=-6$을 대입하면

$-6=\dfrac{a}{m}$, $a=-6m$ …… ㉠

$y=\dfrac{a}{x}$에 $x=m+1$, $y=-4$를 대입하면

$-4=\dfrac{a}{m+1}$, $a=-4(m+1)$ …… ㉡

㉠, ㉡에서

$-6m=-4(m+1)$

$-6m=-4m-4$, $-2m=-4$

$\therefore m=2$

따라서 $m=2$를 $a=-6m$에 대입하면

$a=-12$

답 -12

16

(i) 관계식

한 줄 x개씩	8	4
y줄	45	90

반비례 관계이므로 $y=\dfrac{a}{x}$에 $x=4$, $y=90$을 대입하면

$90=\dfrac{a}{4}$

$a=360$이므로 $y=\dfrac{360}{x}$

(ii) $x=40$을 $y=\dfrac{360}{x}$에 대입하면

$$y=\dfrac{360}{40}=9$$

(i), (ii)에서 한 줄에 40개씩 배열하면 9줄이 된다.

답 9줄

17

직사각형 ABCD의 넓이가 140이므로

(선분 AB의 길이)$\times$(선분 BC의 길이)$=140$

(선분 AB의 길이)$\times 10=140$

즉, (선분 AB의 길이)$=14$

점 A의 좌표를 $(-5,\ p)$라고 하면 $p=7$

즉, 점 A의 좌표는 $(-5,\ 7)$

따라서 반비례 관계는 $xy=a$로 일정하므로

$a=(-5)\times 7=-35$

답 -35

18

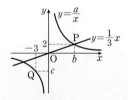

$y=\dfrac{1}{3}x$에 $x=b$, $y=2$를 대입하면

$$2=\dfrac{1}{3}\times b$$

즉, $b=6$이므로 점 P의 좌표는 $(6,\ 2)$이다.

이때 점 P는 $y=\dfrac{a}{x}$의 그래프 위의 점이기도 하므로

$y=\dfrac{a}{x}$에 $x=6$, $y=2$를 대입하면

$2=\dfrac{a}{6}$, 즉 $a=12$

그러므로 반비례 관계의 그래프는 $y=\dfrac{12}{x}$

또 $y=\dfrac{12}{x}$에 $x=-3$, $y=c$를 대입하면

$c=\dfrac{12}{-3}=-4$

따라서

$a+b+c=12+6+(-4)=14$

답 14

뉴런

세상에 없던 새로운 공부법!
기본 개념과 내신을
완벽하게 잡아주는 맞춤형 학습!

확인문제

01 (1) 꼭짓점 B　(2) 꼭짓점 A　(3) 모서리 GH
　　(4) 8　　　　　(5) 12

02 (1) ○ (2) ○ (3) ○ (4) ○ (5) ×

03 (1) 2　(2) $\dfrac{1}{2}$　(3) $\dfrac{1}{4}$　(4) 4　(5) $\dfrac{4}{3}$

04 (1) $\overline{\text{AB}}$　(2) $\overline{\text{AB}} \perp \overline{\text{AD}}$　(3) 점 B
　　(4) 점 B　(5) 점 A

05 (1) 예각 (2) 둔각 (3) 예각 (4) 평각 (5) 둔각 (6) 직각

06 (1) 5° (2) 15° (3) 22.5° (4) 60° (5) 180° (6) 270°

07 (1) ∠DOC　(2) ∠DOF　(3) ∠EOF
　　(4) ∠FOB　(5) ∠AOB

08 (1) 9 cm　(2) 8 cm　(3) 11 cm
　　(4) 3 cm　(5) 6 cm　(6) 6 cm

09 (1) ○ (2) ○ (3) ○ (4) × (5) ×

10 (1) ○ (2) ○ (3) × (4) ×

11 (1) ○ (2) × (3) ○ (4) ○

12 (1) ○ (2) ○ (3) ○ (4) ○

13 (1) 45° (2) 56° (3) 45° (4) 36°

14 (1) ① ○ ② × ③ × ④ ○
　　(2) ① × ② ○ ③ ○ ④ ×

15 (1) ○ (2) × (3) ○ 　　**16** ③

17 (1) × (2) ○ (3) ○ (4) ○ (5) ×

18 (1) ○ (2) × (3) ○ (4) ○ (5) ×

19 (1) ○ (2) ○ (3) ○ (4) ×

20 (1) ○ (2) × (3) × (4) ○ (5) ○

유형연습

01 26	**02** ③	**03** 18 cm	**04** ⑤
05 92°	**06** 167°	**07** 32°	**08** ④
09 10	**10** 12	**11** 5	**12** ②
13 116°	**14** 71°	**15** ②	**16** ⑤
17 ②	**18** ⑤	**19** 풀이 참조	**20** 2 cm

01

육각기둥의 교점의 개수는 육각기둥의 꼭짓점의 개수와 같으므로 $a=12$

육각뿔의 교선의 개수는 육각뿔의 모서리의 개수와 같으므로 $b=12$

원기둥의 교선은 옆면과 밑면이 만날 때 생기므로 $c=2$

따라서

$a+b+c=12+12+2=26$

답 26

02

서로 다른 직선은

$\overleftrightarrow{\text{AB}}$, $\overleftrightarrow{\text{BC}}$, $\overleftrightarrow{\text{CA}}$, $\overleftrightarrow{\text{DE}}$, $\overleftrightarrow{\text{DF}}$, $\overleftrightarrow{\text{EF}}$, $\overleftrightarrow{\text{AE}}$, $\overleftrightarrow{\text{BF}}$, $\overleftrightarrow{\text{CD}}$

이므로 모두 9개이다.

또 서로 다른 반직선은

(ⅰ) 점 A, B, C에서 시작하는 반직선

　　$\overrightarrow{\text{AB}}(=\overrightarrow{\text{AD}})$, $\overrightarrow{\text{AC}}(=\overrightarrow{\text{AF}})$, $\overrightarrow{\text{AE}}$,

　　$\overrightarrow{\text{BA}}(=\overrightarrow{\text{BD}})$, $\overrightarrow{\text{BC}}(=\overrightarrow{\text{BE}})$, $\overrightarrow{\text{BF}}$,

　　$\overrightarrow{\text{CA}}(=\overrightarrow{\text{CF}})$, $\overrightarrow{\text{CB}}(=\overrightarrow{\text{CE}})$, $\overrightarrow{\text{CD}}$의 9개

(ⅱ) 점 D, E, F에서 시작하는 반직선

　　$\overrightarrow{\text{DA}}$, $\overrightarrow{\text{DB}}$, $\overrightarrow{\text{DC}}$, $\overrightarrow{\text{DE}}$, $\overrightarrow{\text{DF}}$,

　　$\overrightarrow{\text{EA}}$, $\overrightarrow{\text{EB}}$, $\overrightarrow{\text{EC}}$, $\overrightarrow{\text{ED}}$, $\overrightarrow{\text{EF}}$,

　　$\overrightarrow{\text{FA}}$, $\overrightarrow{\text{FB}}$, $\overrightarrow{\text{FC}}$, $\overrightarrow{\text{FD}}$, $\overrightarrow{\text{FE}}$의 15개

이므로 서로 다른 반직선은 $9+15=24$(개)

따라서 서로 다른 직선의 개수와 서로 다른 반직선의 개수의 합은

$9+24=33$

답 ③

03

$\overline{\text{BC}}=x$ cm라 하면 $\overline{\text{CD}}=5x$ (cm)

$\overline{BD}=3\overline{AB}$이므로

$\overline{AB}=\dfrac{1}{3}\overline{BD}$

$\qquad =\dfrac{1}{3}(\overline{BC}+\overline{CD})$

$\qquad =\dfrac{1}{3}(x+5x)$

$\qquad =\dfrac{1}{3}\times 6x$

$\qquad =2x\,(\text{cm})$

이때 $\overline{AD}=\overline{AB}+\overline{BD}$

$\qquad\qquad =2x+6x$

$\qquad\qquad =8x\,(\text{cm})$

$\overline{AD}=48$ cm이므로

$8x=48,\ x=6$

따라서

$\overline{AC}=\overline{AB}+\overline{BC}$

$\qquad =2x+x$

$\qquad =3x=18\,(\text{cm})$

📖 18 cm

04

① $\overleftrightarrow{AB}\perp\overleftrightarrow{CD}$

② $\overline{AO}=\overline{BO}$이지만 나머지는 알 수 없다.

③ $\overleftrightarrow{CD}$는 $\overline{AB}$의 수직이등분선이다.

④ 점 B와 $\overleftrightarrow{CD}$ 사이의 거리는 $\overline{BO}$이다.

따라서 옳은 것은 ⑤이다.

📖 ⑤

05

$\overleftrightarrow{AB}$가 직선이므로

$\angle COB=180°-19°=161°$

$\angle COD:\angle DOE=3:4$이므로

$\angle COD=3x$라 하면 $\angle DOE=4x$

또 $\angle EOB:\angle FOB=7:3$이므로

$\angle EOB=7y$라 하면 $\angle FOB=3y$

이때 $\angle COB=\angle COE+\angle EOB=161°$이므로

$7x+7y=161°$

즉, $x+y=23°$

따라서

$\angle DOF=\angle DOE+\angle EOF$

$\qquad\quad =4x+4y$

$\qquad\quad =4\times 23°=92°$

📖 92°

06

시침과 분침은 1분 동안 각각 0.5°, 6° 움직인다.

시침이 12를 가리킬 때부터 2시간 46분 동안 움직인 각도는

$30°\times 2+0.5°\times 46=83°$

분침이 12를 가리킬 때부터 46분 동안 움직인 각도는

$6°\times 46=276°$

이때 시침과 분침이 이루는 각 중에서 큰 쪽의 각의 크기는

(분침이 회전한 각의 크기) $-$ (시침이 회전한 각의 크기)

$=276°-83°=193°$

따라서 시침과 분침이 이루는 각 중에서 작은 쪽의 각의 크기는

$360°-193°=167°$

📖 167°

07

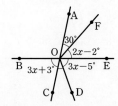

맞꼭지각의 크기는 서로 같으므로

$\angle AOE=\angle BOC$에서

$30°+(2\angle x-2°)=3\angle x+3°$

$2\angle x-3\angle x=3°-28°$

$-\angle x=-25°$

$\therefore\ \angle x=25°$

이때

$\angle COE = 180° - \angle BOC$

$\qquad = 180° - (3 \times 25° + 3°)$

$\qquad = 102°$

$\angle COE = \angle COD + \angle DOE = 102°$에서

$\angle COD + (3 \times 25° - 5°) = 102°$

$\angle COD + 70° = 102°$

따라서

$\angle COD = 32°$

🔲 32°

08

④ 점 C와 $\overline{AB}$ 사이의 거리는 $\overline{BC}$의 길이와 같게 되므로 8 cm이다.

따라서 옳지 않은 것은 ④이다.

🔲 ④

09

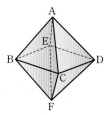

모서리 AB와 만나는 모서리는

$\overline{AC}, \overline{AD}, \overline{AE}, \overline{BC}, \overline{BE}, \overline{BF}$

이므로 $a=6$

모서리 AB와 꼬인 위치에 있는 모서리는

$\overline{CD}, \overline{DE}, \overline{CF}, \overline{EF}$

이므로 $b=4$

따라서

$a+b=6+4=10$

🔲 10

10

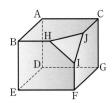

면 ABED와 평행한 모서리는

$\overline{CJ}, \overline{JI}, \overline{IF}, \overline{FG}, \overline{GC}$이므로

$a=5$

모서리 DE와 꼬인 위치에 있는 모서리는

$\overline{AC}, \overline{BH}, \overline{CG}, \overline{IF}, \overline{HI}, \overline{IJ}, \overline{HJ}$이므로

$b=7$

따라서

$a+b=5+7=12$

🔲 12

11

주어진 전개도를 접어서 삼각뿔을 만들면 다음 그림과 같다.

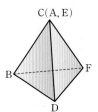

모서리 AB와 꼬인 위치에 있는 모서리는 $\overline{DF}$이므로

$a=1$

모서리 AB와 평행한 모서리는 없으므로

$b=0$

모서리 AB와 한 점에서 만나는 모서리는

$\overline{AD}, \overline{AF}, \overline{BD}, \overline{BF}$

이므로 $c=4$

따라서

$a+b+c=1+0+4=5$

🔲 5

12

두 직선 l, n과 한 직선 p가 만날 때

동위각의 크기가 62°로 같으므로 $l /\!/ n$

답 ②

13

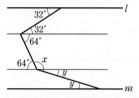

두 직선 l, m과 평행한 두 직선을 그으면 각각의 엇각의 크기가 같아서 크기가 같은 각이 생긴다.

$(\angle x - \angle y) + 64° = 180°$이므로

$\angle x - \angle y = 180° - 64°$

$\qquad\qquad = 116°$

답 116°

14

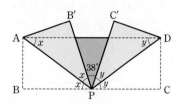

$\angle BPA = \angle PAD = \angle x$ (엇각),

$\angle BPA = \angle B'PA = \angle x$ (접은 각)

이고

$\angle CPD = \angle PDA = \angle y$ (엇각),

$\angle CPD = \angle C'PD = \angle y$ (접은 각)

이때 $2(\angle x + \angle y) + 38° = 180°$이므로

$2(\angle x + \angle y) = 180° - 38° = 142°$

따라서

$\angle x + \angle y = 71°$

답 71°

15

①, ④ 두 점 O, P를 중심으로 하고 반지름의 길이가 $\overline{OA}$인 원을 각각 그리므로

$\overline{OA} = \overline{OB} = \overline{PC} = \overline{PD}$

③ 점 D를 중심으로 하고 반지름의 길이가 $\overline{AB}$인 원을 그리므로 $\overline{AB} = \overline{CD}$

따라서 옳지 않은 것은 ②이다.

답 ②

16

① 두 점 A, P를 중심으로 하고 반지름의 길이가 같은 원을 각각 그리므로

$\overline{AB} = \overline{AC} = \overline{PQ} = \overline{PR}$

② 점 Q를 중심으로 하고 반지름의 길이가 $\overline{BC}$인 원을 그리므로

$\overline{BC} = \overline{QR}$

③, ④ $\angle BAC = \angle QPR$이므로 동위각의 크기가 서로 같다.

⑤ 작도 순서는 ⑥-②-①-⑩-ⓒ-ⓒ이다.

따라서 옳지 않은 것은 ⑤이다.

답 ⑤

17

① 가장 긴 변의 길이가 나머지 두 변의 길이의 합보다 작아야 한다.

③ $\overline{BC}$, $\overline{CA}$의 끼인각 $\angle C$의 크기를 알아야 한다.

④ $\angle A$와 $\angle B$의 두 각의 크기의 합이 180°이므로 삼각형을 만들 수 없다.

⑤ 세 각의 크기가 주어지면 모양은 같으나 크기가 다른 여러 개의 삼각형이 만들어진다.

따라서 △ABC가 하나로 정해지는 것은 ②이다.

답 ②

18

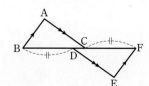

△ABC와 △EFD에서

$\overline{AB}//\overline{EF}$이므로

$\angle ABC = \angle EFD$ (엇각) ······ ㉠

$\overline{AC}//\overline{DE}$이므로

$\angle ACB = \angle EDF$ (엇각) ······ ㉡

$\overline{BD}=\overline{FC}$, $\overline{CD}$는 공통이므로

$\overline{BC}=\overline{FD}$ ······ ㉢

㉠, ㉡, ㉢에 의해

$\triangle ABC \equiv \triangle EFD$ (ASA 합동)

따라서 두 삼각형의 합동 조건은 ⑤이다.

답 ⑤

$\angle BAF = \angle a$, $\angle ABF = \angle b$라 하면

$\angle a + \angle b = 90°$이고 $\angle BAD = 90°$이므로

$\angle GAD = 90° - \angle a = \angle b$

$\angle b + \angle ADG = 90°$이므로

$\angle ADG = \angle a$

또 $\overline{AB}=\overline{DA}=10$ cm

이때 한 변의 길이와 그 양 끝 각의 크기가 각각 같으므로

$\triangle DAG \equiv \triangle ABF$ (ASA 합동)

따라서

$\overline{GF}=\overline{AF}-\overline{AG}$

$=\overline{DG}-\overline{AG}$

$=8-6=2$ (cm)

답 2 cm

19

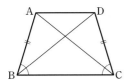

$\triangle ABC$와 $\triangle DCB$에서

$\overline{AB}=\overline{DC}$, $\angle ABC = \angle DCB$, $\overline{BC}$는 공통

이므로 $\triangle ABC \equiv \triangle DCB$ (SAS 합동)

즉, $\overline{AC}=\overline{DB}$

따라서 $\triangle DAB$와 $\triangle ADC$에서

$\overline{DB}=\overline{AC}$ ······ ㉠

주어진 조건에 의해 $\overline{AB}=\overline{DC}$ ······ ㉡

$\overline{AD}$는 공통 ······ ㉢

㉠, ㉡, ㉢에 의해

세 변의 길이가 각각 같으므로

$\triangle DAB \equiv \triangle ADC$ (SSS 합동)

답 풀이 참조

20

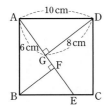

$\triangle DAG$와 $\triangle ABF$에서

6 평면도형

본문 118~135쪽

확인문제

01 (1) ○ (2) × (3) × (4) ○ (5) ×

02 (1) 1 (2) 6 (3) 9　　**03** (1) 2 (2) 27 (3) 54

04 (1) 60° (2) 25° (3) 85° (4) 62°

05 (1) 35° (2) 70° (3) 70° (4) 105°

06 (1) 540° (2) 1080° (3) 1440°

07 (1) 육각형 (2) 구각형

08 (1) 360° (2) 360°

09 (1) $\angle c + \angle e$ (2) $\angle a + \angle d$ (3) $\angle b + \angle e$
　　(4) $\angle a + \angle c$ (5) $\angle b + \angle d$

10 (1) 65° (2) 80° (3) 85° (4) 70°

11 (1) 108°, 72° (2) 135°, 45°

12 (1) 정구각형 (2) 정십이각형

13 (1) 정십이각형 (2) 정십각형

14 (1) ① 90° ② 108° ③ 162°
　　(2) ① 108° ② 120° ③ 132°

15 (1) × (2) ○ (3) × (4) ○ (5) ○

16 (1) ○ (2) ○ (3) × (4) ○ (5) ○

17 (1) ① 6π ② 9π (2) ① 10π ② 25π

18 (1) ① 2π ② 6π (2) ① 6π ② 24π

19 (1) 16π cm (2) $(3\pi+8)$ cm (3) 6π cm

20 (1) 32π cm² (2) 6π cm² (3) 2π cm²

21 (1) 6 (2) 120 (3) 2π cm (4) $(6\pi+18)$ cm

22 (1) 2 cm (2) 120° (3) $\dfrac{4}{3}\pi$ cm²
　　(4) 5 cm, 2 cm (5) 10 cm² (6) $(4\pi+30)$ cm²

23 (1) 60° (2) 60° (3) 120° (4) 4π cm

유형연습

01 ①　　**02** 팔각형　　**03** 39°　　**04** 38°

05 51°　　**06** 405°　　**07** 135°　　**08** 6°

09 ④　　**10** ④　　**11** 12 cm　　**12** 4배

13 40°　　**14** 7π cm

15 (1) O: 10 cm, O′: 6 cm, O″: 4 cm
　　(2) 40π cm (3) 48π cm²

16 $\dfrac{121}{4}\pi$ cm²　　　　　**17** $(16\pi+160)$ cm²

18 15π cm

01

② 정다각형의 종류는 무수히 많다.

③ 정사각형만이 한 내각의 크기와 한 외각의 크기가 같다.

④ 변의 길이가 모두 같고 내각의 크기도 모두 같아야 정다각형이다.

⑤ 네 변의 길이가 같은 사각형은 마름모이다. 네 변의 길이뿐 아니라 네 각의 크기도 같아야 정사각형이다.

따라서 옳은 것은 ①이다.

답 ①

02

오각형의 대각선의 개수는

$$\frac{5 \times (5-3)}{2} = 5$$

한 꼭짓점에서 그을 수 있는 대각선의 개수가 5인 다각형을 n각형이라 하면

$n - 3 = 5$

$\therefore n = 8$

따라서 구하는 다각형은 팔각형이다.

답 팔각형

03

$\angle BAC = \angle CAD$

$\qquad = \dfrac{1}{2} \times (180° - 102°) = 39°$

$\triangle ACD$에서 $\angle ADE = \angle CAD + \angle ACD$이므로

$39° + \angle x = \angle y$

따라서 $\angle y - \angle x = 39°$

답 39°

04

$\angle CBA = \angle CAB = \angle x$이므로

$\triangle CAB$에서

$\angle DCB = \angle x + \angle x = 2\angle x$

$\triangle BDC$에서

$\angle D = \angle DCB = 2\angle x$

$\triangle DAB$에서

$114° = \angle x + 2\angle x = 3\angle x$

따라서 $\angle x = 38°$

冒 38°

05

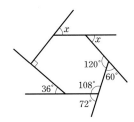

다각형의 외각의 크기의 합은 360°이므로

$\angle x + 90° + 36° + 72° + 60° + \angle x = 360°$

$2\angle x + 258° = 360°,\ 2\angle x = 102°$

따라서 $\angle x = 51°$

冒 51°

06

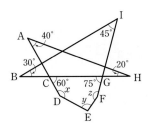

$\triangle CAH$에서

$\angle DCG = 40° + 20° = 60°$

$\triangle BIG$에서

$\angle CGF = 30° + 45° = 75°$

오각형 CDEFG의 내각의 크기의 합이 540°이므로

$60° + \angle x + \angle y + \angle z + 75° = 540°$

따라서

$\angle x + \angle y + \angle z = 405°$

冒 405°

07

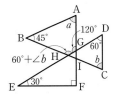

$\triangle DHC$에서

$\angle BHG = 60° + \angle b$

$\triangle GEF$에서

$\angle AGH = 90° + 30° = 120°$

$\square ABHG$의 내각의 크기의 합은 360°이므로

$\angle a + 45° + 60° + \angle b + 120° = 360°$

$\angle a + \angle b + 225° = 360°$

따라서

$\angle a + \angle b = 360° - 225° = 135°$

冒 135°

08

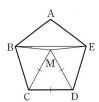

정오각형의 한 내각의 크기는

$$\frac{180° \times (5-2)}{5} = 108°$$

$\triangle ABE$는 $\overline{AB} = \overline{AE}$인 이등변삼각형이므로

$$\angle ABE = \frac{180° - 108°}{2} = 36°$$

$\triangle MCD$가 정삼각형이므로

$\angle MCD = 60°$

즉, $\angle BCM = 108° - 60° = 48°$

$\overline{BC} = \overline{CD} = \overline{CM}$이므로

$\triangle CMB$는 이등변삼각형이다.

$$\therefore \angle CBM = \frac{180° - 48°}{2} = 66°$$

따라서

$\angle MBE = \angle ABC - (\angle ABE + \angle CBM)$

$$=108°-(36°+66°)=6°$$

답 6°

09

정오각형의 한 내각의 크기는

$$\frac{180°\times(5-2)}{5}=108°$$

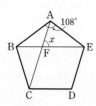

△ABE가 이등변삼각형이므로

∠ABE=∠AEB

$$=\frac{180°-108°}{2}$$

$$=36°$$

마찬가지로 △BCA에서

∠BAC=∠BCA=36°

따라서 △ABF에서

∠x=36°+36°=72°

답 ④

10

④ $\overparen{AE}$와 $\overline{AE}$로 둘러싸인 도형은 활꼴이다.

답 ④

11

$\overline{AC}/\!/\overline{OD}$이므로 평행한 두 직선과 한 직선이 만날 때 생기는 동위각의 크기는 같으므로

∠CAO=∠DOB=40°

$\overline{OC}$를 그으면 △OCA에서

$\overline{OA}$와 $\overline{OC}$는 원 O의 반지름이므로 길이가 같다.

즉, △OCA는 이등변삼각형이므로

∠OAC=∠OCA=40°

∠AOC=180°-(40°+40°)=100°

한 원에서 중심각의 크기와 호의 길이는 정비례하므로

$100°:30=40°:\overparen{BD}$

$100\overparen{BD}=1200$

따라서

$\overparen{BD}=12\,(cm)$

답 12 cm

12

작은 원의 반지름의 길이를 r cm라 하면 큰 원의 반지름의 길이는 $4r$ cm이다.

(큰 원의 넓이)=$\pi\times(4r)^2=16r^2\pi\,(cm^2)$

(작은 네 개의 원들의 넓이의 합)=$4\times\pi\times r^2$

$$=4r^2\pi\,(cm^2)$$

따라서 큰 원의 넓이는 작은 네 개의 원들의 넓이의 합의 4배이다.

답 4배

13

두 원 O와 O′에서 색칠한 두 부채꼴의 넓이가 같으므로

$$\pi\times6^2\times\frac{90}{360}=\pi\times9^2\times\frac{x}{360}$$

따라서

∠x=40°

답 40°

14

색칠한 부분의 둘레의 길이는 지름의 길이가 6 cm인 반원 2개의 호의 길이와 반지름의 길이가 6 cm이고 중심각의 크기가 30°인 부채꼴의 호의 길이를 더한 것과 같다.

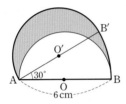

지름의 길이가 6 cm인 반원 2개의 호의 길이는

$$\left\{2\pi \times \left(6 \times \frac{1}{2}\right)\right\} \times \frac{1}{2} \times 2 = 6\pi \ (cm)$$

반지름의 길이가 6 cm이고 중심각의 크기가 30°인 부채꼴의 호의 길이는

$$2\pi \times 6 \times \frac{30}{360} = \pi \ (cm)$$

따라서 색칠한 부분의 둘레의 길이는

$$6\pi + \pi = 7\pi \ (cm)$$

📋 7π cm

15

(1) 원 O의 반지름의 길이는

$$20 \times \frac{1}{2} = 10 \ (cm)$$

원 O′의 반지름의 길이는

$$20 \times \frac{3}{5} \times \frac{1}{2} = 6 \ (cm)$$

원 O″의 반지름의 길이는

$$20 \times \frac{2}{5} \times \frac{1}{2} = 4 \ (cm)$$

(2) 색칠한 부분의 둘레의 길이는 세 원 O, O′, O″의 둘레의 길이를 모두 더한 것과 같다. 즉,

$$2\pi \times 10 + 2\pi \times 6 + 2\pi \times 4 = 20\pi + 12\pi + 8\pi$$
$$= 40\pi \ (cm)$$

(3) 색칠한 부분의 넓이는 원 O의 넓이에서 두 원 O′, O″의 넓이를 뺀 것과 같다. 즉,

$$\pi \times 10^2 - \pi \times 6^2 - \pi \times 4^2 = 100\pi - 36\pi - 16\pi$$
$$= 48\pi \ (cm^2)$$

📋 (1) O: 10 cm, O′: 6 cm, O″: 4 cm

(2) 40π cm   (3) 48π cm²

16

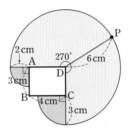

점 P가 움직일 수 있는 영역을 표시하면 위의 그림과 같다.

이때 점 P가 움직일 수 있는 영역의 넓이는

반지름의 길이가 $6-4=2$ (cm)이고 중심각의 크기가 90°인 부채꼴, 반지름의 길이가 $6-3=3$ (cm)이고 중심각의 크기가 90°인 부채꼴, 반지름의 길이가 6 cm이고 중심각의 크기가 270°인 부채꼴의 넓이의 합과 같다.

따라서

$$\pi \times 2^2 \times \frac{90}{360} + \pi \times 3^2 \times \frac{90}{360} + \pi \times 6^2 \times \frac{270}{360}$$
$$= \pi \times 4 \times \frac{1}{4} + \pi \times 9 \times \frac{1}{4} + \pi \times 36 \times \frac{3}{4}$$
$$= \pi + \frac{9}{4}\pi + 27\pi$$
$$= \frac{121}{4}\pi \ (cm^2)$$

📋 $\frac{121}{4}\pi$ cm²

17

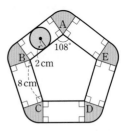

원이 지나간 자리를 표시하면 위의 그림과 같다. 원이 지나간 자리는 정오각형의 각 변을 따라갈 때 직사각형 모양이 생기고 정오각형의 각 꼭짓점을 지날 때 부채꼴 모양이 생긴다.

이때 직사각형 부분의 넓이는

$$(2 \times 2) \times 8 \times 5 = 160 \ (cm^2)$$

부채꼴의 중심각의 크기는

$$360° - (90° + 108° + 90°) = 72°$$

이고 같은 부채꼴이 5개이므로
부채꼴 부분의 넓이는

$$\left(\pi \times 4^2 \times \frac{72}{360}\right) \times 5 = 16\pi \ (\text{cm}^2)$$

따라서 원이 지나간 자리의 넓이는

$(16\pi + 160) \ \text{cm}^2$

🄳 $(16\pi + 160) \ \text{cm}^2$

18

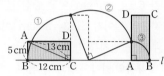

점 B가 움직인 모양은 위의 그림의 ①~③과 같이 부채꼴의 호이다.

①의 길이: $2\pi \times 12 \times \dfrac{90}{360} = 6\pi \ (\text{cm})$

②의 길이: $2\pi \times 13 \times \dfrac{90}{360} = \dfrac{13}{2}\pi \ (\text{cm})$

③의 길이: $2\pi \times 5 \times \dfrac{90}{360} = \dfrac{5}{2}\pi \ (\text{cm})$

따라서 점 B가 움직인 거리는

$6\pi + \dfrac{13}{2}\pi + \dfrac{5}{2}\pi = 15\pi \ (\text{cm})$

🄳 $15\pi \ \text{cm}$

7 입체도형

본문 136~155쪽

확인문제

01 (1) ○ (2) × (3) ○ (4) × (5) × (6) ○ (7) × (8) ○

02 (1) ○ (2) ○ (3) ○ (4) × (5) ×

03 (1) 6 (2) 8 (3) 6 (4) 8

04 (1) 12 (2) 18 (3) 10 (4) 18

05 (1) 8 (2) 12 (3) 6 (4) 12

06 (1) ○ (2) ○ (3) × (4) × (5) ○

07 (1) 정사면체   (2) 정팔면체   (3) 정육면체
   (4) 정이십면체 (5) 정십이면체

08 (1) ○ (2) × (3) × (4) ○ (5) ○ (6) × (7) ○ (8) ×

09 (1) 직사각형 (2) 이등변삼각형 (3) 사다리꼴
   (4) 원   (5) 반원

10 (1) 원뿔대 (2) 5 (3) 10 (4) 12 (5) 사다리꼴

11 (1) 6 cm² (2) 72 cm² (3) 84 cm²

12 (1) 16π cm² (2) 48π cm² (3) 80π cm²

13 (1) 9π cm² (2) 6π cm (3) 18π cm² (4) 27π cm²

14 (1) 16π cm² (2) 36π cm² (3) 64π cm²
   (4) 100π cm²

15 (1) 원뿔대 (2) 80π cm² (3) 72π cm²
   (4) 152π cm²

16 (1) $\dfrac{25}{2}\pi$ cm²   (2) $(5\pi + 10)$ cm
   (3) $(60\pi + 120)$ cm² (4) $(85\pi + 120)$ cm²

17 (1) 36π cm² (2) 360π cm³ (3) 4π cm²
   (4) 40π cm³ (5) 320π cm³

18 (1) 50 cm³ (2) 100π cm³ (3) $\dfrac{20}{3}$ cm³
   (4) 75π cm³

19 (1) 36π cm³ (2) $\dfrac{256}{3}\pi$ cm³ (3) 144π cm³
   (4) $\dfrac{1024}{3}\pi$ cm³

20 (1) 243π cm³ (2) 9π cm³ (3) 234π cm³

21 (1) 반구, 원뿔 (2) 반구: 18π cm³, 원뿔: 15π cm³
   (3) 33π cm³

22 36π cm³   **23** 2304π cm³   **24** 64배

25 (1) 18π cm³ (2) 36π cm³ (3) 54π cm³ (4) 1:2:3

01 ③	**02** ①, ③	**03** 11	**04** $\overline{\text{AC}}$
05 74	**06** ②	**07** 48 cm²	**08** ②
09 ②	**10** ②	**11** 256π cm²**12** ④	
13 ②	**14** 54π cm³		**15** 316 cm³
16 630π cm³		**17** 112 cm³	
18 336π cm³		**19** $\dfrac{10}{3}$	**20** ④

01

③ 사각뿔의 밑면은 사각형이지만 옆면은 모두 삼각형이다.

🔁 ③

02

② 정사면체의 각 면은 정삼각형이다.

④ 한 꼭짓점에 모인 면의 개수가 5이면 정이십면체이다.

⑤ 정다면체의 면의 모양은 정삼각형, 정사각형, 정오각형뿐이다.

따라서 옳은 것은 ①, ③이다.

🔁 ①, ③

03

면의 개수가 가장 적은 다면체는 사면체이므로

$x=4$

사면체의 면의 모양은 삼각형이므로 $y=3$

사면체의 꼭짓점의 개수는 4이므로 $z=4$

따라서

$x+y+z=4+3+4=11$

🔁 11

04

주어진 전개도로 정다면체를 만들면 다음 그림과 같은 정사면체이다.

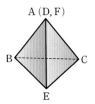

따라서 $\overline{\text{BE}}$와 꼬인 위치에 있는 모서리는 $\overline{\text{AC}}$이다.

🔁 $\overline{\text{AC}}$

05

정육면체의 면은 6개, 모서리는 12개, 꼭짓점은 8개이다.

이때 각 꼭짓점으로부터 이웃한 꼭짓점까지의 거리의 $\dfrac{1}{3}$ 지점을 지나는 평면으로 자를 때 새로운 입체도형의 면의 개수는 기존의 면의 개수에 정육면체의 꼭짓점의 개수를 더한 것과 같으므로

$x=6+8=14$

새로운 입체도형의 꼭짓점은 기존의 꼭짓점이 없어지는 대신 새로운 꼭짓점이 3개씩 생기므로

$y=3\times8=24$

새로운 입체도형의 모서리는 정육면체의 원래의 면에 각각 생기는 팔각형 6개와 새롭게 생기는 면인 삼각형 8개에서 생기므로

$z=\dfrac{6\times8+8\times3}{2}=36$

따라서

$x+y+z=14+24+36=74$

🔁 74

06

주어진 평면도형과 그 평면도형을 직선 l을 회전축으로 하여 1회전 시킬 때 생기는 입체도형을 연결하면

㉠-ⓐ, ㉡-ⓒ, ㉢-ⓑ

따라서 바르게 연결한 것은 ②이다.

🔁 ②

07

회전체를 회전축이 포함되게 잘랐을 때 생기는 단면은 윗변의 길이가 6 cm, 아랫변의 길이가 10 cm이고 높이가 6 cm인 사다리꼴이다.

따라서 단면의 넓이는

$$\frac{1}{2} \times (6+10) \times 6 = 48 \ (\text{cm}^2)$$

🅐 48 cm²

08

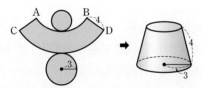

주어진 전개도로 만들어지는 회전체는 원뿔대이다.

회전축을 포함하는 평면으로 자른 단면은 사다리꼴이고 회전축에 수직인 평면으로 자른 단면은 크기가 다른 원이다.

또 $\overparen{AB}$, $\overparen{CD}$의 길이는 각 호와 만나는 원의 둘레의 길이와 같다.

따라서 옳지 않은 것은 ②이다.

🅐 ②

09

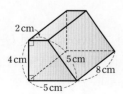

$$\begin{aligned}(\text{겉넓이}) &= \left\{ \frac{1}{2} \times (2+5) \times 4 \right\} \times 2 + (2+4+5+5) \times 8 \\ &= 28 + 128 \\ &= 156 \ (\text{cm}^2) \end{aligned}$$

🅐 ②

10

$$(\text{밑넓이}) = 7 \times 7 = 49 \ (\text{cm}^2)$$

$$(\text{옆넓이}) = \left(\frac{1}{2} \times 7 \times x \right) \times 4 = 14x \ (\text{cm}^2)$$

$$\therefore \ (\text{겉넓이}) = 49 + 14x = 133 \ (\text{cm}^2)$$

$$14x = 84$$

따라서 $x = 6$

🅐 ②

11

$$\begin{aligned}(\text{겉넓이}) &= (\text{구의 겉넓이}) \times \frac{3}{4} + (\text{원의 넓이}) \\ &= 4\pi \times 8^2 \times \frac{3}{4} + \pi \times 8^2 \\ &= 192\pi + 64\pi \\ &= 256\pi \ (\text{cm}^2) \end{aligned}$$

🅐 256π cm²

12

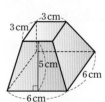

$$\begin{aligned}(\text{겉넓이}) &= 3 \times 3 + 6 \times 6 + 4 \times \left\{ \frac{1}{2} \times (3+6) \times 5 \right\} \\ &= 9 + 36 + 90 \\ &= 135 \ (\text{cm}^2) \end{aligned}$$

🅐 ④

13

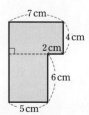

$$(\text{밑넓이}) = 7 \times 4 + 5 \times 6 = 58 \ (\text{cm}^2)$$

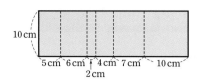

$(옆넓이)=(5+6+2+4+7+10) \times 10$
$\qquad =340 \,(\mathrm{cm}^2)$

$\therefore (겉넓이)=(밑넓이) \times 2+(옆넓이)$
$\qquad =58 \times 2+340=456 \,(\mathrm{cm}^2)$

답 ②

14

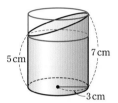

주어진 입체도형의 부피는 밑면인 원의 반지름의 길이가 3 cm이고 높이가 5 cm인 원기둥의 부피와 밑면인 원의 반지름의 길이가 3 cm이고 높이가 2 cm인 원기둥의 부피의 반의 합으로 구할 수 있다.

따라서 입체도형의 부피는

$\pi \times 3^2 \times 5 + (\pi \times 3^2 \times 2) \times \dfrac{1}{2}$
$=45\pi + 9\pi = 54\pi \,(\mathrm{cm}^3)$

답 $54\pi \,\mathrm{cm}^3$

15

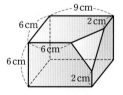

$(직육면체의 부피)=9 \times 6 \times 6=324 \,(\mathrm{cm}^3)$
잘라 낸 입체도형은 삼각뿔이므로

$(잘라 낸 입체도형의 부피)=\dfrac{1}{3} \times \left(\dfrac{1}{2} \times 3 \times 4\right) \times 4$
$\qquad =8 \,(\mathrm{cm}^3)$
따라서 주어진 입체도형의 부피는

$324-8=316 \,(\mathrm{cm}^3)$

답 $316 \,\mathrm{cm}^3$

16

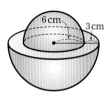

$(부피)=\dfrac{1}{2} \times \left(\dfrac{4}{3}\pi \times 6^3\right) + \dfrac{1}{2} \times \left(\dfrac{4}{3}\pi \times 9^3\right)$
$\qquad =630\pi \,(\mathrm{cm}^3)$

답 $630\pi \,\mathrm{cm}^3$

17

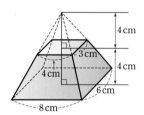

$(부피)=(큰 사각뿔의 부피)-(작은 사각뿔의 부피)$
$\qquad =\dfrac{1}{3} \times 8 \times 6 \times 8 - \dfrac{1}{3} \times 4 \times 3 \times 4$
$\qquad =128-16=112 \,(\mathrm{cm}^3)$

답 $112 \,\mathrm{cm}^3$

18

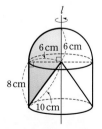

구하는 회전체의 부피는 반구의 부피에 원기둥의 부피를 더한 후 원뿔의 부피를 빼서 구할 수 있다.

$(반구의 부피)=\dfrac{4}{3}\pi \times 6^3 \times \dfrac{1}{2}=144\pi \,(\mathrm{cm}^3)$

(원기둥의 부피)$=\pi \times 6^2 \times 8 = 288\pi$ (cm^3)

(원뿔의 부피)$=\dfrac{1}{3} \times \pi \times 6^2 \times 8 = 96\pi$ (cm^3)

따라서

(입체도형의 부피)$=144\pi + 288\pi - 96\pi$
$$=336\pi \text{ (cm}^3)$$

답 336π cm^3

19

두 그릇에 들어 있는 물의 부피가 서로 같으므로

$\dfrac{1}{3} \times \left(\dfrac{1}{2} \times 10 \times 9\right) \times 6 = \left(\dfrac{1}{2} \times 9 \times x\right) \times 6$

$90 = 27x$

따라서

$x = \dfrac{90}{27} = \dfrac{10}{3}$

답 $\dfrac{10}{3}$

20

(정육면체의 부피)$=10^3 = 1000$ (cm^3)

(구의 부피)$=\dfrac{4}{3}\pi \times 5^3 = \dfrac{500}{3}\pi$ (cm^3)

(사각뿔의 부피)$=\dfrac{1}{3} \times 10 \times 10 \times 10$
$$=\dfrac{1000}{3} \text{ (cm}^3)$$

따라서 구하는 부피의 비는

$1000 : \dfrac{500}{3}\pi : \dfrac{1000}{3} = 6 : \pi : 2$

답 ④

---

8 **자료의 정리와 해석**   본문 156~165쪽

확인문제

01 (1) ◯ (2) ◯ (3) ◯ (4) × (5) ◯

02 (1) × (2) × (3) ◯ (4) ◯ (5) ◯

03 (1) 6 (2) 1초 (3) 8 (4) 3 (5) 4

04
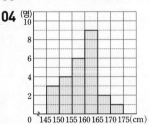

05 (1) ◯ (2) × (3) ◯ (4) × (5) ◯

06 (1) ◯ (2) × (3) ◯ (4) ×

07

수학 성적(점)	학생 수(명)	상대도수
40^{이상}~50^{미만}	3	0.06
50 ~60	6	0.12
60 ~70	12	0.24
70 ~80	16	0.32
80 ~90	9	0.18
90 ~100	4	0.08
합계	50	1

08

사용 시간(시간)	도수(명)	상대도수
1^{이상}~ 3^{미만}	10	0.05
3 ~ 5	50	0.25
5 ~ 7	70	0.35
7 ~ 9	40	0.2
9 ~11	20	0.1
11 ~13	10	0.05
합계	200	1

09
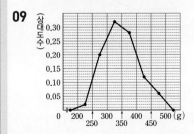

10 (1) 46 % (2) 32 % (3) 54 (4) 76

유형연습

01 (1) 110만 명 (2) ③

02 (1) 풀이 참조 (2) 20분 이상 30분 미만 (3) 5

03 $A=21$, $B=6$ **04** 12 **05** 20명

06 4 **07** (1) 40 (2) 8 **08** 0.25

09 15 **10** 44

01

(1) 한국 영화의 흥행 상위 영화의 관객 수는 차례로 750, 740, 530, 480, 470, …(만 명)이므로 한국 영화의 흥행 상위 5번째 영화의 관객 수는 470만 명이다.

또 외국 영화의 흥행 상위 영화의 관객 수는 차례로 780, 510, 500, 440, 360, …(만 명)이므로 외국 영화의 흥행 상위 5번째 영화의 관객 수는 360만 명이다.

따라서 흥행 상위 5번째 영화의 관객 수의 차는 $470-360=110$ (만 명)이다.

(2) 700만 명 이상의 관객이 관람한 영화는 한국 영화 2편과 외국 영화 1편으로 총 3편이다.

따라서 전체의

$$\frac{3}{20}\times100=15 \ (\%)$$

답 (1) 110만 명 (2) ③

02

(1)

통학 시간(분)	학생 수(명)
0^{이상}~10^{미만}	3
10 ~20	7
20 ~30	11
30 ~40	5
40 ~50	4
합계	30

(2) 학생 수가 11명일 때 도수가 가장 크고 그때의 계급은 20분 이상 30분 미만이다.

(3) 통학 시간이 33분인 학생이 속하는 계급은 30분 이상 40분 미만이고 그 계급의 도수는 5이다.

답 (1) 풀이 참조 (2) 20분 이상 30분 미만 (3) 5

03

독서량이 8권 이상인 학생이 전체의 25 %이므로

$$\frac{B+4}{40}\times100=25$$에서

$$B+4=10$$

$$\therefore B=6$$

또 전체 학생이 40명이므로

$2+7+A+6+4=40$에서

$$A+19=40$$

$$\therefore A=21$$

답 $A=21$, $B=6$

04

공부한 시간이 10시간 이상 12시간 미만인 학생 수를 x라 하면

$$\frac{x+4}{40}\times100=25$$

$$x+4=10 \quad \therefore x=6$$

공부한 시간이 8시간 이상 10시간 미만인 학생 수를 y라 하면

$$2+8+8+y+6+4=40$$

$$28+y=40 \quad \therefore y=12$$

따라서 8시간 이상 10시간 미만으로 공부한 학생 수는 12이다.

답 12

05

세로축 한 눈금의 도수를 x라 하면

$$4x+5x+6x+3x+2x=80$$

$$20x=80 \quad \therefore x=4$$

즉, 세로축 한 눈금의 도수는 4이다.

따라서 책을 8권 이상 읽은 학생은

$$12+8=20 \ (명)$$

답 20명

06

성적이 70점 미만인 학생이 전체의 35 %이므로 성적이 70점 이상인 학생은 전체의

$100-35=65\ (\%)$

이고 성적이 70점 이상인 학생 수는

$12+8+6=26$

이때 학급 전체 학생 수를 x라 하면

성적이 70점 이상인 학생이 65 %이므로

$\dfrac{26}{x}\times 100=65$에서 $x=\dfrac{2600}{65}=40$

즉, 전체 학생은 40명이다.

또 성적이 50점 이상 60점 미만인 학생 수를 y라 하면

$2+y+8+12+8+6=40$

$y+36=40$

$y=4$

따라서 사회 성적이 50점 이상 60점 미만인 학생 수는 4 이다.

🄐 4

07

(1) 전체 학생 수를 x라 하면

$\dfrac{6}{x}=0.15$에서

$x=\dfrac{6}{0.15}=40$

따라서 전체 학생 수는 40이다.

(2) $A=40\times 0.2=8$

🄐 (1) 40 (2) 8

08

도수의 총합을 x라 할 때

첫 번째 계급의 도수와 상대도수를 이용하면

$\dfrac{8}{x}=0.2$에서 $x=\dfrac{8}{0.2}=40$

따라서 80점 이상 85점 미만인 계급의 상대도수는

$\dfrac{10}{40}=0.25$

🄐 0.25

09

수면 시간이 6시간 이상 7시간 미만인 계급의 상대도수는

$1-(0.06+0.22+0.28+0.14)$

$=1-0.7=0.3$

수면 시간이 7시간 이상 8시간 미만인 계급의 상대도수가 0.28이고 그때의 도수가 14명이므로

전체 학생 수를 x라 하면

$\dfrac{14}{x}=0.28$에서 $x=\dfrac{14}{0.28}=50$

또 수면 시간이 6시간 이상 7시간 미만인 계급의 도수를 y라 하면

$\dfrac{y}{50}=0.3$에서 $y=0.3\times 50=15$

따라서 수면 시간이 6시간 이상 7시간 미만인 계급의 학생 수는 15이다.

🄐 15

10

A 학교의 TV 시청 시간이 6시간 이상 8시간 미만인 계급의 상대도수는

$1-(0.08+0.24+0.2+0.12+0.02)$

$=1-0.66=0.34$

이므로 A 학교의 TV 시청 시간이 6시간 이상 10시간 미만인 계급의 상대도수는

$0.34+0.2=0.54$

또 B 학교의 TV 시청 시간이 8시간 이상 10시간 미만인 계급의 상대도수는

$1-(0.02+0.06+0.2+0.24+0.16)$

$=1-0.68=0.32$

이므로 B 학교의 TV 시청 시간이 6시간 이상 10시간 미만인 계급의 상대도수는

$0.2+0.32=0.52$

이때 A 학교의 TV 시청 시간이 6시간 이상 10시간 미만인 계급의 학생 수는

$400\times 0.54=216$

B 학교의 TV 시청 시간이 6시간 이상 10시간 미만인 계급의 학생 수는

$500 \times 0.52 = 260$

따라서 TV 시청 시간이 6시간 이상 10시간 미만인 학생 수의 차는

$260 - 216 = 44$

답 44

MY READING COACH

20일 만에 완성하는 영어 독해
명쾌한 무료 해설강의와 함께하는
재미있는 독해 공부

MY GRAMMAR COACH

단어를 알아도 문장 해석이 잘 안된다면?
중학 과정에 필요한 모든 영문법을 정복한다!

MEMO

수학의 답

중학 수학 1

필독

중학 국어로 수능 잡기

✦✦ **필독** 중학 국어로 수능 잡기 시리즈

문학 ── 비문학 독해 ── 문법 ── 교과서 시 ── 교과서 소설

중학도 EBS!

EBS중학의 무료강좌와 프리미엄강좌로 완벽 내신대비!

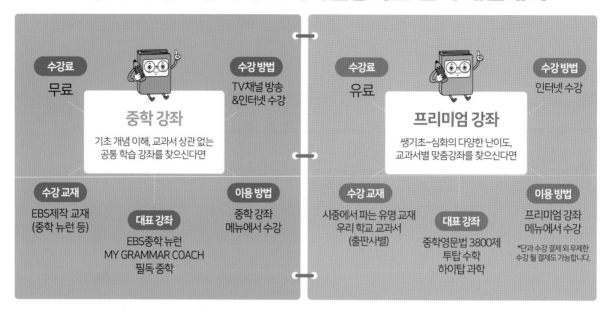

중학 강좌
기초 개념 이해, 교과서 상관 없는 공통 학습 강좌를 찾으신다면

- **수강료** 무료
- **수강 방법** TV채널 방송 &인터넷 수강
- **수강 교재** EBS제작 교재 (중학 뉴런 등)
- **대표 강좌** EBS중학 뉴런 MY GRAMMAR COACH 필독 중학
- **이용 방법** 중학 강좌 메뉴에서 수강

프리미엄 강좌
쌩기초~심화의 다양한 난이도, 교과서별 맞춤강좌를 찾으신다면

- **수강료** 유료
- **수강 방법** 인터넷 수강
- **수강 교재** 시중에서 파는 유명 교재 우리 학교 교과서 (출판사별)
- **대표 강좌** 중학영문법 3800제 투탑 수학 하이탑 과학
- **이용 방법** 프리미엄 강좌 메뉴에서 수강
  *단과 수강 결제 외 무제한 수강 월 결제도 가능합니다.

프리패스 하나면 EBS중학프리미엄 전 강좌 무제한 수강

내신 대비 진도 강좌
- ☑ 국어/영어: 출판사별 국어7종/ 영어9종 우리학교 교과서 맞춤강좌
- ☑ 수학/과학: 시중 유명 교재 강좌 모든 출판사 내신 공통 강좌
- ☑ 사회/역사: 개념 및 핵심 강좌 자유학기제 대비 강좌

영어 수학 수준별 강좌
- ☑ 영어: 영역별 다양한 레벨의 강좌 문법 5종/독해 1종/듣기 1종 어휘 3종/회화 3종/쓰기 1종
- ☑ 수학: 실력에 딱 맞춘 수준별 강좌 기초개념 3종/ 문제적용 4종 유형훈련 3종/ 최고심화 3종

시험 대비 / 예비 강좌
- · 중간, 기말고사 대비 특강
- · 서술형 대비 특강
- · 수행평가 대비 특강
- · 반배치 고사 대비 강좌
- · 예비 중1 선행 강좌
- · 예비 고1 선행 강좌

왜 EBS중학프리미엄 프리패스를 선택해야 할까요?

현직 교사들이 직접 참여하는 강의

타사 대비 60% 수준의 합리적 수강료

60%

프리패스 회원만을 위한 특별한 혜택

자세한 내용은 EBS중학 > 프리미엄 강좌 > 무한수강 프리패스(http://mid.ebs.co.kr/premium/middle/index) 에서 확인할 수 있습니다.

*사정상 개설강좌, 가격정책은 변경될 수 있습니다.